纯美阅读

精美散文

朱自清等　著

中国华侨出版社
北京

图书在版编目（CIP）数据

精美散文 / 朱自清等著. —北京：中国华侨出版社，2013.10（2022.2重印）

ISBN 978-7-5113-4034-4

Ⅰ.①精… Ⅱ.①朱… Ⅲ.①散文集－世界 Ⅳ.①I16

中国版本图书馆CIP数据核字（2013）第214485号

精美散文

著　　者：朱自清等

责任编辑：高文喆

封面设计：韩　立

文字编辑：于海娣　贾　娟

美术编辑：潘　松

经　　销：新华书店

开　　本：720mm×1020mm　1/16　印张：24　字数：417千字

印　　刷：鑫海达（天津）印务有限公司

版　　次：2014年1月第1版　2022年2月第4次印刷

书　　号：ISBN 978-7-5113-4034-4

定　　价：68.00元

中国华侨出版社　北京市朝阳区西坝河东里77号楼底商5号　邮编：100028

发 行 部：(010) 58815874　　传　　真：(010) 58815857

网　　址：www.oveaschin.com　　E－mail：oveaschin@sina.com

如果发现印装质量问题，影响阅读，请与印刷厂联系调换。

散文是文学殿堂中一种备受广大读者青睐的文体。古今中外的文学大师，以其洞幽入微的观察力、超凡尘世的秉性、细腻激扬的情愫，凭借生花的妙笔，写下了无数文采斐然、脍炙人口的散文名篇。这些经历了时间考验的散文佳作，不仅丰富了世界文学宝库，而且还感染和影响了成千上万的人，叩击着一代又一代人的心灵，给人们以精神上的享受和艺术上的熏陶。

　　在充满竞争和诱惑的现代社会，不断汲取知识的营养，提高自身的素质，已成为大多数人的共识。散文作为文学殿堂中一种举足轻重、影响广泛的文体，是人们不可或缺的精神食粮之一。读一篇优美的散文，就是和一颗至纯至美的心灵在晤谈。因为优秀的散文是文学大师们至情至性的杰作，它们或讴歌自然，或解析社会，或赞颂真善美，或鞭笞假恶丑，其优美文辞的背后，总是蕴蓄或阐释着深刻的自然或社会哲理，给人以思想上的启迪和行为上的观照。

　　一个人在其一生中，阅读若干篇文辞优美、思想深邃的散文，不仅可以开阔视野，拓宽知识面，还可以净化思想，荡涤心灵，从而摆脱尘世观念的浸染，使自己的思想进入一个高尚博大的境界，以此静观社会，审视人生，检视自己的言语和行为，使自己的人生臻于完美。

　　然而人生匆匆，一个人要想在短暂的一生中，穷经皓首式地遍阅文学大师们的所有散文佳作，既不现实，也不经济。为了让广大读者在较短的时间内迅速、有效地了解中外散文的创作成就，获得绝佳的阅读效果，编者从浩如烟海的散文卷帙中遴选出100余篇上乘之作，辑录成书。选文多为名家名作，如培根、纪伯伦、朱自清、徐志摩、巴金等中外著名作家的经典文章，比较客观地反映了中外散文的发展脉络和杰出成就。所有作品在思想性和艺术性方面都有其独到之处，字字珠玑，给人以语言之美；博大深沉，给人以思想之美；感人肺腑，给人以情感之美；立意隽永，给人以意境之美。"情至深处无言辞，落于笔端即华章。"本书不仅为读者提供了一个可供参照、学习、研究中外散文的范本，也能使读者领略文学艺术的神奇魅力。

值得一提的是，我们以崭新的思路，采用一半彩色一半黑白的装帧方式，并选配了一些与文字相契合的图片，精心设计出一本图文并茂，融文学性、美学性、鉴赏性、典藏性于一体的纯美读本，给读者带来视觉享受的同时，也会扩大其想象空间。

我们诚挚地期望这本《精美散文》能够引领读者登堂入室，领略中外散文的真貌，同时启迪心智，陶冶性情，进而提高个人的审美意识、文学素养、写作水平、鉴赏能力、人生品位，为自己的人生添上光彩亮丽的一笔。

目 录

contents

中国卷

世界卷

中国卷

秋 夜

/鲁迅

入选理由……………………………………

鲁迅的散文代表作之一

一篇优美的托物言志的散文诗

为象征散文诗的民族化提供了全新的风范

在我的后园，可以看见墙外有两株树，一株是枣树，还有一株也是枣树。

这上面的夜的天空，奇怪而高，我生平没有见过这样的奇怪而高的天空。他仿佛要离开人间而去，使人们仰面不再看见。然而现在却非常之蓝，闪闪地映着几十个星星的眼，冷眼。他的口角上现出微笑，似乎自以为大有深意，而将繁霜洒在我的园里的野花草上。

我不知道那些花草真叫什么名字，人们叫他们什么名字。我记得有一种开

作者简介

鲁迅像

鲁迅（1881—1936），原名周树人，字豫才，浙江绍兴人。青年时代受进化论、尼采超人哲学和托尔斯泰博爱思想的影响。1902年去日本留学，原在仙台医学院学医，后从事文艺工作，企望用于改变国民精神。1909年，回国任教。1918年5月，首次用"鲁迅"的笔名，发表中国现代文学史上第一篇白话小说《狂人日记》，奠定了新文化运动的基石。1919年，成为"五四"新文化运动的主将。1921年12月发表的中篇小说《阿Q正传》，是中国现代文学史上的不朽杰作。自1930年起，先后参加中国自由运动大同盟、中国左翼作家联盟和中国民权保障同盟，反抗国民党政府的独裁统治和政治迫害。1936年10月19日因肺结核病逝于上海，葬于虹桥万国公墓。

过极细小的粉红花，现在还开着，但是更极细小了，她在冷的夜气中，瑟缩地做梦，梦见春的到来，梦见秋的到来，梦见瘦的诗人将眼泪擦在她最末的花瓣上，告诉她秋虽然来，冬虽然来，而此后接着还是春，蝴蝶乱飞，蜜蜂都唱起春词来了。她于是一笑，虽然颜色冻得红惨惨地，仍然瑟缩着。

枣树，他们简直落尽了叶子。先前，还有一两个孩子来打他们别人打剩的枣子，现在是一个也不剩了，连叶子也落尽了，他知道小粉红花的梦，秋后要有春；他也知道落叶的梦，春后还是秋。他简直落尽叶子，单剩干子，然而脱了当初满树是果实和叶子时候的弧形，欠伸得很舒服。但是，有几枝还低桠着，护定他从打枣的竿梢所得的皮伤，而最直最长的几枝，却已默默地铁似的直刺着奇怪而高的天空，使天空闪闪地鬼䀹眼，直刺着天空中圆满的月亮，使月亮窘得发白。

鬼䀹眼的天空越加非常之蓝，不安了，仿佛想离去人间，避开枣树，只将月亮剩下。然而月亮也暗暗地躲到东边去了。而一无所有的干子，却仍然默默地铁似的直刺着奇怪而高的天空，一意要制他的死命，不管他各式各样地䀹着许多蛊惑的眼睛。

哇的一声，夜游的恶鸟飞过了。我忽而听到夜半的笑声，吃吃地，似乎不愿意惊动睡着的人，然而四围的空气都应和着笑。夜半，没有别的人，我即刻听出这声音就在我嘴里，我也即刻被这笑声所驱逐，回进自己的房。灯火的带子也即刻被我旋高了。

后窗的玻璃上丁丁地响，还有许多小飞虫乱撞。不多久，几个进来了，许是从窗纸的破孔进来的。他们一进来，又在玻璃的灯罩上撞得丁丁地响。一个从上面撞进去了，他于是遇到火，而且我以为这火是真的。两三个却休息在灯的纸罩上喘气。那罩是昨晚新换的罩，雪白的纸，折出波浪纹的叠痕，一角还画出一枝猩红色的栀子。

猩红的栀子开花时，枣树又要做小粉红花的梦，青葱地弯成弧形了……我又听到夜半的笑声；我赶紧砍断我的心绪，看那老在白纸罩上的小青虫，头大尾小，向日葵子似的，只有半粒小麦那么大，遍身的颜色苍翠得可爱，可怜。

我打一个呵欠，点起一支纸烟，喷出烟来，对着灯默默地敬奠这些苍翠精致的英雄们。

美/文/赏/析

《秋夜》最初发表于1924年12月1日的《语丝》周刊第3期上，后收入散文集《野草》。这是一篇托物言志的深刻而优美的散文诗。作者采用象征手法，赋予秋夜后园中不同景物以人的性格，代表不同类型的社会人物："奇怪而高"的天空象征着压迫和摧残进步力量的恶势力；在冷的夜气中瑟缩做着"春的到来"的梦的小红花象征着善良的弱者；耸立在后园的两株枣树，象征着与黑暗势力抗争的进步力量。通过对这些景物的含蓄描绘，作者表达了对黑暗势力的抗争和愤怒，对英勇抗击黑暗势力的革命者的崇敬和赞美，也表达了自己与黑暗势力做韧性战斗的意志。《秋夜》语言精致，意象空灵，结构严谨，为象征散文诗的民族化，提供了一种全新的风范。

从百草园到三味书屋

/ 鲁迅

入选理由……………………………………
鲁迅的散文代表作之一
中国现代文学史上描写童年趣事的典范之作

我家的后面有一个很大的园，相传叫作百草园。现在是早已并屋子一起卖给朱文公的子孙了，连那最末次的相见也已经隔了七八年，其中似乎确凿只有一些野草；但那时却是我的乐园。

不必说碧绿的菜畦，光滑的石井栏，高大的皂荚树，紫红的桑椹；也不必说鸣蝉在树叶里长吟，肥胖的黄蜂伏在菜花上，轻捷的叫天子（云雀）忽然从草间直窜向云霄里去了。单是周围的短短的泥墙根一带，就有无限趣味。油蛉在这里低唱，蟋蟀们在这里弹琴。翻开断砖来，有时会遇见蜈蚣；还有斑蝥，倘若用手指按住它的脊梁，便会拍的一声，从后窍喷出一阵烟雾。何首乌藤和木莲藤缠络着，木莲有莲房一般的果实，何首乌有臃肿的根。有人说，何首乌根是有像人形的，吃了便可以成仙，我于是常常拔它起来，牵连不断地拔起来，也曾因此弄坏了泥墙，却从来没有见过有一块根像人样。如果不怕刺，还可以摘到覆盆子，像小珊瑚珠攒成的小球，又酸又甜，色味都比桑椹要好得远。

长的草里是不去的，因为相传这园里有一条很大的赤练蛇。

长妈妈曾经讲给我一个故事听：先前，有一个读书人住在古庙浙江绍兴的三味书屋旧址。鲁迅12至17岁在这里读书。

里用功，晚间，在院子里纳凉的时候，突然听到有人在叫他。答应着，四面看时，却见一个美女的脸露在墙头上，向他一笑，隐去了。他很高兴；但竟给那走来夜谈的老和尚识破了机关。说他脸上有些妖气，一定遇见"美女蛇"了；这是人首蛇身的怪物，能唤人名，倘一答应，夜间便要来吃这人的肉的。他自然吓得要死，而那老和尚却道无妨，给他一个小盒子，说只要放在枕边，便可高枕而卧。他虽然照样办，却总是睡不着，——当然睡不着的。到半夜，果然来了，沙沙沙！门外像是风雨声。他正抖作一团时，却听得豁的一声，一道金光从枕边飞出，外面便什么声音也没有了，那金光也就飞回来，敛在盒子里。后来呢？后来，老和尚说，这是飞蜈蚣，它能吸蛇的脑髓，美女蛇就被它治死了。

结末的教训是：所以倘有陌生的声音叫你的名字，你万不可答应他。

这故事很使我觉得做人之险，夏夜乘凉，往往有些担心，不敢去看墙上，而且极想得到一盒老和尚那样的飞蜈蚣。走到百草园的草丛旁边时，也常常这样想。但直到现在，总还是没有得到，但也没有遇见过赤练蛇和美女蛇。叫我名字的陌生声音自然是常有的，然而都不是美女蛇。

冬天的百草园比较的无味；雪一下，可就两样了。拍雪人（将自己的全形印在雪上）和塑雪罗汉需要人们鉴赏，这是荒园，人迹罕至，所以不相宜，只好来捕鸟。薄薄的雪，是不行的；总须积雪盖了地面一两天，鸟雀们久已无处觅食的时候才好。扫开一块雪，露出地面，用一支短棒支起一面大的竹筛来，下面撒些秕谷，棒上系一条长绳，人远远地牵着，看鸟雀下来啄食，走到竹筛底下的时候，将绳子一拉，便罩住了。但所得的是麻雀居多，也有白颊的"张飞鸟"，性子很躁，养不过夜的。

这是闰土的父亲所传授的方法，我却不大能用。明明见它们进去了，拉了绳，跑去一看，却什么都没有，费了半天力，捉住的不过三四只。闰土的父亲是小半天便能捕获几十只，装在叉袋里叫着撞着的。我曾经问他得失的缘由，他只静静地笑道：你太性急，来不及等它走到中间去。

我不知道为什么家里的人要将我送进书塾里去了，而且还是全城中称为最严厉的书塾。也许是因为拔何首乌毁了泥墙罢，也许是因为将砖头抛到间壁的梁家去了罢，也许是因为站在石井栏上跳了下来罢，……都无从知道。总而言之：我将不能常到百草园了。Ade，我的蟋蟀们！ Ade，我的覆盆子们和木莲们！

出门向东，不上半里，走过一道石桥，便是我的先生的家了。从一扇黑油的竹门进去，第三间是书房。中间挂着一块匾道：三味书屋；匾下面是一幅画，画着一只很肥大的梅花鹿伏在古树下。没有孔子牌位，我们便对着那匾和鹿行礼。第一次算是拜孔子，第二次算是拜先生。

第二次行礼时，先生便和蔼地在一旁答礼。他是一个高而瘦的老人，须发都花白了，还戴着大眼镜。我对他很恭敬，因为我早听到，他是本城中极方正，质朴，博学的人。

不知从那里听来的，东方朔也很渊博，他认识一种虫，名曰"怪哉"，冤气所化，用酒一浇，就消释了。我很想详细地知道这故事，但阿长是不知道的，因为她毕竟不渊博。现在得到机会了，可以问先生。

"先生，'怪哉'这虫，是怎么一回事？……"我上了生书，将要退下来的时候，赶忙问。

"不知道！"他似乎很不高兴，脸上还有怒色了。

我才知道做学生是不应该问这些事的，只要读书，因为他是渊博的宿儒，决不至于不知道，所谓不知道者，乃是不愿意说。年纪比我大的人，往往如此，我遇见过好几回了。

我就只读书，正午习字，晚上对课。先生最初这几天对我很严厉，后来却好起来了，不过给我读的书渐渐加多，对课也渐渐地加上字去，从三言到五言，终于到七言。

三味书屋后面也有一个园，虽然小，但在那里也可以爬上花坛去折腊梅花，在地上或桂花树上寻蝉蜕。最好的工作是捉了苍蝇喂蚂蚁，静悄悄地没有声音。然而同窗们到园里的太多，太久，可就不行了，先生在书房里便大叫起来：

"人都到那里去了？"

人们便一个一个陆续走回去；一同回去，也不行的。他有一条戒尺，但是不常用，也有罚跪的规则，但也不常用，普通总不过瞪几眼，大声道：

"读书！"

于是大家放开喉咙读一阵书，真是人声鼎沸。有念"仁远乎哉我欲仁斯仁至矣"的，有念"笑人齿缺曰狗窦大开"的，有念"上九潜龙勿用"的，有念"厥土下上上错厥贡苞茅橘柚"的……。先生自己也念书。后来，我们的声音便低下去，静下去了，只有他还大声朗读着：

"铁如意，指挥倜傥，一座皆惊呢～～～～；金叵罗，颠倒淋漓噫，千杯未醉嘬～～～～……。"

我疑心这是极好的文章，因为读到这里，他总是微笑起来，而且将头仰起，摇着，向后面拗过去，拗过去。

先生读书入神的时候，于我们是很相宜的。有几个便用纸糊的盔甲套在指甲上做戏。我是画画儿，用一种叫作"荆川纸"的，蒙在小说的绣像上一个个描下来，像习字时候的影写一样。读的书多起来，画的画也多起来；书没有读成，画的成绩却不少了，最成片段的是《荡寇志》和《西游记》的绣像，都有一大本。后来，因为要钱用，卖给一个有钱的同窗了。他的父亲是开锡箔店的；听说现在自己已经做了店主，而且快要升到绅士的地位了。这东西早已没有了罢。

美/文/赏/析

　　《从百草园到三味书屋》写于1926年，后收入《朝花夕拾》。这是一篇追忆作者童年时代妙趣生活的文章。全文描述了色调不同、情韵各异的两大景：百草园和三味书屋。作者写百草园，以"乐"为中心，采用白描手法，以简约生动的文字，描绘了一个奇趣无穷的儿童乐园，其间穿插"美女蛇"的传说和冬天雪地捕鸟的故事，动静结合，详略得当，趣味无穷。三味书屋则是一个完全不同的世界。作者逼真地写出了三味书屋的陈腐味，说它是"全城中称为最严厉的书塾"，儿童在那里受到规矩的束缚。但作者并未将三味书屋写得死气沉沉，而是通过课间学生溜到后园嬉耍、老私塾先生在课堂上入神读书、学生乘机偷乐两个小故事的叙述，使三味书屋充满了谐趣，表现了儿童不可压抑的快乐天性。

故乡的野菜

/ 周作人

入选理由……………………………

中国早期白话散文的名篇

周作人的散文代表作之一

一幅生动地描绘浙东的风俗画

　　我的故乡不止一个，凡我住过的地方都是故乡。故乡对于我并没有什么特别的情分，只因钓于斯游于斯的关系，朝夕会面，遂成相识，正如乡村里的邻舍一样，虽然不是亲属，别后有时也要想念到他。我在浙东住过十几年，南京东京都住过六年，这都是我的故乡；现在住在北京，于是北京就成了我的家乡了。

　　日前我的妻往西单市场买菜回来，说起有荠菜在那里卖着，我便想起浙东的事来。荠菜是浙东人春天常吃的野菜，乡间不必说，就是城里只要有后园的人家都可以随时采食，妇女小儿各拿一把剪刀一只"苗篮"，蹲在地上搜寻，是一种

作者简介

　　周作人（1885—1967），浙江绍兴人，中国现代闲适派散文代表作家。1901年进江南水师学堂学习。1917年到北京，先后在北京大学、燕京大学、北京女子师范大学任教。"五四"时期投身新文化运动，为文学研究会的发起人之一。抗战时期，曾任伪华北政务委员会教育总署督办。中华人民共和国成立后定居北京，从事翻译工作。主要作品有《自己的园地》《雨天的书》《知堂回想录》等。

有趣味的游戏的工作。那时小孩们唱道："荠菜马兰头，姊姊嫁在后门头。"后来马兰头有乡人拿来进城售卖了，但荠菜还是一种野菜，须得自家去采。关于荠菜向来颇有风雅的传说，不过这似乎以吴地为主。《西湖游览志》云："三月三日男女皆戴荠菜花。谚云，三春戴荠菜花，桃李羞繁华。"顾禄的《清嘉录》上亦说："荠菜花俗呼野菜花，因谚有三月三蚂蚁上灶山之语，三日人家皆以野菜花置灶陉上，以厌虫蚁。清晨村童叫卖不绝。或妇女簪髻上以祈清目，俗号眼亮花。"但浙东人却不很理会这些事情，只是挑来做菜或炒年糕吃罢了。

黄花麦果通称鼠曲草，系菊科植物，叶小微圆互生，表面有白毛，花黄色，簇生梢头。春天采嫩叶，捣烂去汁，和粉作糕，称黄花麦果糕。小孩们有歌赞美之云：

黄花麦果韧结结，
关得大门自要吃；
半块拿弗出，一块自要吃。

清明前后扫墓时，有些人家——大约是保存古风的人家——用黄花麦果作供，但不作饼状，做成小颗如指顶大，或细条如小指，以五六个作一攒，名曰茧果，不知是什么意思，或因蚕上山时设祭，也用这种食品，故有是称，亦未可知。自从十二三岁时外出不参与外祖家扫墓以后，不复见过茧果，近来住在北京，也不再见黄花麦果的影子了。日本称作"御形"，与荠菜同为春天的七草之一，也采来做点心用，状如艾饺，名曰"草饼"，春分前后多食之，在北京也有，但是吃去总是日本风味，不复是儿时的黄花麦果糕了。

扫墓时候所常吃的还有一种野菜，俗称草紫，通称紫云英。农人在收获后，播种田内，用作肥料，是一种很被贱视的植物，但采取嫩茎瀹[①]食，味颇鲜美，似豌豆苗。花紫红色，数十亩接连不断，一片锦绣，如铺着华美的地毯，非常好看，而且花朵状若蝴蝶，又如鸡雏，尤为小孩所喜。间有白色的花，相传可以治痢，很是珍重，但不易得。日本《俳句大辞典》云："此草与蒲公英同是习见的东西，从幼年时代便已熟识。在女人里边，不曾采过紫云英的人，恐未必有罢。"中国古来没有花环，但紫云英的花球却是小孩常玩的东西，这一层我还替那些小人们欣幸的。浙东扫墓用鼓吹，所以少年们常随了乐音去看"上坟船里的姣姣"；没有钱的人家虽没有鼓吹，但是船头上篷窗下总露出些紫云英和杜鹃的花束，这也就是上坟船的确实的证据了。

美/文/赏/析

《故乡的野菜》于1924年4月5日发表于《晨报副刊》上，后收入散文集《雨天的书》（1925年北新书局出版）。

在这篇散文里，作者以浓郁的怀旧情绪，介绍其故乡常见的野菜：荠菜、马兰头、鼠曲草、紫云英等，它们的形状、颜色与用途，以及与其相关的浙东民俗。作者引经据典，并以东洋习俗同中国习俗相比印照，将浙东民俗置于一个横的文化比较剖面上和深厚的文化背景里。周作人的散文，语言质朴平淡，风格从容平和，但富于哲理、情趣，《故乡的野菜》即是一个印证。

---

① 瀹（yuè）：煮。

乌篷船

/ 周作人

入选理由……………………………………

冲淡平和的文风

山川风物，涉笔成趣

子荣君：

接到手书，知道你要到我的故乡去，叫我给你一点什么作参考资料。老实说，我的故乡，真正觉得可怀恋的地方，并不是那里；但是因为在那里生长，住过十多年，究竟知一点情形，所以写这一封信告诉你。

我所要告诉你的，并不是那里的风土人情，那是写不尽的，但是你到那里一看也就会明白的，不必啰唆地多讲。我要说的是一种很有趣的东西，这便是船。你在家乡平常总坐人力车，电车，或是汽车，但在我的故乡那里这些都没有，除了在城内或山上是用轿子以外，普通代步都是用船。船有两种，普通坐的都是"乌篷船"，白篷的大抵作航船用，坐夜航船到西陵去也有特别的风趣，但是你总不便坐，所以我也就可以不说了。乌篷船大的为"四明瓦"（Sy-menngoa），小的为脚划船（划读 uoa）亦称小船。但是最适用的还是在这中间的"三道"，亦即三明瓦。篷是半圆形的，用竹片编成，中夹竹箬，上涂黑油；在两扇"定篷"之间放着一扇遮阳，也是半圆的，木作格子，嵌着一片片的小鱼鳞，径约一寸，颇有点透明，略似玻璃而坚韧耐用，这就称为明瓦。三明瓦者，谓其中舱有两道，后舱有一道明瓦也。船尾用橹，大抵两支，船首有竹篙，用以定船。船头着眉目，状如老虎，但似在微笑，颇滑稽而不可怕，唯白篷船则无之。三道船篷之高大约可以使你直立，舱宽可以放下一顶方桌，四个人坐着打麻将，——这个恐怕你也已学会了罢？小船则真是一叶扁舟，你坐在船底席上，篷顶离你的头有两三寸，你的两手可以搁在左右的舷上，还把手都露出在外边。在这种船里仿佛是在水面上坐，靠近田岸去时泥土便和你的眼鼻接近，而且遇着风浪，或是坐得稍不小心，就会船底朝天，发生危险，但是也颇有趣味，是水乡的一种特色。不过你总可以不必去坐，最好还是坐那三道船罢。

你如坐船出去，可是不能像坐电车的那样性急，立刻盼望走到。倘若出城，走三四十里路（我们那里的里程是很短，一里才及英里三分之一），来回总要预备一天。你坐在船上，应该是游山的态度，看看四周物色，随处可见的山，岸旁的乌桕，河边的红蓼和白苹，渔舍，各式各样的桥，困倦的时候睡在舱中拿出随笔来看，或者冲一碗清茶喝喝。偏门外的鉴湖一带，贺家池、壶觞左近，我都是喜欢的，或者往娄公埠骑驴去游兰亭（但我劝你还是步行，骑驴或者于你不很相宜），到得暮色苍然的时候进城上都挂着薜荔的东门来，倒是有趣味的事。倘若路上不平静，你往杭州去时可于下午开船，黄昏时候的景色正最好看，只可惜这一带地方的名字我都忘了。夜间睡在舱中，听水声橹声，来往船只的招呼声，以及乡间的犬吠鸡鸣，也都很有意思。雇一只船到乡下去看庙戏，可以了解中国旧戏的真趣味，而且在船上行动自如，要看就看，要睡就睡，要喝酒就喝酒，我觉得也可以算是理想的行乐法。只可惜讲维新以来这些演剧与迎会都已禁止，中产阶级的低能人别在"布业会馆"等处建起"海式"的戏场来，请大家买票看上海的猫儿戏。这些地方你千万不要去。——你到我那故乡，恐怕没有一个人认得，我又因为在教书不能陪你去玩，坐夜船，谈闲天，实在抱歉而且惆怅。川岛君夫妇现在称山下，本来可以给你绍介，但是你到那里的时候他们恐怕已经离开故乡了。初寒，善自珍重，不尽。

十五年十一月十八日夜，于北京。

美/文/赏/析

　　《乌篷船》是周作人闲适散文中比较有代表性的一篇。它以回友人信函的形式，介绍了有关家乡乌篷船的情形。乘坐乌篷船在作者眼里有三趣。第一是"船趣"，作者说最适宜的是"三明瓦"的船，细致地描写了它的构造、形体以及装饰，意在突出这种船的静态之趣味。作者融入自己的恋乡之情，对船进行细致勾画，使其成了一道独特的水乡景致。在静物描摹之后，文章顺流而下，叙写乘船的"行趣"，而三明瓦上的和小脚划船上的，两者之中自然是前者最好。接着，承接"行趣"，又重点放在乘坐乌篷船的沿途所见，即"景趣"上面。而冲淡平和的悠然心态，则是领略、体味这些"景趣"的基础，一切趣味都是由此生发。而"三趣"的凝聚点也正是这种随意自然、闲适恬静的人生"情趣"。这才是此文真正的蕴意所在。

我的母亲

/ 胡适

入选理由……………………………

胡适的散文代表作
中国散文史上追思母亲的散文名篇
层次分明，文笔流畅，感人至深

我小时候身体弱，不能跟着野蛮的孩子们一块儿玩。我母亲也不准我和他们乱跑乱跳。小时不曾养成活泼游戏习惯，无论在什么地方，我总是文绉绉地。所以家乡老辈都说我"像个先生样子"，遂叫我做"穈先生"。这个绰号叫出去之后，人都知道三先生的小儿子叫做穈先生了。即有"先生"之名，我不能不装出点"先生"样子，更不能跟着顽童们"野"了。有一天，我在我家八字门口和一班孩子"掷铜钱"，一位老辈走过，见了我，笑道："穈先生也掷铜钱吗？"我听了羞愧的面红耳热，觉得太失了"先生"身份！

大人们鼓励我装先生样子，我也没有嬉戏的能力和习惯，又因为我确是喜欢看书，故我一生可算是不曾享过儿童游戏的生活。每年秋天，我的庶祖母同我到

作者简介

胡适（1891—1962），字适之，安徽绩溪人，著名学者、文学家。1910年起先后在美国康奈尔大学、哥伦比亚大学求学。1917年回国后任北京大学教授，以倡导"五四"新文化运动而著名。1928年后历任中国公学校长、北京大学文学院院长、北京大学校长。1948年赴美，后迁居台湾。

胡适像

胡适的母亲冯顺弟像

田里去"监割"（顶好的田，水旱无忧，收成最好，佃户每约田主来监割，打下谷子，两家平分），我总是坐在小树下看小说。十一二岁时，我稍活泼一点，居然和一群同学组织了一个戏剧班，做了一些木刀竹枪，借得了几副假胡须，就在村口田里做戏。我做的往往是诸葛亮、刘备一类的文角儿；只有一次我做史文恭，被花荣一箭从椅子上射倒下去，这算是我最活泼的玩艺儿了。

我在这九年（1895－1904）之中，只学得了读书写字两件事。在文字和思想的方面，不能不算是打了一点底子。但别的方面都没有发展的机会。有一次我们村"当朋"（八都凡五村，称为"五朋"，每年一村轮着做太子会，名为"当朋"）筹备太子会，有人提议要派我加入前村的昆腔队里学习吹笙或吹笛。族里长辈反对，说我年纪太小，不能跟着太子会走遍五朋。于是我便失掉了学习音乐的唯一机会。三十年来，我不曾拿过乐器，也全不懂音乐；究竟我有没有一点学音乐的天资，我至今不知道。至于学图画，更是不可能的事。我常常用竹纸蒙在小说书的石印绘像上，摹画书上的英雄美人。有一天，被先生看见了，挨了一顿大骂，抽屉里的图画都被搜出撕毁了。于是我又失掉了学做画家的机会。

但这九年的生活，除了读书看书之外，究竟给了我一点做人的训练。在这一点上，我的恩师便是我的慈母。

每天天刚亮时，我母亲便把我喊醒，叫我披衣坐起。我从不知道她醒来坐了多久了。她看我清醒了，便对我说昨天我做错了什么事，说错了什么话，要我认错，要我用功读书。有时候她对我说父亲的种种好处，她说："你总要踏上你老子的脚步。我一生只晓得这一个完全的人，你要学他，不要跌他的股。"（跌股便是丢脸出丑。）她说到伤心处，往往掉下泪来。到天大明时，她才把我的衣服穿好，催我去上早学。学堂门上的锁匙放在先生家里；我先到学堂门口一望，便跑到先生家里去敲门。先生家里有人把锁匙从门缝里递出来，我拿了跑回去，开了门，坐下念生书，十天之中，总有八九天我是第一个去开学堂门的。等到先生来了，我背了生书，才回家吃早饭。

我母亲管束我最严，她是慈母兼任严父。但她从来不在别人面前骂我一句，打我一下，我做错了事，她只对我一望，我看见了她的严厉眼光，便吓住了。犯的事小，她等到第二天早晨我眠醒时才教训我。犯的事大，她等到晚上人静时，关了房门，先责备我，然后行罚，或罚跪，或拧我的肉。无论怎样重罚，总不许我哭出声音来，她教训儿子不是借此出气叫别人听的。

有一个初秋的傍晚，我吃了晚饭，在门口玩，身上只穿着一件单背心。这时候我母亲的妹子玉英姨母在我家住，她怕我冷了，拿了一件小衫出来叫我穿上。我不肯穿，她说："穿上吧，凉了。"我随口回答："娘（凉）什么！老子都不老子呀。"我刚说了这句话，一抬头，看见母亲从家里走出，我赶快把小衫穿上。但她已听见这句轻薄的话了。晚上人静后，她罚我跪下，重重的责罚了一顿。她说："你没了老子，是多么得意的事！好用来说嘴！"她气得坐着发抖，也不许我上床去睡。我跪着哭，用手擦眼泪，不知擦进了什么微菌，后来足足害了一年多的翳病。医来医去，总医不好。我母亲心里又悔又急，听说眼翳可以用舌头舔去，有一夜她把我叫醒，她真用舌头舔我的病眼。这是我的严师，我的慈母。

我母亲二十三岁做了寡妇，又是当家的后母。这种生活的痛苦，我的笨笔写不出一万分之一二。家中财政本不宽裕，全靠二哥在上海经营调度。大哥从小便是败子，吸鸦片烟、赌博，钱到手就光，光了便回家打主意，见了香炉便拿出去卖，捞着锡茶壶便拿出押。我母亲几次邀了本家长辈来，给他定下每月用费的数目。但他总不够用，到处都欠下烟债赌债。每年除夕我家中总有一大群讨债的，每人一盏灯笼，坐在大厅上不肯去。大哥早已避出去了。大厅的两排椅子上满满的都是灯笼和债主。我母亲走进走出，料理年夜饭，谢灶神，压岁钱等事，只当做不曾看见这一群人。到了近半夜，快要"封门"了，我母亲才走后门出去，央一位邻居本家到我家来，每一家债户开发一点钱。做好做歹的，这一群讨债的才一个一个提着灯笼走出去。一会儿，大哥敲门回来了。我母亲从不骂他一句。并且因为是新年，她脸上从不露出一点怒色。这样的过年，我过了六七次。

大嫂是个最无能而又最不懂事的人，二嫂是个能干而气量很窄小的人。她们常常闹意见，只因为我母亲的和气榜样，她们还不曾有公

表现旧时妇女纺纱的图绘

背孩子的旧时妇女

然相骂相打的事。她们闹气时，只是不说话，不答话，把脸放下来，叫人难看；二嫂生气时，脸色变青，更是怕人。她们对我母亲闹气时，也是如此，我起初全不懂得这一套，后来也渐渐懂得看人的脸色了。我渐渐明白，世间最可厌恶的事莫如一张生气的脸；世间最下流的事莫如把生气的脸摆给旁人看，这比打骂还难受。

我母亲的气量大，性子好，又因为做了后母后婆，她更事事留心，事事格外容忍。大哥的女儿比我只小一岁，她的饮食衣服总是和我的一样。我和她有小争执，总是我吃亏，母亲总是责备我，要我事事让她。后来大嫂二嫂都生了儿子了，她们生气时便打骂孩子来出气，一面打，一面用尖刻有刺的话骂给别人听。我母亲只装做不听见。有时候，她实在忍不住了，便悄悄走出门去，或到左邻立大嫂家去坐一会，或走后门到后邻度嫂家去闲谈。她从不和两个嫂子吵一句嘴。

每个嫂子一生气，往往十天半个月不歇，天天走进走出，板着脸，咬着嘴，打骂小孩子出气。我母亲只忍耐着，到实在不可再忍的一天，她也有她的法子。这一天的天明时，她便不起床，轻轻的哭一场。她不骂一个人，只哭她的丈夫，哭她自己苦命，留不住她丈夫来照管她。她先哭时，声音很低，渐渐哭出声来。我醒了起来劝她，她不肯住。这时候，我总听得见前堂（二嫂住前堂东房）或后堂（大嫂住后堂西房）有一扇房门开了，一个嫂子走出房向厨房走去。不多一会，那位嫂子来敲我们的房门了。我开了房门，她走进来，捧着一碗热茶，送到我母亲床前，劝她止哭，请她喝口热茶。我母亲慢慢停住哭声，伸手接了茶碗。那位嫂子站着劝一会，才退出去。没有一句话提到什么人，也没有一个字提到这十天半个月来的气脸，然而各人心里明白，泡茶进来的嫂子总是那十天半个月来闹气的人。奇怪的很，这一哭之后，至少有一两个月的太平清静日子。

我母亲待人最仁慈，最温和，从来没有一句伤人感情的话；但她有时候也很有刚气，不受一点人格上的侮辱。我家五叔是个无正业的浪人，有一天在烟馆里发牢骚，说我母亲家中有事总请某人帮忙，大概总有什么好处给他。这句话传到了我母亲耳朵里，她气得大哭，请了几位本家来，把五叔喊来，她当面质问他，她给了某人什么好处。直到五叔当众认错赔罪，她才罢休。

我在我母亲的教训之下住了九年，受了她的极大极深的影响。我十四岁（其实只有十二零两三个月）便离开她了，在这广漠的人海里独自混了二十多年，没有一个人管束过我。如果我学了一丝一毫的好脾气，如果我学得了一点点待人接物的和气，如果我能宽恕人，体谅人——我都得感谢我的慈母。

美/文/赏/析

　　胡适幼年丧父，其母23岁时就守寡，承担起操持家庭和抚育子女的重担。这篇文章写的就是胡适与其母亲相依为命的童年经历。作者在开篇并未直接写母亲，而是写自己童年九年中的几件小事，看似无意，实则是为下文写母亲做铺垫。接着作者顺势转入正题，选取几个与母亲有关的重点事例进行陈述，以委婉平实的语言叙述了母亲的爱子情深、教子有方、气量大、性子好、待人仁慈、温和又不失刚气的情怀与个性，将一个中国传统的农村社会中典型的寡妇形象生动地展现在读者面前。篇末点明母亲是影响自己的性格及人生道路的第一人。全文脉络清晰，层次分明，文笔流畅，文字明白如话，娓娓道来，感人至深。

春日游杭记

/ 林语堂

入选理由……………………………………
游记散文中的个性之作
幽默与讽刺并重
中西文化意趣的融汇

一

由梵王渡上车，乘位并不好，与一个土豪对座。这时大约九时半。开车后十分钟，土豪叫一盘中国大菜式的西菜。不知是何道理，他叫的比我们常人叫的两倍之多，土豪便大啖大嚼起来，我也便看他大嚼。茶房对他特别恭顺。十时零六分，忽然来一杯烧酒，似乎是五茄皮。说也奇怪，十时十一分，杂碎的大菜吃完，接着是白菜烧牛肉，其牛肉至十二片之多，我益发莫名其妙了。十时二十六分，又来土司五片，奶油一碟。于是我断定，此人五十岁时必死于肝癌。正在思索之时，又来一位油脸而黑的中山装少年。一屁股歪在土豪旁边坐下，一手把我桌上的书报茶杯推开，登时就有茶房给他一杯咖啡，一盘火腿蛋。于是土豪也遭殃了。青年的呢帽一直放在土豪席上位前。我的一杯茶，早已移至土豪面前，此时被这帽子一推，茶也溢了，桌也溢了。我明白这是以礼义自豪之邦应有的现象，所以愿以礼相终始，并不计较。排布定当，于是中山装青年弯下他的油脸，吃他的火腿蛋。我看见他身上徽章，是什么沪杭铁路局的什么员，又吃完便走，乃断定他这碟火腿蛋一定是贿赂。这时土豪牛肉已吃到第九片，怎么忽然不想吃了。于是咳嗽、

作者简介

　　林语堂（1895—1976），福建龙溪人。原名和乐，后改玉堂，又改语堂。1912 年入上海圣约翰大学，毕业后在清华大学任教。1919 年秋赴美哈佛大学文学系。1922 年获文学硕士学位。同年转赴德国入莱比锡大学，专攻语言学。1923 年获博士学位后回国，任北京大学教授、北京女子师范大学教务长和英文系主任。1924 年后为《语丝》主要撰稿人之一。1926 年到厦门大学任文学院长。1927 年任外交部秘书。1932 年主编《论语》半月刊。1934 年创办《人间世》，1935 年创办《宇宙风》，提倡"以自我为中心，以闲适为格调"的小品文。1935 年后，在美国用英文写作。1944 年曾一度回国到重庆讲学。1945 年赴新加坡筹建南洋大学，任校长。1952 年在美国创办《天风》杂志。1966 年定居台湾。1967 年受聘为香港中文大学研究教授。1975 年被推举为国际笔会副会长。1976 年在香港逝世。

吐痰、免冠、搔首，颇有饱乐之概。十时三十一分茶房来，问可否拿走。土豪毫不迟疑的说"等一会"。经此一提醒，土豪又狼吞虎咽起来。这回特别快，竟于十时四十分全碟吃完。翻一翻报，脸上看不见有什么感触，过一会头向桌上一歪，不五分钟已经鼾然入寐了。我方觉得安全。由是一路无聊到杭州。

　　到杭州，因怕臭虫，决定做高等华人，住西泠饭店，虽然或者因此与西洋浪人为伍，也不在意。车过浣纱路，看见一条小河，有妇人跪在河旁在浣衣，并不是浣纱。因此，想起西施，并了悟她所以成名，因为她是浣纱，尤其因为她跪在河旁浣纱时所必取的姿势。

　　到西湖时，微雨。拣定一间房间，凭窗远眺，内湖、孤山、长堤、宝俶塔、游艇、行人，都一一如画。近窗的树木，雨后特别苍翠，细草茸绿的可爱。雨细蒙蒙的几乎看不见，只听见草叶上及田陌上浑成一片点滴声。村屋五六座，排列山下，屋虽矮陋，而前后簇拥的却是疏朗可爱的高树与错综天然的丛芜、蹊径、草坪。其经营毫不费工夫，而清华朗润，胜于上海愚园路寓公精舍万倍。回想上海居民，家资十万始敢购置一二亩宅地，把草地碾平，花木剪成三角、圆锥、平头等体，花圃砌成几何学怪状，造一五尺假山，七尺鱼池，便有不可一世之概，真要令人痛哭流涕。

二

　　半夜听西洋浪人及女子高声笑谑，吵的不能成寐。第二天清晨，我们雇一辆汽车游虎跑。路过苏堤，两面湖光潋滟，绿洲葱翠，宛如由水中浮出，倒影明如照镜。

其时远处尽为烟霞所掩，绿洲之后，一片茫茫，不复知是山是湖，是人间，是仙界。画画之难，全在画此种气韵，但画气韵最易莫如画湖景，尤莫如画雨中的湖山；能攫得住此波光回影，便能气韵生动。在这一幅天然景物中，只有一座灯塔式的建筑物，丑陋不堪，十分碍目，落在西子湖上，真同美人脸上一点烂疮。我问车夫这是什么东西。他说是展览会纪念塔，世上竟有如此无耻之尤的留学生作此恶孽。我由是立志，何时率领军队打入杭州，必先对准野炮，先把这西子脸上的烂疮，击个粉碎。后人必定有诗为证云：

西湖千树影苍苍，

独有丑碑陋难当。

林子将军气不过，

扶来大炮击烂疮。

虎跑在半山上，由山下到寺前的半里山路，佳丽无比。我们由是下车步行。两旁有大树，不知树名，总而言之，就是大树。路旁也有花，也不知花名，但觉得美丽。我们在小学时，学堂不教动植物学，至此吃其亏。将到寺的几百步，路旁有一小涧，湍流而下，过崖石时，自然成小瀑布，小石潺潺之声可爱。我看见一个父亲苦劝他六岁少爷去水旁观瀑布，这位少爷不肯。他说水会喷湿他的长衫马褂，而且泥土很脏。他极力否认瀑布有什么趣味。我于是知道中国非亡不可。

到寺前，心不由主的念声阿弥陀佛，犹如不信耶稣的人，口里也常喊出"O Lord"。虎跑的茶著名，也就想喝茶，觉得甚清高。当时就有一阵男女，一面喝茶，一面照相，倒也十分忙碌。有一位为要照相而作正在举杯的姿势，可是摄后并不看见他喝。但是我知道将来他的照片簿上仍不免题曰"某月日静庐主人虎跑啜茗留影"，这已减少我饮茶的勇气。忽然有小和尚问我要不要买茶叶，于是决心不饮虎跑茶而起。

虎跑有二物，游人不可不看，一、茅厕，二、茶壶，都是和尚的机巧发明。虎跑的茶可不喝，这茶壶却不可不研究。欧洲和尚能酿好酒，难道虎跑的和尚就不能发明个好茶壶？（也许江南本有此种茶壶，但我却未看过。）茶壶是红铜做的，式样与家用茶壶同，不过特大，高二尺，径二尺半，上有两个甚科学式的长囱。壶身中部烧炭，四周便是盛水的水柜。壶耳、壶嘴俱全，只想不出谁能倒得动这笨重茶壶。我由是请教那和尚。和尚拿一白铁锅，由缸里挹点泉水，倒入一长囱，登时有开水由壶嘴流溢出来了。我知道这是物理学所谓水平线作用，凉水下去，开水自然外溢，而且凉水必下沉，热水必上升，但是我真无脸向他讲科学名词了。这种取开水法既极简便，又有出便有入，壶中水常满，真是两全之策。

三

我每回到西湖，必往玉泉观鱼，一半是喜欢看鱼的动作，一半是可怜它们失了优游深潭浚壑的快乐。和尚爱鱼放生，何不把它们放入钱塘江，即使死于非命，还算不负此一生。观鱼虽然清高，总不免假放生之名，行利己之实。

观鱼之时，有和尚来同我谈话。和尚河南口音，出词倒也温文尔雅。我正想素食在理论上虽然卫生，总没看见过一个颜色红润的和尚，大半都是面黄肌瘦，走动迟缓，明系滋养不足。

因此又联想到他们的色欲问题，便问和尚素食是否与戒色有关系。和尚看见同行女人在座，不便应对，我由是打本乡话请女人到对过池畔观鱼，而我们大谈起现代婚

西湖十景图（局部）清 王原祁
此图描绘西湖十景，摹仿黄公望笔意，出神入化。画面笔墨简淡，线条流畅，风格古雅秀丽，将旧时西湖十景，如苏堤春晓、曲院风荷、平湖秋月、断桥残雪、柳浪闻莺、花港观鱼、雷峰夕照、双峰插云、南屏晚钟、三潭印月等，描摹得淋漓尽致。

姻问题了。因为他很诚意，所以我想打听一点消息。

"比方那位红衣女子，你们看了动心不动心呢？"

我这粗莽一问，却引起和尚一篇难得的独身主义的伟论。大意与柏拉图所谓哲学家不应娶妻理论相同。

"怎么不动心？"他说，"但是你看佛经，就知道情欲之为害。目前何尝不乐？过后就有许多烦恼。现在多少青年投河自尽，为什么？为恋爱，为女人！现在多少离婚，怎么以前非她不活，现在反要离呢？你看我，一人孤身，要到泰山、妙峰山、普渡、汕头，多么自由！"

我明白，他是保罗、康德、柏拉图的同志。叔本华许多关于女人的妙论，还不是由佛经得来？正想之间，忽然寺中老妈经过，我倒不注意，亏得和尚先来解释："这是因为寺中常有香客家眷来歇，伺候不便，所以雇来跟香客洒扫的。"其实我并不怀疑他，而叔本华、柏拉图向来并不反对女人洒扫。

美/文/赏/析

　　游乐本是随意，所以游记无须一定规章。林语堂《春日游杭记》正是别有一格，可以见出"野老散游，即景行乐"的光亮，用闲谈或称娓语的笔调来述游，显出作者风趣和评论世情的态度，正是"可以形容世故，可以札记琐屑"的小品文做法。他用略带着旁观的幽默冷笔，所谓"不妨夹入遐想及常谈琐碎"，此正是他游记文章的独特之处。由梵王渡上车，作者特写对座的一位土豪似的老饕同一位油脸而黑的中山装青年，只看这二人不雅的吃相和饱乐之态，不经意起笔透出闲适的气派，逸笔画出的人物，一副脸孔，一种神态，皆带着幽默趣味。之后进入栖禅空谷，坐忘清泉，是虎跑的佳境。但观人照相，竟"已减少我饮茶的勇气。忽然有小和尚来问我要不要买茶叶，于是决心不饮虎跑茶而起"。在文章的末段，玉泉观鱼本属赏心乐事，偏又同和尚来一番关乎现代婚姻的对话，神似庄周和惠施邀游濠梁论辩鱼乐的旧典。"所记类皆笔谈漫录野老谈天之属"，与中国正宗游记有着相同的意趣。但林氏这等轻松放谈式的笔墨，在古今风景散文中，实不常见。西湖胜景，到他笔下，只一番勾绘，淡扫清简数笔，色调的明丽、意境的幽远，便如画师的写意而境界全出，并有抒怀的畅快。

钓台的春昼

/ 郁达夫

入选理由……………………

现代早期知识分子的另一种风气
对自然的自我情绪化书写

因为近在咫尺，以为什么时候要去就可以去，我们对于本乡本土的名区胜景，反而往往没有机会去玩，或不容易下一个决心去玩的。正唯其是如此，我对于富春江上的严陵，二十年来，心里虽每在记着，但脚却没有向这一方面走过。一九三一，岁在辛未，暮春三月，春服未成，而中央党帝，似乎又想玩一个秦始皇所玩过的把戏了，我接到了警告，就仓皇离去了寓居。先在江浙附近的穷乡里，游息了几天，偶尔看见了一家扫墓的行舟，乡愁一动，就定下了归计。绕了一个大弯，赶到故乡，却正好还在清明寒食的节前。和家人等去上了几处坟，与许久不曾见过面的亲戚朋友，来往热闹了几天，一种乡居的倦怠，忽而袭上心来了，于是乎我就决心上钓台访一访严子陵的幽居。

钓台去桐庐县城二十余里，桐庐去富阳县治九十里不足，自富阳溯江而上，坐小火轮三小时可达桐庐，再上则须坐帆船了。

我去的那一天，记得是阴晴欲雨的养花天，并且系坐晚班轮去的，船到桐庐，已经是灯火微明的黄昏时候了，不得已就只得在码头近边的一家旅馆的楼上借了

作者简介

郁达夫（1896—1945），原名郁文，浙江富阳人。1913年赴日留学。1921年与郭沫若在日本发起成立创造社。回国后先后在北京大学、武昌大学、中山大学任教。1927年定居上海，曾参加"左联"。1933年迁居杭州。抗战期间，在南洋从事抗日救亡活动。1945年被日本宪兵杀害于苏门答腊。主要作品有小说《沉沦》《她是一个弱女子》，散文集《达夫游记》等。

一宵宿。

桐庐县城，大约有三里路长，三千多烟灶，一二万居民，地在富春江西北岸，从前是皖浙交通的要道，现在杭江铁路一开，似乎没有一二十年前的繁华热闹了。尤其要使旅客感到萧条的，却是桐君山脚下的那一队花船的失去了踪影。说起桐君山，却是桐庐县的一个接近城市的灵山胜地，山虽不高，但因有仙，自然是灵了。以形势来论，这桐君山，也的确是可以产生出许多口音生硬、别具风韵的桐严嫂来的生龙活脉。地处在桐溪东岸，正当桐溪和富春江合流之所，依依一水，西岸便瞰视着桐庐县市的人家烟树。南面对江，便是十里长洲；唐诗人方干的故居，就在这十里桐洲九里花的花田深处。向西越过桐庐县城，更遥遥对着一排高低不定的青峦，这就是富春山的山子山孙了。东北面山下，是一片桑麻沃地，有一条长蛇似的官道，隐而复现，出没盘曲在桃花杨柳洋槐榆树的中间，绕过一支小岭，便是富阳县的境界，大约去程明道的墓地程坟，总也不过一二十里地的间隔。我的去拜谒桐君，瞻仰道观，就在那一天到桐庐的晚上，是淡云微月，正在作雨的时候。

鱼梁渡头，因为夜渡无人，渡船停在东岸的桐君山下。我从旅馆踱了出来，先在离轮埠不远的渡口停立了几分钟。后来向一位来渡口洗夜饭米的年轻少妇，弓身请问了一回，才得到了渡江的秘诀。她说："你只须高喊两三声，船自会来的。"先谢了她教我的好意，然后以两手围成了播音的喇叭，"喂，喂，渡船请摇过来！"地纵声一喊，果然在半江的黑影当中，船身摇动了。渐摇渐近，五分钟后，我在渡口，却终于听出了咿呀柔橹的声音。时间似乎已经入了酉时的下刻，小市里的群动，这时候都已经静息，自从渡口的那位少妇，在微茫的夜色里，藏去了她那张白团团的面影之后，我独立在江边，不知不觉心里头却兀自感到了一种他乡日暮的悲哀。渡船到岸，船头上起了几声微微的水浪清音，又铜东的一响，我早已跳上了船，渡船也已经掉过头来了。坐在黑影沉沉的舱里，我起先只在静听着柔橹划水的声音，然后却在黑影里看出了一星船家在吸着的长烟管头上的烟火，最后因为被沉默压迫不过，我只好开口说话了："船家！你这样的渡我过去，该给你几个船钱？"我问。"随你先生把几个就是。"船家的说话冗慢幽长，似乎已经带着些睡意了，我就向袋里摸出了两角钱来。"这两角钱，就算是我的渡船钱，请你候我一会，上山去烧一次夜香，我是依旧要渡过江来的。"船家的回答，只是恩恩乌乌，幽幽同牛叫似的一种鼻音，然而从继这鼻音而起的两三声轻快的咳声听来，他却似已经在感到满足了，因为我也知道，乡间的义渡，船钱最多也不过是两三枚铜子而已。

到了桐君山下，在山影和树影交掩着的崎岖道上，我上岸走不上几步，就被一块乱石绊倒，滑跌了一次。船家似乎也动了恻隐之心了，一句话也不发，跑将上来，他却突然交给了我一盒火柴。我于感谢了一番他的盛意之后，重整步武，再摸上山去，先是必须点一枝火柴走三五步路的，但到得半山，路既就了规律，而微云堆里的半规月色，也朦胧地现出一痕银线来了，所以手里还存着的半盒火柴，就被我藏入了袋里。路是从山的西北，盘曲而上，渐走渐高，半山一到，天也开朗了一点。桐庐县市上的灯火，也星星可数了。更纵目向江心望去，富春江两岸的船上和桐溪合流口停泊着的船尾船头，也看得出一点一点的火来。走过半山，桐君观里的晚祷钟鼓，似乎还没有息尽，耳朵里仿佛听见了几丝木鱼钲钹的残声。走上山顶，先在半途遇着了一道道观外围的女墙，这女墙的栅门，却已经掩上了。在栅门外徘徊了一刻，觉得已经到了此门而不进去，终于是不能满足我这一次暗夜冒险的好奇怪僻的。所以细想了几次，还是决心进去，非进去不可，轻轻用手往里面一推，栅门却呀的一声，早已退向了后方开开了，这门原来是虚掩在那里的。进了栅门，踏着为淡月所映照的石砌平路，向东向南的前走了五六十步，居然走到了道观的大门之外，这两扇朱红漆的大门，不消说是紧闭在那里的。到了此地，我却不想再破门进去了，因为这大门是朝南向着大江开的，门外头是一条一丈来宽的石砌步道，步道的一旁是道观的墙，一旁便是山坡，靠山坡的一面，并且还有一道二尺来高的石墙筑在那里，大约是代替栏杆，防人倾跌下山去的用意，石墙之上，铺的是二三尺宽的青石，

富春江远眺
以风光旖旎著称于世的富春江，素有"奇山异水、天下独绝"之称。

在这似石栏又似石凳的墙上，尽可以坐卧游息，饱看桐江和对岸的风景，就是在这里坐它一晚，也很可以，我又何必去打开门来，惊起那些老道的恶梦呢！

空旷的天空里，流涨着的只是些灰白的云，云层缺处，原也看得出半角的天，和一点两点的星，但看起来最饶风趣的，却仍是欲藏还露，将见仍无的那半规月影。这时候江面上似乎起了风，云脚的迁移，更来得迅速了，而低头向江心一看，几多散乱着的船里的灯光，也忽明忽灭地变换了一变换位置。

这道观大门外的景色，真神奇极了。我当十几年前，在放浪的游程里，曾向瓜州京口一带，消磨过不少的时日。那时觉得果然名不虚传的，确是甘露寺外的江山，而现在到了桐庐，昏夜上这桐君山来一看，又觉得这江山之秀而且静，风景的整而不散，却非那天下第一江山的北固山所可与比拟的了。真也难怪得严子陵，难怪得戴征士，倘使我若能在这样的地方结屋读书，颐养天年，那还要什么的高官厚禄，还要什么的浮名虚誉哩？一个人在这桐君观前的石凳上，看看山，看看水，看看城中的灯火和天上的星云，更做做浩无边际的无聊的幻梦，我竟忘记了时刻，忘记了自身，直等到隔江的击柝声传来，向西一看，忽而觉得城中的灯影微茫地减了，才跑也似的走下了山来，渡江奔回了客舍。

第二日侵晨，觉得昨天在桐君观前做过的残梦正还没有续完的时候，窗外面忽而传来了一阵吹角的声音。好梦虽被打破，但因这同吹笙箫似的商音哀咽，却很含着些荒凉的古意，并且晓风残月，杨柳岸边，也正好候船待发，上严陵去；所以心里虽怀着了些儿怨恨，但脸上却只现出了一痕微笑，起来梳洗更衣，叫茶房去雇船去。雇好了一只双桨的渔舟，买就了些酒菜鱼米，就在旅馆前面的码头上上了船，轻轻向江心摇出去的时候，东方的云幕中间，已现出了几丝红晕，有八点多钟了。舟师急得利害，只在埋怨旅馆的茶房，为什么昨晚上不预先告诉，好早一点出发。因为此去就是七里滩头，无风七里，有风七十里，上钓台去玩一趟回来，路程虽则有限，但这几日风雨无常，说不定要走夜路，才回来得了的。

过了桐庐，江心狭窄，浅滩果然多起来了。路上遇着的来往的行舟，数目也是很少，因为早晨吹的角，就是往建德去的快班船的信号，快班船一开，来往于两岸之间的船就不十分多了。两岸全是青青的山，中间是一条清浅的水，有时候过一个沙洲，洲上的桃花菜花，还有许多不晓得名字的白色的花，正在喧闹着春暮，吸引着蜂蝶。我在船头上一口一口的喝着严东关的药酒，指东话西地问着船家，这是什么山，那是什么港，惊叹了半天，称颂了半天，人也觉得倦了，不晓得什么时候，身子却走上了一家水边的酒楼，在和数年不见的几位已经做了党官的朋友高谈阔论。谈论之余，还背诵了一首两三年前曾在同一的情形之下做成的歪诗：

不是尊前爱惜身，
伴狂难免假成真，
曾因酒醉鞭名马，
生怕情多累美人。
劫数东南天作孽，
鸡鸣风雨海扬尘，
悲歌痛哭终无补，
义士纷纷说帝秦。

直到盛筵将散，我酒也不想再喝了，和几位朋友闹得心里各自难堪，连对旁边坐着的两位陪酒的名花都不愿意开口。正在这上下不得的苦闷关头，船家却大声的叫了起来说：

　　"先生，罗芷过了，钓台就在前面，你醒醒罢，好上山去烧饭吃去。"

　　擦擦眼睛，整了一整衣服，抬起头来一看，四面的水光山色又忽而变了样子了。清清的一条浅水，比前又窄了几分，四围的山包得格外的紧了，仿佛是前无去路的样子。并且山容峻削，看去觉得格外的瘦格外的高。向天上地下四围看看，只寂寂的看不见一个人类。双桨的摇响，到此似乎也不敢放肆了，钩的一声过后，要好半天才来一个幽幽的回响，静，静，静，身边水上，山下岩头，只沉浸着太古的静，死灭的静，山峡里连飞鸟的影子也看不见半只。前面的所谓钓台山上，只看得见两大个石垒，一间歪斜的亭子，许多纵横芜杂的草木。山腰里的那座祠堂，也只露着些废垣残瓦，屋上面连炊烟都没有一丝半缕，像是好久好久没有人住了的样子。并且天气又来得阴森，早晨曾经露过一露脸的太阳，这时候早已深藏在云堆里了，余下来的只是时有时无从侧面吹来的阴飕飕的半箭儿山风。船靠了山脚，跟着前面背着酒菜鱼米的船夫走上严先生祠堂的时候，我心里真有点害怕，怕在这荒山里要遇见一个干枯苍老得同丝瓜筋似的严先生的鬼魂。

　　在祠堂西院的客厅里坐定，和严先生的不知第几代的裔孙谈了几句关于年岁水旱的话后，我的心跳也渐渐儿的镇静下去了，嘱托了他以煮饭烧菜的杂务，我和船家就从断碑乱石中间爬上了钓台。

　　东西两石垒，高各有二三百尺，离江面约两里来远，东西台相去只有一二百步，但其间却夹着一条深谷。立在东台，可以看得出罗芷的人家，回头展望来路，风景似乎散漫一点，而一上谢氏的西台，向西望去，则幽谷里的清景，却绝对的不像是在人间了。我虽则没有到过瑞士，但到了西台，朝西一看，立时就想起了曾在照片上看见过的威廉退儿的祠堂。这四山的幽静，这江水的青蓝，简直同在画片上的珂罗版色彩，一色也没有两样，所不同的就是在这儿的变化更多一点，周围的环境更芜杂不整齐一点而已，但这却是好处，这正是足以代表东方民族性的颓废荒凉的美。

从钓台下来，回到严先生的祠堂——记得这是洪杨以后严州知府戴槃重建的祠堂——西院里饱啖了一顿酒肉，我觉得有点酩酊微醉了。手拿着以火柴柄制成的牙签，走到东面供着严先生神像的龛前，向四面的破壁上一看，翠墨淋漓，题在那里的，竟多是些俗而不雅的过路高官的手笔。最后到了南面的一块白墙头上，在离屋檐不远的一角高处，却看到了我们的一位新近去世的同乡夏灵峰先生的四句似邵尧夫而又略带感慨的诗句。夏灵峰先生虽则只知崇古，不善处今，但是五十年来，像他那样的顽固自尊的亡清遗老，也的确是没有第二个人。比较起现在的那些官迷的南满尚书和东洋宦婢来，他的经术言行，姑且不必去论它，就是以骨头来称称，我想也要比什么罗三郎郑太郎辈，重到好几百倍。慕贤的心一动，熏人臭技自然是难熬了，堆起了几张桌椅，借得了一枝破笔，我也向高墙上在夏灵峰先生的脚后放上了一个陈屁，就是在船舱的梦里，也曾微吟过的那一首歪诗。

从墙头上跳将下来，又向龛前天井去走了一圈，觉得酒后的干喉，有点渴痒了，所以就又走回到了西院，静坐着喝了两碗清茶。在这四大无声，只听见我自己的啾啾喝水的舌音，冲击到那座破院的败壁上去的寂静中间，同惊雷似的一响，院后的竹园里却忽而飞出了一声闲长而又有节奏似的鸡啼的声来。同时在门外面歇着的船家，也走进了院门，高声的对我说：

"先生，我们回去罢，已经是吃点心的时候了，你不听见那只鸡在后山啼么？我们回去罢！"

美/文/赏/析

《钓台的春昼》是郁达夫游记散文中的名作。郁达夫是一个重于自我表现，长于主观抒情，具有浪漫倾向，饱含热情和忧郁气质的人。所以他的文字偏爱感性，重抒情。不论是尺牍间，小札中，还是履痕处处，记录纪行，满腔深情热血，往往是笔墨未浓但情透纸背，呼之欲出。郁达夫的散文犹如"歌行体"，而热情中总充满忧郁颓废。对于家乡富春江，作者是眷恋的，所以写处情浓如血，往往更包含一种对亲情人事的复杂心绪。作者即使对情景人事淡淡道来，也是情文并茂，字里行间跳动着作者那颗真实的心。

故都的秋

/ 郁达夫

入选理由……………………………………
郁达夫的散文代表作之一
一幅形象地描绘旧时代北京秋景的风情画
用词富有诗情画意

秋天，无论在什么地方的秋天，总是好的；可是啊，北国的秋，却特别地来得清，来得静，来得悲凉。我的不远千里，要从杭州赶上青岛，更要从青岛赶上北平来的理由，也不过想饱尝一尝这"秋"，这故都的秋味。

江南，秋当然也是有的；但草木凋得慢，空气来得润，天的颜色显得淡，并且又时常多雨而少风；一个人夹在苏州上海杭州，或厦门香港广州的市民中间，浑浑沌沌地过去，只能感到一点点清凉，秋的味，秋的色，秋的意境与姿态，总看不饱，尝不透，赏玩不到十足。秋并不是名花，也并不是美酒，那一种半开，半醉的状态，在领略秋的过程上，是不合适的。

不逢北国之秋，已将近十余年了。在南方每年到了秋天，总要想起陶然亭的芦花，钓鱼台的柳影，西山的虫唱，玉泉的夜月，潭柘寺的钟声。在北平即使不出门去罢，就是在皇城人海之中，租人家一椽破屋来住着，早晨起来，泡一碗浓茶，向院子一坐，你也能看得到很高很高的碧绿的天色，听得到青天下驯鸽的飞声。从槐树叶底，朝东细数着一丝一丝漏下来的日光，或在破壁腰中，静对着像喇叭似的牵牛花（朝荣）的蓝朵，自然而然地也能够感觉到十分的秋意。说到了牵牛花，我以为以蓝色或白色者为佳，紫黑色次之，淡红色最下。最好，还要在牵牛花底，教长着几根疏疏落落的尖细且长的秋草，使作陪衬。

北国的槐树，也是一种能使人联想起秋来的点缀。像花而又不是花的那一种落蕊，早晨起来，会铺得满地。脚踏上去，声音也没有，气味也没有，只能感出一点点极微细极柔软的触觉。扫街的在树影下一阵扫后，灰土上留下来的一条条扫帚的丝纹，看起来既觉得细腻，又觉得清闲，潜意识下并且还觉得有点儿落寞，古人所说的梧桐一叶而天下知秋的遥想，大约也就在这些深沉的地方。

秋蝉的衰弱的残声，更是北国的特产；因为北平处处全长着树，屋子又低，所以无论在什么地方，都听得见它们的啼唱。在南方是非要上郊外或山上去才听得到的。这秋蝉的嘶叫，在北平可和蟋蟀耗子一样，简直象是家家户户都养在家里的家虫。

还有秋雨哩，北方的秋雨，也似乎比南方的下得奇，下得有味，下得象样。

在灰沉沉的天底下，忽而来一阵凉风，便息列索落地下起雨来了。一层雨过，云渐渐地卷向了西去，天又青了，太阳又露出脸来了；著着很厚的青布单衣或夹袄的都市闲人，咬着烟管，在雨后的斜桥影里，上桥头树底下去一立，遇见熟人，便会用了缓慢悠闲的声调，微叹着互答着的说：

"唉，天可真凉了——"（这"了"字念得很高，拖得很长。）

"可不是么？一层秋雨一层凉了！"

北方人念阵字，总老象是层字，平平仄仄起来，这念错的歧韵，倒来得正好。

北方的果树，到秋来，也是一种奇景。第一是枣子树；屋角，墙头，茅房边上，灶房门口，它都会一株株地长大起来。象橄榄又象鸽蛋似的这枣子颗儿，在小椭圆形的细叶中间，显出淡绿微黄的颜色的时候，正是秋的全盛时期；等枣树叶落，枣子红完，西北风就要起来了，北方便是尘沙灰土的世界，只有这枣子、柿子、葡萄，成熟到八九分的七八月之交，是北国的清秋的佳日，是一年之中最好也没有的 Golden Days。

有些批评家说，中国的文人学士，尤其是诗人，都带着很浓厚的颓废色彩，所以中国的诗文里，颂赞秋的文字特别的多。但外国的诗人，又何尝不然？我虽则外国诗文念得不多，也不想开出账来，做一篇秋的诗歌散文钞，但你若去一翻英德法意等诗人的集子，或各国的诗文的 Anthology 来，总能够看到许多关于秋的歌颂与悲啼。各著名的大诗人的长篇田园诗或四季诗里，也总以关于秋的部分，写得最出色而最有味。足见有感觉的动物，有情趣的人类，对于秋，总是一样的能特别引起深沉，幽远，严厉，萧索的感触来的。不单是诗人，就是被关闭在牢狱里的囚犯，到了秋天，我想也一定会感到一种不能自己的深情；秋之于人，何尝有国别，更何尝有人种阶级的区别呢？不过在中国，文字里有一个"秋士"的成语，读本里又有着很普遍的欧阳子的《秋声》与苏东坡的《赤壁赋》等，就觉得中国的文人，与秋的关系特别深了。可是这秋的深味，尤其是中国的秋的深味，非要在北方，才感受得到底。

南国之秋，当然是也有它的特异的地方的，比如廿四桥的明月，钱塘江的秋潮，普陀山的凉雾，荔枝湾的残荷等等，可是色彩不浓，回味不永。比起北国的秋来，正像是黄酒之与白干，稀饭之与馍馍，鲈鱼之与大蟹，黄犬之与骆驼。

秋天，这北国的秋天，若留得住的话，我愿把寿命的三分之二折去，换得一个三分之一的零头。

美/文/赏/析

    《故都的秋》写于1934年8月。郁达夫对北京的秋有一种浓厚的情结，他写作此文时，特地从杭州赶到北京（当时称北平），以饱览一番"特别地来得清，来得静，来得悲凉"的故都北平的秋味。他用了一系列富有诗情画意的词语：芦花、柳影、虫唱、夜月、钟声、天色、驯鸽飞声、日光、牵牛花、槐树、秋蝉、秋雨、都市闲人、枣树、枣子、柿子、葡萄等，清晰形象地勾勒出故都秋的景象、色调、意境和味道。作者交替运用总写、分写、描写、叙述、议论、抒情，直接、间接等手法，淋漓尽致、神韵活现地构织了一幅"故都的秋"的水墨风情画，使人回味无穷，浮想联翩，堪称一篇写秋的千古妙文。

风景谈

/ 茅盾

入选理由······························

茅盾的散文代表作之一

生动刻画了抗战时期延安军民的生活

前夜看了《塞上风云》的预告片，便又回忆起猩猩峡外的沙漠来了。那还不能被称为"戈壁"，那在普通地图上，还不过是无名的小点，但是人类的肉眼已经不能望到它的边际，如果在中午阳光正射的时候，那单纯而强烈的返光会使你的眼睛不舒服。没有隆起的沙丘，也不见有半间泥房，四顾只是茫茫一片，那样的平坦，连一个"坎儿井"也找不到；那样的纯然一色，即使偶尔有些驼马的枯骨，它那微小的白光，也早溶入了周围的苍茫，又是那样的寂静，似乎只有热空气在作哄哄的火响。然而，你不能说，这里就没有"风景"。当地平线上出现了第一个黑点，当更多的黑点成为线，成为队，而且当微风把铃铛的柔声，丁当，丁当，送到你的耳鼓，而最后，当那些昂然高步的骆驼，排成整齐的方阵，安详然而坚定地愈行愈近，当骆驼队中领队驼所掌的那一杆长方形猩红大旗耀入你眼帘，而且大小丁当的谐和的合奏充满了你耳管，——这时间，也许你不出声，但是你的心里会涌上了这样的感想的：多么庄严，多么妩媚呀！这里是大自然的最单调最

作者简介

茅盾（1896—1981），原名沈德鸿，字雁冰，浙江桐乡人。1916年毕业于北京大学预科班。此后历任上海商务印书馆编辑、《小说月报》主编、《民国日报》主编，为文学研究会发起人之一。1930年加入左翼作家联盟。中华人民共和国成立后历任文化部部长、中国作协主席等职。主要作品有长篇小说《子夜》，中篇小说《蚀》（三部曲），短篇小说《春蚕》《林家铺子》等。

平板的一面，然而加上了人的活动，就完全改观，难道这不是"风景"吗？自然是伟大的，然而人类更伟大。

于是我又回忆起另一个画面,这就在所谓"黄土高原"！那边的山多数是秃顶的，然而层层的梯田，将秃顶装扮成稀稀落落有些黄毛的癞头，特别是那些高秆植物顶长而整齐，等待检阅的队伍似的，在晚风中摇曳，别有一种惹人怜爱的姿态。可是更妙的是三五月明之夜，天是那样的蓝，几乎透明似的，月亮离山顶，似乎不过几尺，远看山顶的谷子丛密挺立，宛如人头上的怒发，这时候忽然从山脊上长出两支牛角来，随即牛的全身也出现，捎着犁的人形也出现，并不多，只有三两个，也许还跟着个小孩，他们姗姗而下，在蓝的天，黑的山，银色的月光的背景上，成就了一幅剪影，如果给田园诗人见了，必将赞叹为绝妙的题材。可是没有完。这几位晚归的种地人，还把他们那粗朴的短歌，用愉快的旋律，从山顶上飘下来，直到他们没入了山坳，依旧只有蓝天明月黑漆漆的山，歌声可是缭绕不散。

另一个时间。另一个场面。夕阳在山，干坼的黄土正吐出它在一天内所吸收的热，河水汤汤急流，似乎能把浅浅河床中的鹅卵石都冲走了似的。这时候，沿河的山坳里有一队人，从"生产"归来，兴奋的谈话中，至少有七八种不同的方音。忽然间，他们又用同一的音调，唱起雄壮的歌曲来了，他们的爽朗的笑声，落到水上，使得河水也似在笑。看他们的手，这是惯拿调色板的，那是昨天还拉着提琴的弓子伴奏着《生产曲》的，这是经常不离木刻刀的，那又是洋洋洒洒下笔如有神的，但现在，一律都被锄锹的木柄磨起了老茧了。他们在山坡下，被另一群所迎住。这里正燃起熊熊的野火，多少曾调朱弄粉的手儿，已经将金黄的小米饭，翠绿的油菜，准备齐全。这时候，太阳已经下山，却将它的余辉幻成了满天的彩霞，河水喧哗得更响了，跌在石上的便喷出了雪白的泡沫，人们把沾着黄土的脚伸在水里，任它冲刷，或者掬起水来，洗一把脸。在背山面水这样一个所在，静穆的自然和弥满着生命力的人，就织成了美妙的图画。

在这里，蓝天明月，秃顶的山，单调的黄土，浅濑的水，似乎都是最恰当不过的背景，无可更换。自然是伟大的，人类是伟大的，然而充满了崇高精神的人

36

类的活动，乃是伟大中之尤其伟大者！

　　我们都曾见过西装革履烫发旗袍高跟鞋的一对儿，在公园的角落，绿荫下长椅上，悄悄儿说话，但是试想一想，如果在一个下雨天，你经过一边是黄褐色的浊水，一边是怪石峭壁的崖岸，马蹄很小心地探入泥浆里，有时还不免打了一下跌撞，四面是静寂灰黄，没有一般所谓的生动鲜艳，然而，你忽然抬头看见高高的山壁上有几个天然的石洞，三层楼的亭子间似的，一对人儿促膝而坐，只凭剪发式样的不同，你方能辨认出一个是女的，他们被雨赶到了那里，大概聊天也聊够了，现在是摊开着一本札记簿，头凑在一处，一同在看，——试想一想，这样一个场面到了你眼前时，总该和在什么公园里看见了长椅上有一对儿在偎倚低语，颇有点味儿不同罢！如果在公园时你一眼瞥见，首先第一会是"这里有一对恋人"，那么，此时此际，倒是先感到那样一个沉闷的雨天，寂寞的荒山，原始的石洞，安上这么两个人，是一个"奇迹"，使大自然顿时生色！他们之是否恋人，落在问题之外。你所见的，是两个生命力旺盛的人，是两个清楚明白生活意义的人，在任何情形之下，他们不倦怠，也不会百无聊赖，更不至于从胡闹中求刺激，他们能够在任何情况之下，拿出他们那一套来，怡然自得。但是什么能使他们这样呢？

　　不过仍旧回到"风景"罢；在这里，人依然是"风景"的构成者，没有了人，还有什么可以称道的？再者，如果不是内生活极其充满的人作为这里的主宰，那又有什么值得怀念？

　　再有一个例子：如果你同意，二三十棵桃树可以称为林，那么这里要说的，正是这样一个桃林。花时已过，现在绿叶满株，却没有一个桃子。半爿旧石磨，是最漂亮的圆桌面，几尺断碑，或是一截旧阶石，那又是难得的几案。现成的大小石块作为凳子，——而这样的石凳也还是以奢侈品的姿态出现。这些怪样的家具之所以成为必要，是因为这里有一个茶社。桃林前面，有老百姓种的荞麦，也有大麻和玉米这一类高秆植物。荞麦正当开花，远望去就像一张粉红色的地毯，大麻和玉米就像是屏风，靠着地毯的边缘。太阳光从树叶的空隙落下来，在泥地上，石家具上，一抹一抹的金黄色。偶尔也听得有草虫在叫，带住在林边树上的马儿伸长了脖子就树干搔痒，也许是乐了，便长嘶起来。"这就不坏！"你也许要这样说。可不是，这里是有一般所谓"风景"的一些条件的！然而，未必尽然。在高原的强烈阳光下，人们喜欢把这一片树荫作为户外的休息地点，因而添上了什么茶社，这是这个"风景区"成立的因缘，但如果把那二三十棵桃树，半爿磨石，几尺断碣，还有荞麦和大麻玉米，这些其实到处可遇的东西，看成了此所谓风景区的主要条件，那或者是会贻笑大方的。中国之大，比这美得多的所谓风景区，数也数不完，这个值得什么？所以应当从另一方面去看。现在请你坐下，来一杯清茶，两毛钱的枣子，也作一次桃园的茶客罢。如果你愿意先看女的，好，那边就有三四个，大概其中有一位刚接到家里寄给她的一点钱，今天来请请同伴。那边又有几位，也围着一个石桌子，但只把随身带来的书籍代替了枣子和茶了。更有两位虎头虎脑的青年，他们走过"天下最难走的路"，现在却静静地坐着，温雅得和闺女一般。男女混合的一群，有坐的，也有蹲的，争论着一个哲学上的问题，时时哗然大笑，就在他们近边，长石条上躺着一位，一本书掩住了脸。这就够了，不用再多看。总之，这里有特别的氛围，但并不古怪。人们来这里，只为恢复工作后的疲劳，随便喝点，要是袋里有钱；或不喝，随便谈谈天；在有闲的只想找一点什么来消磨时间的人们看来，这里坐的不舒服，吃的喝的也太粗糙简单，也没有什么可以供赏玩，至多来一次，第二次保管厌倦。但是不知道消磨时间为何物的人们却把这一片简陋的绿荫看得很可爱，因此，这桃林就很出名了。

因此，这里的"风景"也就值得留恋，人类的高贵精神的辐射，填补了自然界的贫乏，增添了景色，形式的和内容的。人创造了第二自然！

最后一段回忆是五月的北国。清晨，窗纸微微透白，万籁俱静，嘹亮的喇叭声，破空而来。我忽然想起了白天在一本贴照簿上所见的第一张，银白色的背景前一个淡黑的侧影，一个号兵举起了喇叭在吹，严肃、坚决、勇敢和高度的警觉，都表现在小号兵的挺直的胸膛和高高的眉棱上边。我赞美这摄影家的艺术，我回味着，我从当前的喇叭声中也听出了严肃、坚决、勇敢和高度的警觉来，于是我披衣出去，打算看一看。空气非常清洌，朝霞笼住了左面的山，我看见山峰上的小号兵了。霞光射住他，只觉得他的额角异常发亮，然而，使我惊叹叫出声来的，是离他不远有一位荷枪的战士，面向着东方，严肃地站在那里，犹如雕像一般。晨风吹着喇叭的红绸子，只这是动的，战士枪尖的刺刀闪着寒光，在粉红的霞色中，只这是刚性的。我看得呆了，我仿佛看见了民族的精神化身而为他们两个。

如果你也当它是"风景"，那便是真的风景，是伟大中之最伟大者！

美/文/赏/析

《风景谈》是一篇意境优美的散文，文章表达了作者在黄土高原的见闻。文章开篇不凡，从一部抗日影片《塞上风云》谈起，将读者带入抗日战争的氛围。每组画面之间，用"自然是伟大的，然而人类更伟大"这一类似的句子做联缀，使所有的风景构成了一个和谐的有机整体，毫无散漫之感，同时深化了主题：名为"谈风景"，实为"赞人类"，讴歌那些在黄土高原上劳动和战斗着的人们。

我所知道的康桥

/ 徐志摩

入选理由……………………

徐志摩的散文代表作

一首饱含深情、充满诗情画意的康桥回忆梦幻曲

文采华丽，富于节奏感和韵律感

一

我这一生的周折，大都寻得出感情的线索。不论别的，单说求学。我到英国是为要从罗素。罗素来中国时，我已经在美国。他那不确的死耗传到的时候，我真的出眼泪不够，还做悼诗来了。他没有死，我自然高兴。我摆脱了哥伦比亚大学博士衔的引诱，买船票漂过大西洋，想跟这位二十世纪的福禄泰尔认真念一点书去。谁知一到英国才知道事情变样了：一为他在战时主张和平，二为他离婚，

作者简介

徐志摩（1896—1931），浙江海宁人，著名诗人、散文家。1918年赴美，先后在克拉克大学、哥伦比亚大学学习。1920年赴英，次年入剑桥大学学习。1922年回国后先后在北大、清华、南京中央大学任教。1923年发起成立新月社，为"新月派"主要诗人，先后主编北京《晨报》副刊和上海《新月》月刊。1931年11月19日因飞机失事遇难。其主要作品有诗集《志摩的诗》《翡冷翠的一夜》，散文《翡冷翠山居闲话》《我所知道的康桥》等。

罗素叫康桥给除名了，他原来是 Trinity College 的 Fellow，这一来他的 Fellow-ship 也给取消了。他回英国后就在伦敦住下，夫妻两人卖文章过日子。因此我也不曾遂我从学的始愿。我在伦敦政治经济学院里混了半年，正感着闷想换路走的时候，我认识了狄更生先生。狄更生——Goldsworthy Lowes Dickinson——是一个有名的作者，他的《一个中国人通信》（*Letters From John Chinaman*）与《一个现代聚餐谈话》（*A Modern Symposium*）两本小册子早得了我的景仰。我第一次会着他是在伦敦国际联盟协会席上，那天林宗孟先生演说，他做主席；第二次是宗孟寓里吃茶，有他，以后我常到他家里去。他看出我的烦闷，劝我到康桥去，他自己是王家学院（King's College）的 Fellow。我就写信去问两个学院，回信都说学额早满了，随后还是狄更生先生替我去在他的学院里说好了，给我一个特别生的资格，随意选科听讲。从此黑方巾、黑披袍的风光也被我占着了。初起我在离康桥六英里的乡下叫沙士顿地方租了几间小屋住下，同居的有我从前的夫人张幼仪女士与郭虞裳君。每天一早我坐街车（有时骑自行车）上学，到晚回家。这样的生活过了一个春，但我在康桥还只是个陌生人，谁都不认识，康桥的生活，可以说完全不曾尝着，我知道的只是一个图书馆，几个课室，和三两个吃便宜饭的茶食铺子。狄更生常在伦敦或是大陆上，所以也不常见他。

那年的秋季我一个人回到康桥，整整有一学年，那时我才有机会接近真正的康桥生活，同时我也慢慢的"发现"了康桥。我不曾知道过更大的愉快。

<h2 style="text-align:center">二</h2>

"单独"是一个耐寻味的现象。我有时想它是任何发现的第一个条件。你要发见你的朋友的"真"，你得有与他单独的机会。你要发见你自己的真，你得给你自己一个单独的机会。你要发见一个地方（地方一样有灵性），你也得有单独玩的机会。我们这一辈子，认真说，能认识几个人？能认识几个地方？我们都是太匆忙，太没有单独的机会。说实话，我连我的本乡都没有什么了解。康桥我要算是有相当交情的，再次许只有新认识的翡冷翠了。啊，那些清晨，那些黄昏，我一个人发痴似的在康桥！绝对的单独。

但一个人要写他最心爱的对象，不论是人是地，是多么使他为难的一个工作？你怕，你怕描坏了它，你怕说过分了恼了它，你怕说太谨慎了辜负了它。我现在想写康桥，也正是这样的心理，我不曾写，我就知道这回是写不好的——况且又是临时逼出来的事情。但我却不能不写，上期预告已经出去了。我想勉强分两节写，一是我所知道的康桥的天然景色；一是我所知道的康桥的学生生活。我今晚只能极简的写些，等以后有兴会时再补。

三

康桥的灵性全在一条河上；康河，我敢说，是全世界最秀丽的一条水。河的名字是葛兰大（Granta），也有叫康河（River Cam）的，许有上下流的区别，我不甚清楚。河身多的是曲折，上游是有名的拜伦潭——"Byron's Pool"——当年拜伦常在那里玩的；有一个老村子叫格兰赛斯德，有一个果子园，你可以躺在累累的桃李树荫下吃茶，花果会掉入你的茶杯，小雀子会到你桌上来啄食，那真是别有一番天地。这是上游。下游是从骞斯德顿下去，河面展开，那是春夏间竞舟的场所。上下河分界处有一个坝筑，水流急得很，在星光下听水声，听近村晚钟声，听河畔倦牛刍草声，是我康桥经验中最神秘的一种：大自然的优美，宁静，调谐在这星光与波光的默契中不期然的淹入了你的性灵。

但康河的精华是在它的中游，著名的"Backs"，这两岸是几个最莙声的学院的建筑。从上面下来是 Pembroke, St. Katharine's, King's, Clare, Trinity, St. John's。最令人留连的一节是克莱亚与王家学院的毗连处，克莱亚的秀丽紧邻着王家教堂（King's Chapel）的宏伟。别的地方尽有更美更庄严的建筑，例如巴黎赛因河的罗浮宫一带，威尼斯的利阿尔多大桥的两岸，翡冷翠维基乌大桥的周遭。但康桥的"Backs"自有它的特长，这不容易用一二个状词来概括，它那脱尽尘埃气的一种清澈秀逸的意境可说是超出了画图而化生了音乐的神味。再没有比这一群建筑更调谐更匀称的了！论画，可比的许只有柯罗（Corot）的田野；论音乐，可比的许只有萧班（Chopin）的夜曲。就这也不能给你依稀的印象，它给你的美感简直是神灵性的一种。

假如你站在王家学院桥边的那棵大掬树荫下眺望，右侧面，隔着一大方浅草坪，是我们的校友居（Fellows Building），那年代并不早，但它的妩媚也是不可掩的，它那苍白的石壁上春夏间满缀着艳色的蔷薇在和风中摇

撑一支长篙，向康河河心的青草处漫溯，以体验一下徐志摩笔下的剑桥风情。

颤，更移左是那教堂，森林似的尖阁不可浼的永远直指着天空；更左是克莱亚，啊！那不可信的玲珑的方庭，谁说这不是圣克莱亚（St. Clare）的化身，哪一块石上不闪耀着她当年圣洁的精神？在克莱亚后背隐约可辨的是康桥最华贵最骄纵的三清学院（Trinity），它那临河的图书楼上坐镇着拜伦神采惊人的雕像。

但这时你的注意早叫克莱亚的三环洞桥魔术似的摄住。你见过西湖白堤上的西泠断桥不是？（可怜它们早已叫代表近代丑恶精神的汽车公司给踩平了，现在它们跟着苍凉的雷峰永远辞别了人间。）你忘不了那桥上斑驳的苍苔，木栅的古色，与那桥拱下泄露的湖光与山色不是？克莱亚并没有那样体面的衬托，它也不比庐山栖贤寺旁的观音桥，上瞰五老的奇峰，下临深潭与飞瀑；它只是怯伶伶的一座三环洞的小桥，它那桥洞间也只掩映着细纹的波鳞与婆娑的树影，它那桥上栉比的小穿阑与阑节顶上双双的白石球，也只是村姑子头上不夸张的香草与野花一类的装饰；但你凝神的看着，更凝神的看着，你再反省你的心境，看还有一丝屑的俗念沾滞不？只要你审美的本能不曾泯灭时，这是你的机会实现纯粹美感的神奇！

但你还得选你赏鉴的时辰。英国的天时与气候是走极端的。冬天是荒谬的坏，逢着连绵的雾盲天你一定不迟疑的甘愿进地狱本身去试试；春天（英国是几乎没有夏天的）是更荒谬的可爱，尤其是它那四五月间最渐缓最艳丽的黄昏，那才真是寸寸黄金。在康河边上过一个黄昏是一服灵魂的补剂。啊！我那时蜜甜的单独，那时蜜甜的闲暇。一晚又一晚的，只见我出神似的倚在桥阑上向西天凝望：

看一回凝静的桥影，

数一数螺钿的波纹；

我倚暖了石阑的青苔，

青苔凉透了我的心坎；

……

还有几句更笨重的怎能仿佛那游丝似轻妙的情景：

难忘七月的黄昏，远树凝寂，

像墨泼的山形，衬出轻柔暝色，

密稠稠，七分鹅黄，三分橘绿，

那妙意只可去秋梦边缘捕捉……

四

这河身的两岸都是四季常青最葱翠的草坪。从校友居的楼上望去，对岸草场上，不论早晚，永远有十数匹黄牛与白马，胫蹄没在恣蔓的草丛中，从容的在咬嚼，星星的黄花在风中动荡，应和着它们尾鬃的扫拂。桥的两端有斜倚的垂柳与荫护住。水是澈底的清澄，深不足四尺，匀匀的长着长条的水草。这岸边的草坪又是我的爱宠，在清明，在傍晚，我常去这天然的织锦上坐地，有时读书，有时看水；有时仰卧着看天空的行云，有时反仆着搂抱大地的温软。

但河上的风流还不止两岸的秀丽。你得买船去玩。船不止一种：有普通的双桨划船，有轻快的薄皮舟（Canoe），有最别致的长形撑篙船（Punt）。最末的一种是别处不常有的：约莫有二丈长，三尺宽，你站直在船梢上用长竿撑着走的。这撑是一种技术。我手脚太蠢，始终不曾学会。你初起手尝试时，容易把船身横住在河中，东颠西撞的狼狈。英国人是不轻易开口笑人的，但是小心他们不出声的皱眉！也不知有多少次河中本来优闲的秩序叫我这莽撞的外行给捣乱了。我真的始终不曾学会；每回我不服输跑去租船再试的时候，有一个白胡子的船家往往带讥讽的对我说："先生，这撑船费劲，天热累人，还是拿个薄皮舟溜溜吧！"我哪里肯听，长篙子一点就把船撑了开去，结果还是把河身一段段的腰斩了去！

你站在桥上去看人家撑，那多不费劲，多美！尤其是礼拜天有几个专家的女郎，穿一身缟素衣服，裙裾在风前悠悠的飘着，戴一顶宽边的薄纱帽，帽影在水草间颤动，你看她们出桥洞时的姿态，捻起一根竟像没有分量的长竿，只轻轻的，不经心的往波心里一点，身子微微的一蹲，这船身便波的转出了桥影，翠条鱼似的向前滑了去。她们那敏捷，那闲暇，那轻盈，真是值得歌咏的。

在初夏阳光渐暖时你去买一只小船，划去桥边荫下躺着念你的书或是做你的梦，槐花香在水面上飘浮，鱼群的唼喋声在你的耳边挑逗。或是在初秋的黄昏，近着新月的寒光，望上流僻静处远去。爱热闹的少年们携着他们的女友，在船沿上支着双双的东洋彩纸灯，带着话匣子，船心里用软垫铺着，也开向无人迹处去享他们的野福——谁不爱听那水底翻的音乐在静定的河上描写梦意与春光！

住惯城市的人不易知道季候的变迁。看见叶子掉知道是秋，看见叶子绿知道是春；天冷了装炉子，天热了拆炉子；脱下棉袍，换上夹袍，脱下夹袍，穿上单袍，不过如此罢了。天上星斗的消息，地下泥土里的消息，空中风吹的消息，都不关我们的事。忙着哪，这样那样事情多着，谁耐烦管星星的移转，花草的消长，风云的变幻？同时我们抱怨我们的生活，苦痛，烦闷，拘束，枯燥，谁肯承认做人是快乐？谁不多少间咒诅人生？

但不满意的生活大都是由于自取的。我是一个生命的信仰者，我信生活决不是我们大多数人仅仅从自身经验推得的那样暗惨。我们的病根是在"忘本"。人是自然的产儿，就比枝头的花与鸟是自然的产儿；但我们不幸是文明人，入世深似一天，离自然远似一天。离开了泥土的花草，离开了水的鱼，能快活吗？能生存吗？从大自然，我们取得我们的生命；从大自然，我们应分取得我们继续的资养。哪一株婆娑的大木没有盘错的根柢深入在无尽藏的地里？我们是永远不能独立的。有幸福是永远不离母亲抚育的孩子，有健康是永远接近自然的人们。不必一定与鹿豕游，不必一定回"洞府"去；为医治我们当前生活的枯窘，只要"不完全遗忘自然"一张轻淡的药方，我们的病象就有缓和的希望。在青草里打几个滚，到海水里洗几次浴，到高处去看几次朝霞与晚照——你肩背上的负担就会轻松了去的。

这是极肤浅的道理，当然。但我要没有过过康桥的日子，我就不会有这样的自信。我这一辈子就只那一春，说也可怜，算是不曾虚度。就只那一春，我的生活是自然的，是真愉快的！（虽则碰巧那也是我最感受人生痛苦的时期。）我那时有的是闲暇，有的是自由，有的是绝对单独的机会。说也奇怪，竟像是第一次，我辨认了星月的光明，草的青，花的香，流水的殷勤。我能忘记那初春的睥睨吗？曾经有多少个清晨我独自冒着冷去薄霜铺地的林子里闲步——为听鸟语，为盼朝阳，为寻泥土里渐次苏醒的花草，为体会最微细最神妙的春信。啊，那是新来的画眉在那边啭不尽的青枝上试它的新声！啊，这是第一朵小雪球花挣出了半冻的地面！啊，这不是新来的潮润沾上了寂寞的柳条？

静极了，这朝来水溶溶的大道，只远处牛奶车的铃声，点缀这周遭的沉默。顺着这大道走去，走到尽头，再转入林子里的小径，往烟雾浓密处走去，头顶是交枝的榆荫，透露着漠楞楞的曙色；再往前走去，走尽这林子，当前是平坦的原野，望见了村舍，初青的麦田，更远三两个馒形的小山掩住了一条通道。天边是雾茫茫的，尖尖的黑影是近村的教寺。听，那晓钟和缓的清音。这一带是此邦中部的平原，地形像是海里的轻波，默沉沉的起伏；山岭是望不见的，有的是常青的草原与沃腴的田壤。登那土阜上望去，康桥只是一带茂林，拥戴着几处娉婷的尖阁。妩媚的康河也望不见踪迹，你只能循着那锦带似的林木想像那一流清浅。村舍与树林是这地盘上的棋子，有村舍处有佳荫，有佳荫处有村舍。这早起是看炊烟的时辰：朝雾渐渐的升起，揭开了这灰苍苍的天幕（最好是微霭后的光景），远近的炊烟，成丝的，成缕的，成卷的，轻快的，迟重的，浓灰的，淡青的，惨白的，在静定的朝气里渐渐的上腾，渐渐的不见，仿佛是朝来人们的祈祷，参差的翳入了天听。朝阳是难得见的，这初春的天气。但它来时是起早人莫大的愉快。顷刻间这田野添深了颜色，一层轻纱似的金粉糁上了这草，这树，这通道，这庄舍。顷刻间这周遭弥漫了清晨富丽的温柔。顷刻间你的心怀也分润了白天诞生的光荣。"春！"这胜利的晴空仿佛在你的耳边私语。"春！"你那快活的灵魂也仿佛在那里回响。

伺候着河上的风光，这春来一天有一天的消息。关心石上的苔痕，关心败草里的花鲜，关心这水流的缓急，关心水草的滋长，关心天上的云霞，关心新来的鸟语。怯伶伶的小雪球是探春信的小使。铃兰与香草是欢喜的初声。窈窕的莲馨，玲珑的石水仙，爱热闹的克罗克斯，耐辛苦的蒲公英与雏菊——这时候春光已是烂缦在人间，更不须殷勤问讯。

瑰丽的春放。这是你野游的时期。可爱的路政，这里不比中国，哪一处不是坦荡荡的大道？徒步是一个愉快，但骑自转车是一个更大的愉快。在康桥骑车是普遍的技术；妇人，稚子，老翁，一致享受这双轮舞的快乐（在康桥听说自转车是不怕人偷的，就为人人都自己有车，没人要偷）。任你选一个方向，任你上一条通道，顺着这带草味的和风，放轮远去，保管你这半天的逍遥是你性灵的补剂。这道上有的是清荫与美草，随地都可以供你休憩。你如爱花，这里多的是锦绣似的草原。你如爱鸟，这里多的是巧啭的鸣禽。你如爱儿童，这乡间到处是可亲的稚子。你如爱人情，这里多的是不嫌远客的乡人，你到处可以"挂单"借宿，有酪浆与嫩薯供你饱餐，有夺目的果鲜恣你尝新。你如爱酒，这乡间每"望"都为你储有上好的新酿，黑啤如太浓，苹果酒、姜酒都是供你解渴润肺的……带一卷书，走十里路，选一块清静地，看天，听鸟，读书，倦了时，和身在草绵绵处寻梦去——你能想像更适情更适性的消遣吗？

陆放翁有一联诗句："传呼快马迎新月，却上轻舆趁晚凉"，这是做地方官的风流。我在康桥时虽没马骑，没轿子坐，却也有我的风流：我常常在夕阳西晒时骑了车迎着天边扁大的日头直追。日头是追不到的，我没有夸父的荒诞，但晚景的温存却被我这样偷尝了不少。有三两幅画图似的经验至今还是栩栩的留着。只说看夕阳，我们平常只知道登山或是临海，但实际只须辽阔的天际，平地上的晚霞有时也是一样的神奇。有一次我赶到一个地方，手把着一家村庄的篱笆，隔着一大田的麦浪，看西天的变幻。有一次是正冲着一条宽广的大道，过来一大群羊，放草归来的，偌大的太阳在它们后背放射着万缕的金辉，天上却是乌青青的，只剩这不可逼视的威光中的一条大路，一群生物！我心头顿时感着神异性的压迫，我真的跪下了，对着这冉冉渐翳的金光。再有一次是更不可忘的奇景，那是临着一大片望不到头的草原，满开着艳红的罂粟，在青草里亭亭的像是万盏的金灯，阳光从褐色云里斜着过来，幻成一种异样的紫色，透明似的不可逼视，刹那间在我迷眩了的视觉中，这草田变成了……不说也罢，说来你们也是不信的！

一别二年多了，康桥，谁知我这思乡的隐忧？也不想别的，我只要那晚钟撼动的黄昏，没遮拦的田野，独自斜倚在软草里，看第一个大星在天边出现！

美/文/赏/析

康桥（即剑桥）是徐志摩一生中最难忘的地方。徐志摩青年时目睹中国军阀统治的政治腐败、社会黑暗，决心出国寻求救国救民之道。1918 年，他赴美国克拉克大学攻读社会学。1920 年，他到伦敦，次年入英国剑桥大学，住在康桥。由于康桥美妙的自然风光，引发了徐志摩的诗人气质，奠定了他以后作为一位诗人的文学道路基础。因此，徐志摩对康桥有着特殊的感情、难忘的眷恋，并将这种情绪发之于诗文，佳作迭出。《我所知道的康桥》即是作者初别康桥两年多后的回忆性散文，文章写于 1926 年 1 月。在文章中，作者用诗一般的语言谱写了关于康桥的回忆梦幻曲——富有灵性的康河、堂皇典丽的学院建筑、超凡脱俗的克莱亚三环洞桥、风情万种的康河之春……全文恣肆汪洋，散漫无羁，如同"跑野马"，但形散而神不散，丝毫不显杂乱无章。文章文采华丽，长短句交替运用，时而开门见山，时而回廊九曲，时而腾达，时而沉落，富于强烈的节奏感和韵律感，把遥不可及的康桥活灵活现、神韵毕足地展现在读者面前。这充分显示了作者的诗人气质，驾驭语言的天分才华。

春

/ 朱自清

入选理由……………………………………

尺牍间传达无限的哲思

是朱自清散文中风格演变特别明显的篇目

构思新巧，语言朴实，是满贮诗意的一篇写景名文

盼望着，盼望着，东风来了，春天的脚步近了。

一切都像刚睡醒的样子，欣欣然张开了眼。山润朗起来了，水涨起来了，太阳的脸红起来了。

小草偷偷地从土里钻出来，嫩嫩的，绿绿的。园子里，田野里，瞧去，一大片一大片满是的。坐着，躺着，打两个滚，踢几脚球，赛几趟跑，捉几回迷藏。风轻悄悄的，草软绵绵的。

桃树、杏树、梨树，你不让我，我不让你，都开满了花赶趟儿。红的像火，粉的像霞，白的像雪。花里带着甜味，闭了眼，树上仿佛已经满是桃儿、杏儿、梨儿！

作者简介

朱自清（1898—1948），原名自华，字佩弦，号秋实，祖籍浙江绍兴，生于江苏扬州。1916年在北京大学哲学系学习。1922年，他同俞平伯、叶圣陶等创办《诗》月刊，这是"五四"以来最早的一个诗刊。1931年到英国留学，并漫游欧洲数国。1932年回国主持清华大学文学系。在我国现代散文作家中，朱自清的散文结构缜密，脉络清晰，婉转曲折的思绪中有种温柔敦厚的气氛；文字清秀、朴素而又精到，最具有我国散文的传统的美学风范。主要作品有长诗《毁灭》，散文《绿》《春》《桨声灯影里的秦淮河》《荷塘月色》，散文集《欧游杂记》《伦敦杂记》等。1948年6月，他为抗议美国的扶日政策，在拒绝领取美援面粉宣言上签名，后因胃病复发，医治无效，终在贫病中死去。

花下成千成百的蜜蜂嗡嗡地闹着，大小的蝴蝶飞来飞去。野花遍地是：杂样儿，有名字的，没名字的，散在草丛里，像眼睛，像星星，还眨呀眨的。

"吹面不寒杨柳风"，不错的，像母亲的手抚摸着你。风里带来些新翻的泥土的气息，混着青草味，还有各种花的香，都在微微润湿的空气里酝酿。鸟儿将窠巢安在繁花嫩叶当中，高兴起来了，呼朋引伴地卖弄清脆的喉咙，唱出宛转的曲子，跟轻风流水应和着。牛背上牧童的短笛，这时候也成天在嘹亮地响。

雨是最寻常的，一下就是三两天。可别恼，看，像牛毛，像花针，像细丝，密密地斜织着，人家屋顶上全笼着一层薄烟。树叶子却绿得发亮，小草也青得逼你的眼。傍晚时候，上灯了，一点点黄晕的光，烘托出一片安静而和平的夜。乡下，小路上，石桥边，撑起伞慢慢走着的人；在去地里工作的农夫，披着蓑戴着笠。他们的房屋，稀稀疏疏的，在雨里静默着。

天上风筝渐渐多了，地上孩子也多了。城里乡下，家家户户，老老小小，他们也赶趟儿似的，一个个都出来了。舒活舒活筋骨，抖擞抖擞精神，各做各的一份事去。"一年之计在于春"，刚起头儿，有的是工夫，有的是希望。

春天像刚落地的娃娃，从头到脚都是新的，它生长着。

春天像小姑娘，花枝招展的，笑着，走着。

春天像健壮的青年，有铁一般的胳膊和腰脚，他领着我们上前去。

　　《春》是朱自清的一篇满贮诗意的散文。它以诗的笔调，描绘了我国南方春天特有的景色：绿草如茵，花木争荣，春风拂煦，细雨连绵，呈现出一派生机和活力；在春境中的人，也精神抖擞，辛勤劳作，充满希望。《春》展现给读者一幅生机盎然、充满哲思的画卷。

　　在语言特色上，《春》活脱、简朴、口语化。这些语言都是从生活中提炼出来的，节奏明快，生动活泼，语短意丰，表现力强。作者为了更好地描写春天，还综合运用比喻、拟人等多种修辞手法，使春天形象化、人格化，如文章结尾，"娃娃""小姑娘""青年"的比喻，使文章显得生趣盎然。

背 影

/ 朱自清

入选理由……………………………

朱自清的散文代表作之一

中国现代文学史上抒写亲情的典范之作

文字简练素淡，叙述恳切自然

　　我与父亲不相见已二年余了，我最不能忘记的是他的背影。

　　那年冬天，祖母死了，父亲的差使也交卸了，正是祸不单行的日子，我从北京到徐州，打算跟着父亲奔丧回家。到徐州见着父亲，看见满院狼藉的东西，又想起祖母，不禁簌簌地流下眼泪。父亲说，"事已如此，不必难过，好在天无绝人之路！"

　　回家变卖典质，父亲还了亏空；又借钱办了丧事。这些日子，家中光景很是惨淡，一半为了丧事，一半为了父亲赋闲。丧事完毕，父亲要到南京谋事，我也要回北京念书，我们便同行。

　　到南京时，有朋友约去游逛，勾留了一日；第二日上午便须渡江到浦口，下午上车北去。父亲因为事忙，本已说定不送我，叫旅馆里一个熟识的茶房陪我同去。他再三嘱咐茶房，甚是仔细。但他终于不放心，怕茶房不妥帖；颇踌躇了一会。其实我那年已二十岁，北京已来往过两三次，是没有甚么要紧的了。他踌躇了一会，终于决定还是自己送我去。我两三回劝他不必去；他只说，"不要紧，他们去不好！"

我们过了江，进了车站。我买票，他忙着照看行李。行李太多了，得向脚夫行些小费，才可过去。他便又忙着和他们讲价钱。我那时真是聪明过分，总觉他说话不大漂亮，非自己插嘴不可。但他终于讲定了价钱；就送我上车。他给我拣定了靠车门的一张椅子；我将他给我做的紫毛大衣铺好座位。他嘱我路上小心，夜里要警醒些，不要受凉。又嘱托茶房好好照应我。我心里暗笑他的迂；他们只认得钱，托他们直是白托！而且我这样大年纪的人，难道还不能料理自己么？唉，我现在想想，那时真是太聪明了！

我说道，"爸爸，你走吧。"他望车外看了看，说，"我买几个橘子去。你就在此地，不要走动。"我看那边月台的栅栏外有几个卖东西的等着顾客。走到那边月台，须穿过铁道，须跳下去又爬上去。父亲是一个胖子，走过去自然要费事些。我本来要去的，他不肯，只好让他去。我看见他戴着黑布小帽，穿着黑布大马褂，深青布棉袍，蹒跚地走到铁道边，慢慢探身下去，尚不大难。可是他穿过铁道，要爬上那边月台，就不容易了。他用两手攀着上面，两脚再向上缩；他肥胖的身子向左微倾，显出努力的样子。这时我看见他的背影，我的泪很快地流下来了。我赶紧拭干了泪，怕他看见，也怕别人看见。我再向外看时，他已抱了朱红的橘子望回走了。过铁道时，他先将橘子散放在地上，自己慢慢爬下，再抱起橘子走。到这边时，我赶紧去搀他。他和我走到车上，将橘子一股脑儿放在我的皮大衣上。于是扑扑衣上的泥土，心里很轻松似的，过一会说，"我走了；到那边来信！"我望着他走出去。他走了几步，回过头看见我，说，"进去吧，里边没人。"等他的背影混入来来往往的人里，再找不着了，我便进来坐下，我的眼泪又来了。

近几年来，父亲和我都是东奔西走，家中光景是一日不如一日。他少年出外谋生，独力支持，做了许多大事。那知老境却如此颓唐！他触目伤怀，自然情不能自已。情郁于中，自然要发之于外；家庭琐屑便往往触他之怒。他待我渐渐不同往日。但最近两年的不见，他终于忘却我的不好，只是惦记着我，惦记着我的儿子。我北来后，他写了一信给我，信中说道，"我身体平安，惟膀子疼痛利害，举箸提笔，诸多不便，大约大去之期不远矣。"我读到此处，在晶莹的泪光中，又看见那肥胖的，青布棉袍，黑布马褂的背影。唉！我不知何时再能与他相见！

美/文/赏/析

　　《背影》是一篇回忆性的抒情散文。文章以背影为"凝聚点"，以父子之间的关爱之情为"内在线"，记叙了多年前父亲在浦口车站送作者乘火车去北京读书的情景，流露了无微不至的父爱，抒发了拳拳思亲的至情。文章全用白描手法，没有华丽的辞藻，以简练素淡的文字，做恳切自然的叙述，对父亲"背影"的刻画极为成功。文章仅一千余字，但父子之情却写得真挚、缜密、深沉、曲折动人。《背影》发表后，几乎轰动了整个社会，尤其在中下层知识分子中产生了强烈共鸣。文章不但具有强烈的感染力，而且其创作风格对以表现亲情为题材的中国现当代散文作品影响很大，遂使该文成为传世名篇。

荷塘月色

/ 朱自清

入选理由·····························
娴熟使用白话文字的典范
语言自然清新，意境含蓄，情景交融
古典文与白话文风格的成功融合

　　这几天心里颇不宁静。今晚在院子里坐着乘凉，忽然想起日日走过的荷塘，在这满月的夜里，总该另有一番样子吧。月亮渐渐地升高了，墙外马路上孩子们的欢笑，已经听不见了；妻在屋里拍着闰儿，迷迷糊糊地哼着眠歌。我悄悄地披了大衫，带上门出去。

　　沿着荷塘，是一条曲折的小煤屑路。这是一条幽僻的路；白天也少人走，夜晚更加寂寞。荷塘四面，长着许多树，蓊蓊郁郁的。路的一旁，是些杨柳，和一些不知道名字的树。没有月光的晚上，这路上阴森森的，有些怕人。今晚却很好，虽然月光也还是淡淡的。

　　路上只我一个人，背着手踱着。这一片天地好像是我的；我也像超出了平常

的自己，到了另一世界里。我爱热
闹，也爱冷静；爱群居，也爱独处。
像今晚上，一个人在这苍茫的月下，
什么都可以想，什么都可以不想，
便觉是个自由的人。白天里一定要
做的事，一定要说的话，现在都可
不理。这是独处的妙处，我且受用
这无边的荷香月色好了。

　　曲曲折折的荷塘上面，弥望的
是田田的叶子。叶子出水很高，像
亭亭的舞女的裙。层层的叶子中间，
零星地点缀着些白花，有袅娜地开
着的，有羞涩地打着朵儿的；正如一粒粒的明珠，又如碧天里的星星，又如刚出
浴的美人。微风过处，送来缕缕清香，仿佛远处高楼上渺茫的歌声似的。这时候
叶子与花也有一丝的颤动，像闪电般，霎时传过荷塘的那边去了。叶子本是肩并
肩密密地挨着，这便宛然有了一道凝碧的波痕。叶子底下是脉脉的流水，遮住了，
不能见一些颜色；而叶子却更见风致了。

　　月光如流水一般，静静地泻在这一片叶子和花上。薄薄的青雾浮起在荷
塘里。叶子和花仿佛在牛乳中洗过一样；又像笼着轻纱的梦。虽然是满月，
天上却有一层淡淡的云，所以不能朗照；但我以为这恰是到了好处——酣眠
固不可少，小睡也别有风味的。月光是隔了树照过来的，高处丛生的灌木，
落下参差的斑驳的黑影，峭楞楞如鬼一般；弯弯的杨柳的稀疏的倩影，却又
像是画在荷叶上。塘中的月色并不均匀；但光与影有着和谐的旋律，如梵婀
玲上奏着的名曲。

　　荷塘的四面，远远近近，高高低低都是树，而杨柳最多。这些树将一片荷塘
重重围住；只在小路一旁，漏着几段空隙，像是特为月光留下的。树色一例是阴
阴的，乍看像一团烟雾；但杨柳的丰姿，便在烟雾里也辨得出。树梢上隐隐约约
的是一带远山，只有些大意罢了。树缝里也漏着一两点路灯光，没精打采的，是
渴睡人的眼。这时候最热闹的，要数树上的蝉声与水里的蛙声；但热闹是它们的，
我什么也没有。

　　忽然想起采莲的事情来了。采莲是江南的旧俗，似乎很早就有，而六朝时

为盛；从诗歌里可以约略知道。采莲的是少年的女子，她们是荡着小船，唱着艳歌去的。采莲人不用说很多，还有看采莲的人。那是一个热闹的季节，也是一个风流的季节。梁元帝《采莲赋》里说得好：

于是妖童媛女，荡舟心许；鹢首徐回，兼传羽杯；櫂将移而藻挂，船欲动而萍开。尔其纤腰束素，迁延顾步；夏始春余，叶嫩花初，恐沾裳而浅笑，畏倾船而敛裾。

可见当时嬉游的光景了。这真是有趣的事，可惜我们现在早已无福消受了。于是又记起《西洲曲》里的句子：

采莲南塘秋，莲花过人头；

低头弄莲子，莲子清如水。

今晚若有采莲人，这儿的莲花也算得"过人头"了；只不见一些流水的影子，是不行的。这令我到底惦着江南了。——这样想着，猛一抬头，不觉已是自己的门前；轻轻地推门进去，什么声息也没有，妻已睡熟好久了。

美/文/赏/析

《荷塘月色》写于1927年7月，发表于是年《小说月报》第18卷第7号上。文章以优美的笔调描摹了诗情画意般的荷塘月色，抒发了作者对社会现实的不满，及囿于个人生活小圈子的矛盾复杂的心理所产生出来的偷得片刻宁静的淡淡情趣。

作者从不同的角度，巧用比喻、拟人的修辞手法，融入自己的情感，充分运用想象，对荷塘月色进行了细腻入微的刻画。作者从平观到俯视，从细察到鸟瞰，由远及近、从上到下、从里到外，勾勒出一幅立体、动态、诗意的荷塘月色图。有动有静、有虚有实、有浓有淡、有疏有密，层层递进，步步深化，使读者如临其境，仿佛跟着作者也做了一回心旷神怡的月下夜游。文章语言自然清新，意境含蓄，情景交融，巧用典故，体现了古典文与白话文风格的成功融合，在当时被看作是娴熟使用白话文字的典范，其艺术魅力一直影响至今。

杨 柳

/ 丰子恺

入选理由·················

看似闲谈花草树木，实则表达对当时风气的看法

有破有立，观点鲜明，语言平和

因为我的画中多杨柳树，就有人说我喜欢柳树；因为有人说我喜欢柳树，我似觉自己真与杨柳树有缘。但我也曾问心，为甚么欢喜杨柳树？到底与杨柳树有甚么缘？其答案了不可得。原来这完全是偶然的：昔年我住在白马湖上，看见人们在湖边种柳，我向他们讨了一小株，种在寓屋的墙角里。因此给这屋取名为"小杨柳屋"，因此常取见惯的杨柳为画材，因此就有人说我喜欢杨柳，因此我自己似觉与杨柳有缘。假如当时人们在湖边种荆棘，也许我会给屋取名为"小荆棘屋"，

作者简介

　　丰子恺（1898—1975），原名丰润，浙江桐乡人。早年就读于浙江第一师范学校。"五四"运动后创作漫画。1921年游学日本。1922年归国，先后在上海、浙江等地任教。抗战期间在广西、贵州、重庆等地任教。1949年定居上海。主要作品有《缘缘堂随笔》《缘缘堂再笔》，另有艺术论著多种。

而专画荆棘，成为与荆棘有缘，亦未可知。天下事往往如此。

但假如我存心要和杨柳结缘，就不说上面的话，而可以附会种种理由上去。或者说我爱它的鹅黄嫩绿，或者说我爱它的如醉如舞，或者说我爱它像小蛮的腰，或者说我爱它是陶渊明的宅边所种的，或者还可援引"客舍青青"的诗，"树犹如此"的话，以及"王恭之貌"、"张绪之神"等种种古典来，作为自己爱柳的理由。即使要找三百个冠冕堂皇、高雅深刻的理由，也是很容易的。天下事又往往如此。

也许我曾经对人说过"我爱杨柳"的话。但这话也是随便的，空洞的。仿佛我偶然买一双黑袜穿在脚上，有人问我"为甚么穿黑袜"时，就对他说"我喜欢穿黑袜"一样。实际，我向来对于花木无所爱好；即有之，亦无所执着。这是因为我生长穷乡，只见桑麻、禾黍、烟片、棉花、小麦、大豆，不曾亲近过万花如绣的园林。只在几本旧书里看见过"紫薇"、"红杏"、"芍药"、"牡丹"等美丽的名称，但难得亲近这等名称的所有者。并非完全没有见过，只因见时它们往往使我失望，不相信这便是曾对紫薇郎的紫薇花，曾使尚书出名的红杏，曾傍美人醉卧的芍药，或者象征富贵的牡丹。我觉得它们也只是植物中的几种，不过少见而名贵些，实在也没有甚么特别可爱的地方，似乎不配在诗词中那样地受人称赞，更不配在花木中占据那样高尚的地位。因此我似觉诗词中所赞的名花是另外一种，不是我现在所看见的这种植物。我也曾偶游富丽的花园，但终于不曾见过十足地配称"万花如绣"的景象。

假如我现在要赞美一种植物，我仍是要赞美杨柳。但这与前缘无关，只是我这几天的所感，一时兴到，随便谈谈，也不会像信仰宗教或崇拜主义地毕生皈依它。为的是昨日天气佳，埋头写作到傍晚，不免走到西湖边的长椅子里去坐了一番。看见湖岸的杨柳树上，好像挂着几万串嫩绿的珠子，在温暖的春风中飘来飘去，飘出许多弯度微微的 S 线来，觉得这一种植物实在美丽可爱，非赞它一下不可。

听人说，这种植物是最贱的。剪一根枝条来插在地上，它也会活起来，后来变成一株大杨柳树。它不需要高贵的肥料或工深的壅培，只要有阳光、泥土和水，便会生活，而且生得非常强健而美丽。牡丹花要吃猪肚肠，葡萄藤要吃肉汤，许多花木要吃豆饼，杨柳树不要吃人家的东西，因此人们说它是"贱"的。大概"贵"是要吃的意思。越要吃得多，越要吃得好，就是越"贵"。吃得很多很好而没有用处，只供观赏的，似乎更贵。例如牡丹比葡萄贵，是为了牡丹吃了猪肚肠一无用处，而葡萄吃了肉汤有结果的缘故。杨柳不要吃人的东西，且有木材供人用，因此被人看作"贱"的。

我赞杨柳美丽。但其美与牡丹不同，与别的一切花木都不同。杨柳的主要的美点，是其下垂。花木大都是向上发展的，红杏能长到"出墙"，古木能长到"参天"。向上原是好的，但我往往看见枝叶花果蒸蒸日上，似乎忘记了下面的根，觉得可恶！你们是靠他养活的，怎么只管高踞在上面，绝不理睬他呢？你们的生命建设在他上面，怎么只管贪图自己的光荣，而绝不回顾处在泥土中的根本

四月西湖春　垂柳惹行人（局部）　丰子恺作

西湖四月，春暖花开，万木初发，游人如梭。在这幅画作中，柳树成了春的使者。它垂下的绿丝绦被淘气的小孩拉住玩，画面充满了生活情趣。柳树经常在丰子恺写春的画作中出现。

呢？花木大都如此。甚至下面的根已经被斫，而上面的花叶还是欣欣向荣，在那里作最后一刻的威福，真是可恶而又可怜！杨柳没有这般可恶可怜的样子：它不是不会向上生长。它长得很快，而且很高；但是越长得高，越垂得低。千万条陌头细柳，条条不忘记根本，常常俯首顾着下面，时时借了春风之力而向处在泥土中的根本拜舞，或者和他亲吻，好像一群活泼的孩子环绕着他们的慈母而游戏，而时时依傍到慈母的身旁去，或者扑进慈母的怀里去，使人见了觉得非常可爱。杨柳树也有高过墙头的，但我不嫌它高，为了它高而能下，为了它高而不忘本。

自古以来，诗文常以杨柳为春

的一种主要题材。写春景曰"万树垂杨"，写春色曰"陌头杨柳"，或竟称春天为"柳条春"。我以为这并非仅为杨柳当春抽条的缘故，实因其树有一种特殊的姿态，与和平美丽的春光十分调和的缘故。这种特殊的姿态，便是"下垂"。不然，当春发芽的树木不知凡几，何以专让柳条作春的主人呢？只为别的树木都凭仗了春的势力而拼命向上，一味求高，忘记自己的根本，其贪婪之相不合于春的精神。最能象征春的神意的，只有垂杨。

　　这是我昨天看了西湖边上的杨柳而一时兴起的感想。但我所赞美的不仅是西湖上的杨柳。在这几天的春光之下，乡村到处的杨柳都有这般可赞美的姿态。西湖似乎太高贵了，反而不适于栽植这种"贱"的垂杨呢。

美/文/赏/析

　　丰子恺以其书画而闻名，他的画自然恬淡，意境深远，充盈着佛境和禅趣，但他的文章却并不一味地追求闲适、散淡。《杨柳》是一篇看似写景状物，实则评论时事的散文。作者在文章中列举了杨柳、牡丹、葡萄、红杏等植物，用它们在不同环境中的生长趋势，来象征当时社会上不同的社会风气，作者认为"芍药""牡丹"等被人们看作"名贵"的花草，"实在也没有甚么特别可爱的地方"，也不配"在花木中占据那样高尚的地位"。而且说它们的"贵"只在于它们"吃"的肥料贵，而且"只供观赏"。而杨柳的可赞美之处在于它的"贱"，随处、随意都可以生得"非常强健而美丽"，而且总是呈"下垂"之态，自然地与养活它们的大地相亲近。作者用"贵""贱"两种植物来比喻脱离普通民众和保持纯朴本色的两种人，将对脱离普通生活、一味地攀附、追逐势力的人的批判、厌恶之情，暗含在对"牡丹"等植物的批评中。

济南的秋天

/ 老舍

入选理由……………………………

极具东方韵味的山水写意

朴素简洁但准确生动的语言

健康、明朗的心境

　　济南的秋天是诗境的。设若你的幻想中有个中古的老城，有睡着了的大城楼，有狭窄的古石路，有宽厚的石城墙，环城流着一道清溪，倒映着山影，岸上蹲着红袍绿裤的小妞儿。你的幻想中要是这么个境界，那便是个济南。设若你幻想不出——许多人是不会幻想的——请到济南来看看吧。

　　请你在秋天来。那城，那河，那古路，那山影，是终年给你预备着的。可是，加上济南的秋色，济南由古朴的画境转入静美的诗境中了。这个诗意秋光秋色是济南独有的。上帝把夏天的艺术赐给瑞士，把春天的赐给西湖，秋和冬的全赐给了济南。秋和冬是不好分开的，秋睡熟了一点便是冬，上帝不愿意把它忽然唤醒，所以作个整人情，连秋带冬全给了济南。

　　诗的境界中必须有山有水。那末，请看济南吧。那颜色不同，方向不同，高矮不同的山，在秋色中便越发的不同了。以颜色说吧，山腰中的松树是青黑的，加上秋阳的斜射，那片青黑便多出些比灰色深，比黑色浅的颜色，把旁边的黄草盖成一层灰中透黄的阴影，山脚是镶着各色条子的，一层层的，有的黄，有的灰，有的绿，有的似乎是藕荷色儿。山顶上的色儿也随着太阳的转移而不同。

　　山顶的颜色不同还不重要，山腰中的颜色不同才真叫人想作几句

作者简介

　　老舍（1899—1966），原名舒庆春，字舍予，满族人，生于北京。1918 年毕业于北京师范学校。曾任小学校长、中学教员、英国伦敦大学东方学院讲师、山东大学、齐鲁大学和青岛大学教授。1946 年赴美讲学。1949 年回国后历任北京市文联主席、中国作协和中国文联副主席。主要作品有小说《骆驼祥子》《四世同堂》，话剧《茶馆》等。

诗。山腰中的颜色是永远在那儿变动，特别是在秋天，那阳光能够忽然清凉一会儿，忽然又温暖一会儿，这个变动并不激烈，可是山上的颜色觉得出这个变化，而立刻随着变换。忽然黄色更真了一些，忽然又暗了一些，忽然像有层看不见的薄雾在那儿流动，忽然像有股细风替"自然"调合着彩色，轻轻的抹上一层各色俱全而全是淡美的色道儿。有这样的山，再配上那蓝的天，晴暖的阳光；蓝得像要由蓝变绿了，可又没完全绿了；晴暖得要发燥了，可是有点凉风，正像诗一样的温柔；这便是济南的秋。况且因为颜色的不同，那山的高低也更显然了。高的更高了些，低的更低了些，山的棱角曲线在晴空中更真了，更分明了，更瘦硬了。看山顶上那个塔！

　　再看水。以量说，以质说，以形式说，哪儿的水能比济南？有泉——到处是泉——有河，有湖，这是由形式上分。不管是泉是河是湖，全是那么清，全是那么甜，哎呀，济南是"自然"的 Sweet heart 吧？大明湖夏日的茶花，城河的绿柳，自然是美好的了。可是看水，是要看秋水的。济南有秋山，又有秋水，这个秋才算个秋，因为秋神是在济南住家的。先不用说别的，只说水中的绿藻吧。那份儿绿色，除了上帝心中的绿色，恐怕没有别的东西能比拟的。这种鲜绿色借着水的清澄显露出来，好像美人借着镜子鉴赏自己的美。是的，这些绿藻是自己享受那水的甜美呢，不是为谁看的。它们知道它们那点绿的心事，它们终年在那儿吻着水皮，做着绿色的香梦。淘气的鸭子，用黄金的脚掌碰它们一两下。浣女的影儿，吻它们的绿叶一两下。只有这个，是它们的香甜的烦恼。羡慕死诗人呀！

在秋天，水和蓝天一样的清凉。天上微微有些白云，水上微微有些波皱。天水之间，全是清明，温暖的空气，带着一点桂花的香味。山影儿也更真了。秋山秋水虚幻的吻着。山儿不动，水儿微响。那中古的老城，带着这片秋色秋声，是济南，是诗。

美/文/赏/析

老舍的语言，无论写人、记事与写景，它都是朴实、精致而富有诗意的，关于济南的几篇写景散文就有这样一个明朗的特点。这里面当然包含着作者朴实真切的感情和对济南的热爱，也足以表明老舍是一个生性乐观开朗、热爱生活的人。在这篇文章中，我们可以看到，老舍是把自己当成一个济南人来写济南的：提笔，他就简单真切地发出作为一个建议的邀请："请你在秋天来。"入题非常随意，随后作者马上说明为什么要你秋天来，因为"秋和冬是不好分开的，秋睡熟了一点便是冬，上帝不愿意把它忽然唤醒，所以作个整人情，连秋带冬全给了济南"。关于济南的景色，老舍并没有浓墨重彩地渲染，而是把它绘成一幅简笔淡彩的画，似是水彩，或者水墨的风格。

济南的冬天

/ 老舍

入选理由……………………………………

老舍的散文代表作之一

一幅诗意盎然、清新淡雅的济南冬天的水墨画

对于一个在北平住惯的人，像我，冬天要是不刮风，便觉得是奇迹；济南的冬天是没有风声的。对于一个刚由伦敦回来的人，像我，冬天要能看得见日光，便觉得是怪事；济南的冬天是响晴的。自然，在热带的地方，日光是永远那么毒，响亮的天气，反有点叫人害怕。可是，在北中国的冬天，而能有温晴的天气，济南真得算个宝地。

设若单单是有阳光，那也算不了出奇。请闭上眼睛想：一个老城，有山有水，全在天底下晒着阳光，暖和安适地睡着，只等春风来把它们唤醒，这是不是个理想的境界？

小山整把济南围了个圈儿，只有北边缺着点口儿。这一圈小山在冬天特别可爱，好像是把济南放在一个小摇篮里，它们安静不动地低声地说："你们放心吧，这儿准保暖和。"真的，济南的人们在冬天是面上含笑的。他们一看那些小山，心中便觉得有了着落，有了依靠。他们由天上看到山上，便不知不觉地想起："明天也许就是春天了吧？这样的温暖，今天夜里山草也许就绿起来了吧？"就是这点幻想不能一时实现，他们也并不着急，因为有这样慈善的冬天，干啥还希望别的呢！

最妙的是下点小雪呀。看吧，山上的矮松越发的青黑，树尖上顶着一髻儿白花，好像日本看护妇。山尖全白了，给蓝天镶上一道银边。山坡上，有的地方雪厚点，有的地方草色还露着；这样，一道儿白，一道儿暗黄，给山们穿上一件带水纹的花衣；看着看着，这件花衣好像被风儿吹动，叫你希望看见一点更美的山的肌肤。

等到快日落的时候，微黄的阳光斜射在山腰上，那点薄雪好像忽然害了羞，微微露出点粉色。就是下小雪吧，济南是受不住大雪的，那些小山太秀气！

古老的济南，城里那么狭窄，城外又那么宽敞，山坡上卧着些小村庄，小村庄的房顶上卧着点雪，对，这是张小水墨画，或者是唐代的名手画的吧。

那水呢，不但不结冰，倒反在绿萍上冒着点热气，水藻真绿，把终年贮蓄的绿色全拿出来了。天儿越晴，水藻越绿，就凭这些绿的精神，水也不忍得冻上；况且那些长枝的垂柳还要在水里照个影儿呢！看吧，由澄清的河水慢慢往上看吧，空中，半空中，天上，自上而下全是那么清亮，那么蓝汪汪的，整个的是块空灵的蓝水晶。这块水晶里，包着红屋顶，黄草山，像地毯上的小团花的小灰色树影；这就是冬天的济南。

美/文/赏/析

老舍于 1929 年离开英国回国，1930 年之后，在济南齐鲁大学和青岛山东大学任教达 7 年之久，对山东有着深厚的感情。《济南的冬天》是作者于 1931 年春在济南齐鲁大学任教时写成的。作者独辟蹊径，选取济南的天气、山、雪、水为描写对象，既有整体的勾勒渲染，又有局部的工笔细描，情景交融，把无风、响晴、温暖的济南的冬天十分传神地展示给了读者。作者运用大量的比喻和拟人手法，用词贴切形象，珠玑之词随处可见，赋予济南的山水以人性化，极其形象生动地刻画出了济南山水的情态、意蕴。文章虽不足千字，但却十分精致秀气，读后令人赏心悦目、回味悠长。

青 岛

/ 闻一多

入选理由……………………………………
关于青岛的著名游记
以美为主的艺术实践
对风物人情的纯粹书写

　　海船快到胶州湾时，远远望见一点青，在万顷的巨涛中浮沉；在右边崂山无数柱奇挺的怪峰，会使你忽然想起多少神仙的故事。进湾，先看见小青岛，就是先前浮沉在巨浪中的青点，离它几里远就是山东半岛最东的半岛——青岛。簇新的，整齐的楼屋，一座一座立在小小山坡上，笔直的柏油路伸展在两行梧桐树的中间，起伏在山冈上如一条蛇。谁信这个现成的海市蜃楼，一百年前还是个荒岛？

　　当春天，街市上和山野间密集的树叶，遮蔽着岛上所有的住屋，向着大海

作者简介

闻一多像

　　闻一多（1899—1946），原名闻家骅，号友三，生于湖北浠水。1912年考入北京清华学校（清华大学前身），1916年开始在《清华周刊》上发表系列读书笔记，总称《二月庐漫记》。1922年7月赴美留学。1925年5月回国，任北京艺术专科学校教务长。1928年秋任国立武汉大学文学院院长兼中文系主任。1930年深秋去山东任青岛大学文学院院长兼国文系主任。1932年8月回北平任清华大学国文系教授。抗日战争爆发后，在西南联大任教8年。1946年7月15日在悼念李公朴先生大会上，愤怒斥责国民党暗杀李公朴的罪行，当天下午即被国民党特务杀害。

碧绿的波浪，岛上起伏的青梢也是一片海浪，浪下有似海底下神人所住的仙宫。但是在榆树丛荫，还埋着十多年前德国人坚伟的炮台，深长的甬道里你还可以看见那些地下室，那些被毁的大炮机，和墙壁上血涂的手迹。——欧战时这儿剩有五百德国兵丁和日本争夺我们的小岛，德国人败了，日本的太阳旗曾经一时招展全市，但不久又归还了我们。在青岛，有的是一片绿林下的仙宫和海水泱泱的高歌，不许人想到地下还藏着十多间可怕的暗窟，如今全毁了。

堤岸上种植无数株梧桐，那儿可以坐憩，在晚上凭栏望见海湾里千万只帆船的桅杆，远近一盏盏明灭的红绿灯漂在浮标上，那是海上的星辰。沿海岸处有许多伸长的山角，黄昏时潮水一卷一卷来，在沙滩上飞转，溅起白浪花，又退回去，不厌倦的呼啸。天空中海鸥逐向渔舟飞，有时间在海水中的大岩石上，听那巨浪撞击着岩石激起一两丈高的水花。那儿再有伸出海面的站桥，却站着望天上的云，海天的云彩永远是清澄无比的，夕阳快下山，西边浮起几道鲜丽耀眼的光，在别处你永远看不见的。

过清明节以后，从长期的海雾中带回了春色，公园里先是迎春花和连翘，成篱的雪柳，还有好像白亮灯的玉兰，软风一吹来就憩了。四月中旬，绮丽的日本樱花开得像天河，十里长的两行樱花，蜿蜒在山道上，你在树下走，一举首只见樱花绣成的云天。樱花落了，地下铺好一条花溪。接着海棠花又点亮了，还有踯躅在山坡下的"山踯躅"，丁香，红端木，天天在染织这一大张地毯；往山后深林里走去，每天你会寻见一条新路，每一条小路中不知道是谁创制的天地。

到夏季来，青岛几乎是天堂了。双驾马车载人到汇泉浴场去，男的女的中国人和十方的异客，戴了阔边大帽，海边沙滩上，人像小鱼一般，暴露在日光下，怀抱中是熏人的咸风。沙滩边许多小小的木屋；屋外搭着伞篷，人全仰天躺在沙上，有的下海去游泳，踩水浪，孩子们光着身在海滨拾贝壳。街路上满是烂醉的外国水手，一路上胡唱。

但是等秋风吹起，满岛又回复了它的沉默，少有人行走，只在雾天里听见一种怪水牛的叫声，人说水牛躲在海角下，谁都不知道在哪儿。

美/文/赏/析

在《青岛》里，闻一多运笔多在风物，千余字下来，青岛的眉目便宛然显现在我们眼前了，只给我们赏风景，而不要多说话。闻一多"以美为艺术之核心"的诗论，到了写景的散文上面，也还是一样的。青岛的一片水、一湾沙、一束花，在他的笔下更加清丽、明秀。他热爱青岛，但是看青岛的态度是平和的、闲适的，所以他把青岛绘成了一幅静美的画，而不是拗口累牍的文献材料。尽管他在青岛教书问学，做着从古里钩取新义的工作，但是，初次映现的青岛还是牵引他愉快的目光，而它的美又引起了他欣悦的神气。他先是从海涛中望见青岛：整齐的楼屋、笔直的柏油路、两旁的梧桐树……简约的几笔，就勾勒出这座岛城的大略。接下去，完全依从季候的脉络，写着对于青岛的印象。通篇的格局是平常的，也没有奇峭之笔，而他的这番娓娓描述，却浮闪着花与海的光色。写影与状声，作者将内心的体悟和盘托出。闻一多的《青岛》虽然短小，但在风景上却用足了笔墨，语境又极清丽，感觉极好，显然，作者意不在显示学养的渊雅、智识的超卓，他只怀着轻松明朗的情绪写着风景之美，并无心载道，而淡淡的抒情意味却使青岛入他笔下，就成了一片流泻的霞彩、一个浮笑的梦。

桨声灯影里的秦淮河

/ 俞平伯

入选理由·····················
一幅形象地描绘六朝金粉之地秦淮河的水墨画
与朱自清的同名散文一起被誉为描摹秦淮河风光的"散文双璧"
视角独特，笔调细腻传神

我们消受得秦淮河上的灯影，当圆月犹皎的仲夏之夜。

在茶店里吃了一盘豆腐干丝，两个烧饼之后，以歪歪的脚步踅上夫子庙前停泊着的画舫，就懒洋洋躺到藤椅上去了。好郁蒸的江南，傍晚也还是热的。"快开船罢！"桨声响了。

小的灯舫初次在河中荡漾；于我，情景是颇朦胧，滋味是怪羞涩的。我要错认它作七里的山塘；可是，河房里明窗洞启，映着玲珑入画的曲栏杆，顿然省得身在何处了。佩弦呢，他已是重来，很应当消释一些迷惘的。但看他太频繁地摇着我的黑纸扇。胖子是这个样怯热的吗？

又早是夕阳西下，河上妆成一抹胭脂的薄媚。是被青溪的姊妹们所熏染的吗？还是匀得她们脸上的残脂呢？寂寂的河水，随双桨打它，终是没言语。密匝匝的绮恨逐老去的年华，已都如蜜饧似的融在流波的心窝里，连呜咽也将嫌它多事，

作者简介

俞平伯（1900—1990），浙江德清人，著名诗人、散文家、红学家。1919年毕业于北京大学，次年到杭州第一师范学院执教。"五四"时期先后加入新潮社、文学研究会、语丝社等新文学团体。1922年与朱自清等人创办《诗》月刊。曾先后任教于上海大学、燕京大学、北京大学。中华人民共和国成立后任北京大学教授。1952年任中国社会科学院文学研究所研究员。主要著作有诗集《冬夜》，散文集《燕知草》《杂拌儿》，文学论集《红楼梦研究》等。

更哪里论到哀嘶。心头，宛转的凄怀；口内，徘徊的低唱；留在夜夜的秦淮河上。

在利涉桥边买了一匣烟，荡过东关头，渐荡出大中桥了。船儿悄悄地穿出连环着的三个壮阔的涵洞，青溪夏夜的韶华已如巨幅的画豁然而抖落。哦！凄厉而繁的弦索，颤岔而涩的歌喉，杂着吓哈的笑语声，劈拍的竹牌响，更能把诸楼船上的华灯彩绘，显出火样的鲜明，火样的温煦了。小船儿载着我们，在大船缝里挤着，挨着，抹着走。它忘了自己也是今宵河上的一星灯火。

既踏进所谓"六朝金粉气"的销金锅，谁不笑笑呢！今天的一晚，且默了滔滔的言说，且舒了恻恻的情怀，暂且学着，姑且学着我们平时认为在醉里梦里的他们的憨痴笑语。看！初上的灯儿们一点点掠剪柔腻的波心，梭织地往来，把河水都皱得微明了。纸薄的心旌，我的，尽无休息地跟着它们飘荡，以至于怦怦而内热。这还好说什么的！如此说，诱惑是诚然有的，且于我已留下不易磨灭的印记。至于对榻的那一位先生，自认曾经一度摆脱了纠缠的他，其辩解又在何处？这实在非我所知。

我们，醉不以涩味的酒，以微漾着，轻晕着的夜的风华。不是什么欣悦，不是什么慰藉，只感到一种怪陌生，怪异样的朦胧。朦胧之中似乎胎孕着一个如花的笑——这么淡，那么淡的情笑。淡到已不可说，已不可拟，且已不可想；但我们终久是眩晕在它离合的神光之下的。我们没法使人信它是有，我们不信它是没有。勉强哲学地说，这或近于佛家的所谓"空"，既不当鲁莽说它是"无"，也不能径直说它是"有"。或者说"有"是有的，只因无可比拟形容那"有"的光景；故从表面看，与"没有"似不生分别。若定要我再说得具体些：譬如东风初劲时，直上高翔的纸鸢，牵线的那人儿自然远得很了，知她是哪一家呢？但凭那鸢尾一缕飘绵的彩线，便容易揣知下面的人寰中，必有微红的一双素手，卷起轻绡的广袖，牢担荷小纸鸢儿的命根的。飘翔岂不是东风的力，又岂不是纸鸢的含德；但其根株却将另有所寄。请问，这和纸鸢的省悟与否有何关系？故我们不能认笑是非有，也不能认朦胧即是笑。我们定应当如此说，朦胧里胎孕着一个如花的幻笑，和朦胧又互相混融着；因它本来是淡极了，淡极了这么一个。

漫题那些纷烦的话，船儿已将泊在灯火的丛中去了。对岸有盏跳动的汽油灯，佩弦便硬说它远不如微黄的火。我简直没法和他分证那是非。

时有小小的艇子急忙忙打桨，向灯影的密流里横冲直撞。冷静孤独的油灯映见黯淡久的画船头上，秦淮河姑娘们的靓妆。茉莉的香，白兰花的香，脂粉的香，纱衣裳的香……微波泛滥出甜的暗香，随着她们那些船儿荡，随着我们这船儿荡，随着大大小小一切的船儿荡。有的互相笑语，有的默然不响，有的衬着胡琴亮着嗓子唱。一个，三两个，五六七个，比肩坐在船头的两旁，也无非多添些淡薄的影儿葬在我们的心上——太过火了，不至于罢，早消失在我们的眼皮上。谁都是这样急忙忙的打着桨，谁都是这样向灯影的密流里冲着撞；又何况久沉沦的她们，又何况漂泊惯的我们俩。当时浅浅的醉，今朝空空的惆怅；老实说，咱们萍泛的绮思不过如此而已，至多也不过如此而已。你且别讲，你且别想！这无非是梦中的电光，这无非是无明的幻相，这无非是以零星的火种微炎在大欲的根苗上。扮戏的咱们，散了场一个样，然而，上场锣，下场锣，天天忙，人人忙。看！吓！载送女郎的艇子才过去，货郎担的小船不是又来了？一盏小煤油灯，一舱的什物，他也忙得来像手里的摇铃，这样丁冬而郎当。

杨枝绿影下有条华灯璀璨的彩舫在那边停泊。我们那船不禁也依傍短柳的腰肢，欹侧地歇了。游客们的大船，歌女们的艇子，靠着。唱的拉着嗓子；听的歪着头；斜着眼，有的甚至于跳过她们的船头。如那时有严重些的声音，必然说："这哪里是什么旖旎风光！"咱们真是不知道，只模糊地觉着在秦淮河船上板起方正的脸是怪不好意思的。咱们本是在旅馆里，为什么不早早入睡，掂着牙儿，领略那"卧后清宵细细长"；而偏这样急急忙忙跑到河上来无聊浪荡？

还说那时的话，从杨柳枝的乱鬌里所得的境界，照规矩，外带三分风华的。况且今宵此地，动荡着有灯火的明姿。况且今宵此地，又是圆月欲缺未缺，欲上未上的黄昏时候。叮当的小锣，伊轧的胡琴，沉填的大鼓……弦吹声腾沸遍了三里的秦淮河。喳喳嚷嚷的一片，分不出谁是谁，分不出哪儿是哪儿，只有整个的繁喧来把我们包填。仿佛都抢着说笑，这儿夜夜尽是如此的，不过初上城的乡下佬是第一次呢。真是乡下人，真是第一次。

穿花蝴蝶样的小艇子多到不和我们相干。货郎担式的船，曾以一瓶汽水之故而拢近来，这是真的。至于她们呢，即使偶然灯影相偎而切掠过去，也无非瞧见我们微红的脸罢了，不见得有什么别的。可是，夸口早哩！——来了，竟向我们来了！不但是近，且拢着了。船头傍着，船尾也傍着；这不但是拢着，且并着了。厮并着倒还不很要紧，且有人扑冬地跨上我们的船头了。这岂不大吃一惊！幸而来的不是姑娘们，还好。（她们正冷冰冰地在那船头上。）来人年纪并不大，神气倒怪狡猾，把一扣破烂的手折，摊在我们眼前，让细瞧那些戏目，好好儿点个唱。他说："先生，这是小意思。"诸君，读者，怎么办？

好，自命为超然派的来看榜样！两船挨着，灯光愈皎，见佩弦的脸又红起来了。那时的我是否也这样？这当转问他。（我希望我的镜子不要过于给我下不去。）老是红着脸终久不能打发人家走路的，所以想个法子在当时是很必要。说来也好笑，我的老调是一味的默，或干脆说个"不"，或者摇摇头，摆摆手表示"决不"。如今都已使尽了。佩弦便进了一步，他嫌我的方术太冷漠了，又未必中用，摆脱纠缠的正当道路惟有辩解。好吗！听他说："你不知道？这事我们是不能做的。"这是诸辩解中最简洁，最漂亮的一个。可惜他所说的"不知道"来人倒真有些"不知道"！辜负了这二十分聪明的反语。他想得有理由，你们为什么不能做这事呢？因这"为什么"，佩弦又有进一层的曲解。那知道更坏事，竟只博得那些船上人的一哂而去。他们平常虽不以聪明名家，但今晚却又怪聪明，如洞彻我们的肺肝一样的。这故事即我情愿讲给诸君听，怕有人未必愿意哩。"算了罢，就是这样算了罢"，恕我不再写下了，以外的让他自己说。

叙述只是如此，其实那时连翩而来的，我记得至少也有三五次。我们把它们一个一个的打发走路。但走的是走了，来的还正来。我们可以使它们走，我们不能禁止它们来。我们虽不轻被摇撼，但已有一点枳阻了。况且小艇上总载去一半的失望和一半的轻蔑，在桨声里仿佛狠狠地说："都是呆子，都是吝啬鬼！"还有我们的船家（姑娘们卖个唱，他可以赚几个子的佣金）。眼看她们一个一个的去远了，呆呆的蹲踞着，怪无聊赖似的。碰着了这种外缘，无怒亦无哀，惟有一种情意的紧张，使我们从颓弛中体会出挣扎来。这味道倒许很真切的，只恐怕不易为倦鸦似的人们所喜。

曾游过秦淮河的到底乖些。佩弦告船家："我们多给你酒钱，把船摇开，别让他们来啰嗦。"自此以后，桨声复响，还我以平静了，我们俩又渐渐无拘无束舒服起来，又滔滔不断地来谈谈方才的经过。今儿是算怎么一回事？我们齐声说，欲的胎动无可疑的。正如水见波痕轻婉已极，与未波时究不相类。微醉的我们，洪醉的他们，深浅虽不同，却同为一醉。接着来了第二问，既自认有欲的微炎，为什么艇子来时又羞涩地躲了呢？在这儿，答语参差着。佩弦说他的是一种暗昧的道德意味，我说是一种似较深沉的眷爱。我只背诵岂君的几句诗给佩弦听，望他曲喻我的心胸。可恨他今天似乎有些发钝，反而追着问我。

前面已是复成桥。青溪之东，暗碧的树梢上面微耀着一桁的清光。我们的船就缚在枯柳桩边待月。其时河心里晃荡着的，河岸头歇泊着的各式灯船，望去，少说点也有十廿来只。惟不觉繁喧，只添我们以幽甜。虽同是灯船，虽同是秦淮，

今日秦淮河夜景

虽同是我们；却是灯影淡了，河水静了，我们倦了，——况且月儿将上了。灯影里的昏黄，和月下灯影里的昏黄原是不相似的，又何况入倦的眼中所见的昏黄呢。灯光所以映她的嫵姿，月华所以洗她的秀骨，以蓬腾的心焰跳舞，她的盛年，以饧涩的眼波供养她的迟暮。必如此，才会有圆足的醉，圆足的恋，圆足的颓弛，成熟了我们的心田。

犹未下弦，一丸鹅蛋似的月，被纤柔的云丝们簇拥上了一碧的遥天。冉冉地行来，冷冷地照着秦淮。我们已打桨而徐归了。归途的感念，这一个黄昏里，心和境的交萦互染，其繁密殊超我们的言说。主心主物的哲思，依我外行人看，实在把事情说得太嫌简单，太嫌容易，太嫌分明了。实有的只是浑然之感。就论这一次秦淮夜泛罢，从来处来，从去处去，分析其间的成因自然亦是可能；不过求得圆满足尽的解析，使片段的因子们合拢来代替刹那间所体验的实有，这个我觉得有点不可能，至少于现在的我们是如此的。凡上所叙，请读者们只看作我归来后，回忆中所偶然留下的千百分之一二，微薄的残影。若所谓"当时之感"，我决不敢望诸君能在此中窥得。即我自己虽正在这儿执笔构思，实在也无从重新体验出那时的情景。说老实话，我所有的只是忆。我告诸君的只是忆中的秦淮夜泛。至于说到那"当时之感"，这应当去请教当时的我。而他久飞升了，无所存在。

……

凉月凉风之下，我们背着秦淮河走去，悄默是当然的事了。如回头，河中的繁灯想定是依然。我们却早已走得远，"灯火未阑人散"；佩弦，诸君，我记得这就是在南京四日的酣嬉，将分手时的前夜。

十里秦淮，曾为六朝金粉之地，当年很是喧闹繁华过一阵子。在这篇文章中，作者以桨声灯影为切入点，作为夜游秦淮、品味秦淮的独特角度，以细腻传神的笔调，为我们展示了秦淮的桨声灯影、旖旎风光、绮靡声色。文章的前半部分描绘了"桨声"中的、喧闹的、歌声笑语的秦淮河，后半部分描绘了"灯影"中的、优雅的、"此时无声胜有声"的秦淮河。"两条"秦淮构架了一个立体的秦淮世界——诗意的、历史的，又是尘俗的、现实的。细腻、洒脱的字里行间，透露出一种空灵朦胧的意境美：水朦胧、灯朦胧、人朦胧、月朦胧、心朦胧。

街

/ 沈从文

有个小小的城镇，有一条寂寞的长街。

那里住下许多人家，却没有一个成年的男子。因为那里出了一个土匪，所有男子便都被人带到一个很远很远的地方去，永远不再回来了。他们是五个十个用绳子编成一连，背后一个人用白木梿子敲打他们的腿，赶到别处去作军队上搬运军火的案子的。他们为了"国家"应当忘了"妻子"。

大清早，各个人家从梦里醒转来了。各个人家开了门，各个人家的门里，皆飞出一群鸡，跑出一些小猪，随后男女小孩子出来站在门限上撒尿，或蹲到门前撒尿，随后便是一个妇人，提了小小的木桶，到街市尽头去提水。有狗的人家，狗皆跟到主人身前身后摇着尾巴，也时时刻刻照规矩在人家墙基上跷起一只腿撒

作者简介

沈从文（1902—1988），原名沈岳焕，湖南凤凰人。1917年入伍。1923年到上海任教。1931年先后在青岛大学、昆明西南联大、北京大学任教，曾主编《大公报》文艺副刊。中华人民共和国成立后任中国社科院历史研究员，从事古代服装和其他史学研究。主要著作有小说《边城》《长河》，散文集《湘行散记》等。

沈从文像

尿，又赶忙追到主人前面去。这长街早上并不寂寞。

当白日照到这长街时，这一条街静静的像在午睡，什么地方柳树桐树上有新蝉单纯而又倦人的声音，许多小小的屋子里，湿而发霉的土地上，头发干枯脸儿瘦弱的孩子们，皆蹲在土地上或伏在母亲身边睡着了。做母亲的全按照一个地方的风气，当街坐下，织男子们束腰用的板带过日子。用小小的木制手机，固定在屋角一柱上，伸出憔悴的手来，便捷的把手中兽骨线板压着手机的一端，退着粗粗的棉线，一面用一个棕叶刷子为孩子们拂着蚊蚋。带子成了，便用剪子修理那些边沿，等候每五天来一次的行贩，照行贩所定的价钱，把已成的带子收去。

许多人家门对着门，白日里，日头的影子正正的照到街心不动时，街上半天还无一个人过身。每一个低低的屋檐下人家里的妇人，各低下头来赶着自己的工作，做倦了，抬起头来，用疲倦忧愁的眼睛，张望到对街的一个铺子，或见到一条悬挂到屋檐下的带样，换了新的一条，便仿佛奇异的神气，轻轻的叹着气，用兽骨板击打自己的下颔，因为她一定想起一些事情，记忆到由另一个大城里来的收货人的买卖了。她一定还想到另外一些事情。

有时这些妇人把工作停顿下来，遥遥的谈着一切。最小的孩子已饿哭了，就拉开前幅的衣襟，抓出枯瘪的乳头，塞到那些小小的口里去。她们谈着手边的工作，谈着带子的价钱和棉纱价钱，谈到麦子和盐，谈到鸡的发瘟，猪的发瘟。

街上也常常有穿了朱红绸子大裤过身的女人，脸上抹胭脂擦粉，小小的髻子，光光的头发，都说明这是一个新娘子。到这时，小孩子便大声喊着看新娘子，大家完全把工作放下，站到门前望着，望到不见这新娘子的背影时才重重的换了一次呼吸，回到自己的工作凳子上去。

街上有时有一只狗追一只鸡，便可见到一个妇人持了一长长的竹子打狗的事情，使所有的孩子们皆觉得好笑。长街在日里也仍然不寂寞。

街上有时什么人来信了，许多妇人皆争着跑出去，看看是什么人从什么地方寄来的。她们将听那些认字的人，念及信内说到的一切。小孩子同狗，也常常凑热闹，追随到那个人的家里去，那个人家便不同了。但信中有时却说到一个人死了的这类事，于是主人便哭了。于是一切不相干的人，围聚在门前，过一会，又即刻走散了。这妇人，伏在堂屋里哭泣，另外一些妇人便代为照料孩子，买豆腐，买酒，买纸钱，于是不久大家都知道那家男人已死掉了。

街上到黄昏时节，常常有妇人手中拿了小小的簸箩，放了一些米，一个蛋，低低的喊出了一个人的名字，慢慢的从街这端走到另一端去。这是为不让小孩子夜哭发热，使他在家中安静的一种方法，这方法，同时也就娱乐到一切坐到门边的小孩子。长街上这时节也不寂寞的。

黄昏里，街上各处飞着小小的蝙蝠，望到天上的云，同归巢还家的老鸹，背了小孩子们到门前站定了的女人们，一面摇动背上的孩子，一面总轻轻的唱着忧郁凄凉的歌，娱悦到心上的寂寞。

"爸爸晚上回来了，回来了，因为老鸹一到晚上也回来了！"

远处山上全紫了，土城播鼓起更了，低低的屋里，有小小油灯的光，为画出屋中的一切轮廓，听到筷子的声音，听到碗盏相磕的声音……但忽然间小孩子又哇的哭了。

爸爸没有回来，有些爸爸早已不在这世界上了，但并没有信来。有些临死时还忘不了家中的一切，便托人带了信回来，得到信息哭了一整夜的妇人，到晚上，便把纸钱放在门前焚烧，红红的火光照到街上下人家的屋檐，照到各个人家的大门。见到这火光的孩子们，也照例十分欢喜。长街这时节也并不寂寞。

阴雨天的夜里，天上漆黑，街头无一个街灯，狼在土城外山嘴上嚎着，用鼻子贴近地面，如一个人的哭泣。地面仿佛浮动在这奇怪的声音里。什么人家的孩子在梦里醒来，吓哭了，母亲便说："莫哭，狼来了，谁哭谁就被狼吃掉。"

卧在土城上高处木棚里老而残废的人，打着梆子。这里的人不须明白一个夜里有多少更次，且不必明白半夜里醒来是什么时候。那梆子声音，只是告给长街上人家狼已爬进土城到长街，要他们小心一点门户。

一到阴雨的夜里，这长街更不寂寞，因为狼的争斗，使全街热闹了许多。冬天若半夜里落了雪，则早早的起身的人，开了门，便可看到狼的脚迹，同糍粑一样印在雪里。

　　沈从文是恬淡的，所以他擅长写恬淡的寂寞。静默的湘西、平静的村庄、悠长的街道，都成了沈从文笔下寂寞的影像。但沈从文内心深处又是热烈的，以致那么多的寂寞都包裹不住他心灵的叹息。于是，在这篇看似平淡的文章中，表达于人于物于时代的强烈感受和深刻体悟，便成了沈从文作品的主要风格。《街》写于1931年，作者以一贯的平淡风格，勾画出一幅寂寞的湘西小镇图。作者在文中没有交代特定的时代背景，轻描淡写一番便烘托出一种悠远的意境。

　　走进《街》，我们看到一座清静偏远的湘西小镇，简单平静一如原始村落，而"长街"成了作者最后落目的焦点。寂寞是全文的一个思想基调。作者笔下的寂寞是喧哗过后的寂寞。不论是"早上""日里""黄昏"，作者都说"这时节也并不寂寞的"，孩子的喧闹、鸡狗追逐、狼的争斗，都给"长街"在表面上造成了并不寂寞的形象。那么"寂寞的长街"究竟"寂寞"在何处呢？在这诸多的"不寂寞"中，到底谁才是寂寞的呢？沈从文说长街上的女人们"一面摇动背上的孩子，一面总轻轻的唱着忧郁凄凉的歌，娱悦到心上的寂寞"。时代的前行，原始生存状态的打破，终会有其承受者，"女人们"便成了长街上"寂寞"的最终承受者。而这个群体，在人类社会的任何一个发展阶段都有着普遍的意义。当追逐文明的人们，将另一种文明形式变成追逐目标时，在这个过程中，最终的承担者还会是最普通的生命个体。而此时，谁又肯投关注的目光给这最寂寞的一群人呢？

云南看云

/ 沈从文

入选理由……………………………………
直言时弊
文采和思想性并重
沈从文作品中少见的评论时事的文章

云南是因云而得名。可是外省人到了云南一年半载后，一定会和本地人差不多，对于云南的云，除却只能从它变化上得到一点晴雨知识，就再也不会单纯的来欣赏它的美丽了。看过卢锡麟先生的摄影后，必有许多人方俨然重新觉醒，明白自己是生在云南，或住在云南。云南特点之一，就是天上的云变化得出奇。尤其是傍晚时候，云的颜色，云的形状，云的风度，实在动人。

战争给了许多人一种有关生活的教育，走了许多路，过了许多桥，睡了许多床，此外还必然吃了许多想象不到的小苦头。然而真正具有教育意义的，说不定倒是明白许多地方各有各的天气，天气不同还多少影响到一点人事。云有云的地方性：中国北部的云厚重，人也同样那么厚重。南部的云活泼，人也同样那么活泼。海边的云幻异，渤海和南海云又各不相同，正如两处海边的人性情不同。河南的云一片黄，抓一把下来似乎就可以作窝窝头，云粗中有细，人亦粗中有细。湖湘的云一片灰，长年挂在天空一片灰，无性格可言，然而橘子、辣子就在这种地方大量产生，在这种天气下成熟，却给湖南人增加了生命的发展和进取精神。四川的云与湖南云虽相似而不尽相同，巫峡峨眉高峰把云分割又加浓，云有了生命，人也有了生命。

论色彩丰富，青岛海面的云应当首屈一指。有时五色相煊，千变万化，天空如展开一张锦毯。有时素净纯洁，天空只见一片绿玉，别无它物。看来令人起轻快感、温柔感、音乐感、情欲感。一年中有大半年天空完全是一幅神奇的图画，有青春的嘘唏，煽起人狂想和梦想，海市蜃楼即在这种天空下显现。海市蜃楼虽并不常在人眼底，却永远在人心中。秦皇汉武的事业，同样结束在一个长生不死青春常驻的美梦里，不是毫无道理的。云南的云给人印象大不相同，它的特点是素朴，影响到人性情也应当是挚厚而单纯。

云南的云似乎是用西藏高山的冰雪，和南海长年的热风，两种原料经过一种神奇的手续完成的，色调出奇的单纯，唯其单纯反而见出伟大。尤以天时晴明的黄昏前后，光景异常动人。完全是水墨画，笔调超脱而大胆。天上一角有时黑得如一片漆，它的颜色虽然异样黑，给人感觉竟十分轻。在任何地方"乌云蔽天"照例是个沉重可怕的象征，唯有云南傍晚的黑云，越黑反而越不碍事，且表示第二天天气必然顶好。几年前中国古物运到伦敦展览时，有一个赵松雪作的卷子，名《秋江叠嶂》，净白的澄心堂纸上用浓墨重重涂抹，给人印象却十分秀美。云南的云也恰恰如此，看来只觉得黑而秀。

可是我们若在黄昏前后，到城郊外一个小丘上去，或坐船在滇池中，看到这种云彩时，低下头来一定会轻轻的叹一口气。具体一点将发生"大好河山"感想，抽象一点将发生"逝者如斯"感想。心中一定会觉得有些痛苦，为一片悬在天空中的沉静黑云痛苦。因为这东西给了我们一种无言之教，比目前政治家的文章，宣传家的讲演，杂感家的讽刺文，都高明得多，深刻得多，同时还美丽得多。觉得痛苦原因或许也就在此。那么好看的云，孕育了在这一片天底下讨生活的人，究竟是些什么？是一种精深博大的人生思想？还是一种单纯美丽的诗的感情？若把它与地面所见、所闻、所有两相对照，实在使人不能不痛苦！

在这美丽天空下，人事方面，我们每天所能看到的，除了空洞的论文，不通的演讲，小巧的杂感，此外似乎到处就只碰到"法币"。商人如银行办事人直接为法币而忙，教授学生也间接为法币而忙。最可悲的现象，实无过于大学校的商学院，近年每到注册上课时，照例人数必最多。这些人其所以热衷于习经济、学会计，都可说对于生命毫无高尚理想可言，目的只在毕业后能入银行做事。"熙熙攘攘，皆为利往，挤挤挨挨，皆为利来，利之所在，群集若蛆。"教务处几个熟人都不免感到无可奈何。教这一行的教授，也认为风气实不大好。社会研究所的专家，机会一来即向银行跑。习图书馆的、弄古典文学的、学外国文学的，工作皆因此而清闲下来，因亲戚、朋友、同乡……种种机会，又都挤进银行或相近金融机关作办事员。大部分优秀脑子，都给真正的法币和抽象的法币弄得昏昏的，失去了应有的灵敏与弹性，以及对于"生命"较深的认识。其余无知识的脑子，成天打算些什么，也就可想而知了。云南的云即或再美丽一点，对于多数人仍似乎毫无意义可言的。

近两个月来，本市连续的警报中，城中二十万市民，无一不早早的就跑到郊外去，向天空把一个颈脖昂酸，无一人不看到过几片天空飘动的浮云，仰望结果，不过增加了许多人对于财富得失的忧心罢了。"我的越币下落了"，"我的汽油上涨了"，"我的事业这一年发了五十万财"，"我从公家赚了八万三"，这还是就仅有十几个熟人口里说说的。此外说不定还有个把教授之流，终日除玩牌外无其他娱乐，会想到前一晚上玩麻雀牌输赢事情，聊以解嘲似的自言自语："我输牌不输理。"这种教授先生当然是不输理的，在警报解除以后，还不妨跑到老伙伴住处去，再玩个八圈，证明一下输的究竟是什么。一个人若乐意在地下爬，以为是活下来最好的姿势，他人劝他不妨站起来走，或更盼望他挺起脊梁来做个人，当然是不会有什么结果的。

就在这么一个社会一种情形中，卢先生却来展览他在云南的照相，告给我们云南法币以外还有些什么。即以天空的云彩言，色彩单纯的云有多健美、多飘逸、

多温柔、多崇高！观众人数多，批评好，正说明只要有人会看云，就能从云影中取得一种诗的感兴和热情，还可望将这种可贵的感情，转给另外一种人。换言之，就是云南的云即或不能直接教育人，还可望由一个艺术家的心与手，间接来教育人。卢先生照相的兴趣，似乎就在介绍这种美丽感印给多数人，所以作品中对于云物的题材，处理得特别好。每一幅云都有一种不同的性情，流动的美。不纤巧，不做作，不过分修饰，一任自然，心手相印，表现得素朴而亲切，作品取得的成功是必然的。可是我以为得到"赞美"还不是艺术家最终的目的，应当还有一点更深的意义。我意思是如果一种可怕的实际主义，正在这个社会各组织各阶层间普遍流行，腐蚀我们多数人做人的良心，做人的理想，且在同时还把每个人都有形无形市侩化，社会中优秀分子一部分，所梦想，所希望，也都只是糊口混日子了事，毫无一种较高尚的情感，更缺少用这情感去追求一个美丽而伟大的道德原则的勇气时，我们这个民族应当怎么办？大学生读书目的，不是站在柜台边做行员，就是坐在公事房做办事员，脑子都不用，都不想，只要有一碗饭吃就算有了出路。甚至于做政论的，作讲演的，写不高明讽刺文的，习理工的，玩玩文学充文化人的，办党的，信教的……出路也都是只顾眼前。大众眼前固然都有了出路，这个国家的明天，是不是还有希望可言？我们如真能够像卢先生那么静观默会天空的云彩，云物的美丽，也许会慢慢的陶冶我们，启发我们，改造我们，使我们习惯于向远景凝眸，不敢堕落，不甘心堕落，我以为这才像是一个艺术家最后的目的。正因为这个民族是在求发展，求生存，战争已经三年。战争虽败北，虽死亡万千人民，牺牲无数财富，可并不气馁，相信坚持抗战必然翻身。就为的是这战争背后还有个庄严伟大的理想，使我们对于忧患之来，在任何情形下都能忍受。

我们其所以能忍受，不特是我们要发展，要生存，还要为后来者设想，使他们活在这片土地上更好一点，更像人一点！我们责任那么重，那么困难，所以不特多数知识分子必然要有一个较简朴的人生观，拉之向上，推之向前，就是做生意的，也少不了需要那么一份知识，方能够把企业的发展与国家的发展，放在同一目标上，分道并进，异途同归，抗战到底！

举一个浅近的例来说说：我们的眼光注意到"出路"、"赚钱"以外，若还能够估量到在滇越铁路的另一端，正有多少鬼蜮成性阴险狡诈的敌人，圆睁两只鼠眼，安排种种巧计阴谋，在武力与武器无作用地点，预备把劣货倾销到昆明来，且把推销劣货的责任，派给昆明市的大小商家时，就知道学习注意远处，实在是目前一件如何重要的事情！照相必选择地点，取准角度，方可望有较好效果。做人何尝不是一样，明分际，识大体，"有所不为"，敌人虽花样再多，劣货在有经验商家的眼中，总依然看得出，取舍之间是极容易的。若只图发财，见利忘义，无所不为，把劣货变成国货，改头换面，不过是翻手间事！劣货推销仅仅是若干有形事件中之一种。此外知识阶级中不争气处，所作所为，实有更甚于此者。

所以我觉得卢先生的摄影，不只是给人看看，还应当给人深思。

1940 年昆明。

美/文/赏/析

沈从文一向以白描式的风俗景物描写见长，他的《街》《菜园》等散文，大多是将自己的情感、政治看法，寄托在对风土人情的描写中，不用直接的评论性语言，只将个人的看法融入事物本身的发展轨迹中，正邪善恶、孰是孰非留给读者去斟酌。但《云南看云》这篇文章却一反作者一贯的风格，作者直抒胸臆，写景、议论界限分明，景中也有哲思性的语言，议论却单独成段，使读者能很快了解作者的真实意图和倾向。

作者在文章的前半部分，直接写云南的云，写全国各地的云，描述了云不同的形态和特色，并将云和各地的人文特征结合起来。下半部分就云南人看云，生发出对于时下社会风气的感想。认为流连风景或欣赏艺术，是人避免庸俗的必需的生活内容，但这些应该有充实的精神内涵，并与一定的社会责任感联系起来。作者在文末提到"劣货"问题，这就直接将文章意义提升到社会和民族责任感的高度。

桃源与沅州

/ 沈从文

入选理由·····························

沈从文的散文代表作之一
真实反映了旧时湘西一带挣扎在底层的
  人们的艰辛生活

全中国的读书人，大概从唐朝以来，命运中注定了应读一篇《桃花源记》，因此把桃源当成一个洞天福地。人人皆知道那地方是武陵渔人发现的，有桃花夹岸，芳草鲜美。远客来到，乡下人就杀鸡温酒，表示欢迎。乡下人都是避秦隐居的遗民，不知有汉朝，更无论魏晋了。千余年来读书人对于桃源的印象，既不怎么改变，所以每当国体衰弱发生变乱时，想做遗民的必多，这文章也就增加了许多人的幻想，增加了许多人的酒量。至于住在那儿的人呢，却无人自以为是遗民或神仙，也从不曾有人遇着遗民或神仙。

桃源洞离桃源县二十五里。从桃源乡坐小船沿沅水上行，船到白马渡时，上南岸走去，忘路之远近乱走一阵，桃花源就在眼前了。那地方桃花虽不如何动人，竹林却很有意思。如椽如柱的大竹子，随处皆可发现前人用小刀刻划留下的诗歌。新派学生不甘自弃，也多刻下英文字母的题名。竹林里间或潜伏一二剪径壮士，待机会霍地从路旁跃出，仿照《水浒传》上英雄好汉行为，向游客发个利市，使人来个措手不及，不免吃点小惊。桃源县城则与长江中部各小县城差不多，一入城门最触目的是推行印花税与某种公债的布告。城

20 世纪 30 年代的湘西水手

当代画家黄永玉所画的湘西凤凰县风光图

中有棺材铺官药铺，有茶馆酒馆，有米行脚行，有和尚道士，有经纪媒婆。庙宇祠堂多数为军队驻防，门外必有个武装同志站岗。土栈烟馆既照章纳税，就受当地军警保护。代表本地的出产，边街上有几十家玉器作，用珉石染红着绿，琢成酒杯笔架等物，货物品质平平常常，价钱却不轻贱。另外还有个名为"后江"的地方，住下无数公私不分的妓女，很认真经营她们的职业。有些人家在一个菜园平房里，有些却又住在空船上，地方虽脏一点倒富有诗意。这些妇女使用她们的下体，安慰军政各界，且征服了往还沅水流域的烟贩，木商，船主，以及种种因公出差过路人。挖空了每个顾客的钱包，维持许多人生活，促进地方的繁荣。一县之长照例是个读书人，从史籍上早知道这是人类一种最古的职业，没有郡县以前就有了它们，取缔既与"风俗"不合，且影响到若干人生活，因此就很正当的定下一些规章制度，向这些人来抽收一种捐税（并采取了个美丽名词叫作"花捐"），把这笔款项用来补充地方行政，保安，或城乡教育经费。

桃源既是个有名地方，每年自然就有许多"风雅"人，心慕古桃源之名，二三月里携了《陶靖节集》与《诗韵集成》等参考资料和文房四宝，来到桃源县访幽探胜。这些人往桃源洞赋诗前后，必尚有机会过后江走走，由朋友或专家引导，这家那家坐坐，烧匣烟，喝杯茶。看中意某一个女人时，问问行市，花个三元五元，便在那龌龊不堪万人用过的花板床上，压着那可怜妇人胸膛放荡一夜。于是纪游诗上多了几首无题艳遇诗，把"巫峡神女"、"汉皋解佩"、"刘阮天台"等等典故，一律被引用到诗上去。看过了桃源洞，这人平常若是很谨慎的，自会觉得应当即早过医生处走走，于是匆匆的回家了。至于接待过这种外路"风雅"人的神女呢，前一夜也许陆续接待过三个麻阳船水手，后一夜又得陪伴两个贵州省牛皮商人。这些妇人照例说不定还被一个散兵游勇，一个县公署执达吏，一个公安局书记，或一个当地小流氓，长时期包定占有，客来时那人往烟馆过夜，客去后再回到妇人身边来烧烟。

妓女的数目占城中人口比例数不小。因此仿佛有各种原因，她们的年龄都比其他大都市更无限制。有些人在五十以上，还不甘自弃，同十六七岁孙女辈前来参加这种生活斗争，每日轮流接待水手同军营中火伙。也有年纪不过十四五岁，乳臭尚未脱尽，便在那儿服侍客人过夜的。

她们的技艺是烧烧鸦片烟，唱点流行小曲，若来客是粮子上跑四方人物，还得唱唱军歌党歌，和时下电影明星的新歌，应酬应酬，增加兴趣。她们的收入有些一次可得洋钱二十三十，有些一整夜又只得一块八毛。这些人有病本不算一回事。实在病重了，不能作生意挣饭吃，间或就上街走到西药房去打针，六零六三零三扎那么几下，或请走方郎中配副药，朱砂茯苓乱吃一阵，只要支持得下去，总不会坐下来吃白饭。直到病倒了，毫无希望可言了，就叫毛伙用门板抬到那类住在空船中孤身过日子的老妇人身边去，尽她咽最后那一口气。死去时亲人呼天抢地哭一阵，罄所有请和尚安魂念经，再托人赊购副四合头棺木，或借"大加一"买副薄薄板片，土里一埋也就完事了。

桃源地方已有公路，直达号称湘西咽喉的武陵（常德），每日都有八辆十辆新式载客汽车，按照一定时刻在公路上奔驰，距常德约九十里，车票价钱一元零。这公路从常德且直达湖南省会长沙，汽车路程约四小时，车票价约六元。公路通车时，有人说这条公路在湘省经济上具有极大意义，意思是对于黔省出口特货运输可方便不少。这人似乎不知道特货过境每次必三百担五百担，公路上一天不过十几辆汽车来回，若非特货再加以精制，每天能运输特货多少？关于特货的精制，在各省严厉禁烟宣传中，平民谁还有胆量来作这种非法勾当。假若在桃源县某种铺子里，居然有人能够设法购买一点黄色粉末药物，作为谈天口气，随便问问，就会弄明白那货物的来源是有来头的。信不信由你，大股东中大头脑有什么"龄"字辈"子"字辈，还有沿江之督办，上海之闻人。且明白出产地并不是桃源县城，沿江上行六十里，有二十部机器日夜加工，运输出口时或用轮船直往汉口，却不需借公路汽车转运长沙。

真可称为桃源名产值得引人注意却照例不及注意的，是家鸡同鸡卵，街头巷尾无处不可以发现这种冠赤如火庞大庄严的生物，经常有重达一二十斤的。凡过路人初见这地方鸡卵，必以为鸭卵或鹅卵。其次，桃源有一种小划子，轻捷，稳当，干净，在沅水中可称首屈一指。一个外省旅行者，若想从湘西的永绥、乾城、凤凰研究湘边苗族的分布状况，或想从湘西往四川的酉阳、秀山调查桐油的生产，往贵州的铜仁调查朱砂水银的生产，往玉屏调查竹料种类，注意造箫制纸的手工业生产情况，皆可在桃源县魁星阁下边，雇妥那么一只小船，沿沅水溯流而上，直达目的地，到地时取行李上岸落店，毫无何等困难。

一只桃源小划子上只能装载一二客人。照例要个舵手，管理后梢，调动船只左右。张挂风帆，松紧帆索，捕捉河面山谷中的微风。放缆拉船，量渡河面宽窄与河流水势，伸缩竹缆。另外还要个拦头工人，上滩下滩时看水认容口，出事前提醒舵手躲避石头、恶浪与洑流，出事后点篙子需要准确，稳重。这种人还要有胆量，有气力，有经验。张帆落帆都得很敏捷的即时拉桅下绳索。走风船行如箭时，便蹲坐在船头上叫喝呼啸，嘲笑同行落后的船只。自己船只落后被人嘲骂时，还要回骂；人家唱歌也得用歌声作答。两船相碰说理时，不让别人占便宜。动手打架时，先把篙子抽出拿在手上。船只逼入急流乱石中，不问冬夏，都得敏捷而勇敢的脱光衣裤，向急流中跑去，在水里尽肩背之力使船只离开险境。掌舵的因事故不能尽职，就从船顶爬过船尾去，作个临时舵手。船上若有小水手，还应事事照料小水手，指点小水手。更有一份不可推却的职务，便是在一切过失上，应与掌舵的各据小船一头，相互辱宗骂祖，继续使船前进，小船除此两人以外，尚需要个小水手居于杂务地位，淘米，烧饭，切菜，洗碗，无事不作。行船时应荡桨就帮同荡桨，应点篙就帮同持篙。这种小水手大都在学习期间，应处处留心，取得经验同本领。除了学习看水，看风，记石头，使用篙桨以外，也学习挨打挨骂。尽各种古怪稀奇字眼儿成天在耳边反复响着，好好的保留在记忆里，将来长大时再用它来辱骂旁人。上行无风吹，一个人还负了纤板，曳着一段竹缆，在荒凉河岸小路上拉船前进。小船停泊码头边时，又得规规矩矩守船。关于他们的经济情势，舵手多为船家长年雇工，平均算来合八分到一角钱一天。拦头工有长年雇定的，人若年富力强多经验，待遇同掌舵的差不多。若只是短期包来回，上行平均每天可得一毛或一毛五分钱，下行则尽义务吃白饭而已。至于小水手，学习期限看年龄同本事来，有些人每天可得两分钱作零用，有些人在船上三年五载吃白饭。上滩时一个不小心，闪不知被自己手中竹篙弹入乱石激流中，泅水技术又不在行，在水中淹死了，船主方面写得有字据，生死家长不能过问。掌舵的把死者剩余的一点衣服交给亲长说明白落水情形后，烧几百钱纸，手续便清楚了。

一只桃源划子，有了这样三个水手，再加上一个需要赶路，有耐心，不嫌孤独，能花个二十三十的乘客，这船便在一条清明透澈的沅水上下游移动起来了。在这条河里在这种小船上作乘客，最先见于记载的一人，应当是那疯疯癫癫的楚逐臣屈原。在他自己的文章里，他就说道："朝发汪渚兮，夕宿辰阳。"若果他那文章还值得称引，我们尚可以就"沅有芷兮澧有兰"与"乘舲上沅"这些话，估想他当年或许就坐了这种小船，溯流而上，到过出产香草香花的沅州。沅州上游不远有个白燕溪，小溪谷里生长芷草，到如今还随处可见。这种兰科植物生根在悬崖罅隙间，或蔓延到松树枝桠上，长叶飘拂，花朵下垂成一长串，风致楚楚。花叶形体较建兰柔和，香味较建兰淡远。游白燕溪的可坐小船去，船上人若伸手可及，多随意伸手摘花，顷刻就成一束。若崖石过高，还可以用竹篙将花打下，尽它堕入清溪洄流里，再用手去清溪里把花捞起。除了兰芷以外，还有不少香草香花，在溪边崖下繁殖。那种黛色无际的崖石，那种一丛丛幽香眩目的奇葩，那种小小洄旋的溪流，合成一个如何不可言说迷人心目的圣境！若没有这种地方，屈原便再疯一点，据我想来，他文章未必就能写得那么美丽。

什么人看了我这个记载，若神往于香草香花的沅州，居然从桃源包了小船，过沅州去，希望实地研究解决《楚辞》上几个草木问题。到了沅州南门城边，也许无意中会一眼瞥见城门上有一片触目黑色。因好奇想明白它，一时可无从向谁去询问。他所见到的只是一片新的血迹，并非什么古迹。大约在清党前后，有个晃州姓唐的青年，北京农科大学毕业生，在沅州晃州两县，用党务特派员资格，率领了两万以上四乡农民和一些青年学生，肩持各种农具，上城请愿。守城兵先已得到长官命令，不许请愿群众进城。于是双方自然而然发生了冲突。一面是旗帜，木棒，呼喊与愤怒，一面是居高临下，一尊机关枪同十枝步枪。街道既那么窄，结果站在最前线上的特派员同四十多个青年学生与农民，便全在城门边牺牲了。

其余农民一看情形不对，抛下农具四散跑了。那个特派员的尸体，于是被兵士用刺刀钉在城门木板上示众三天，三天过后，便连同其他牺牲者，一齐抛入屈原所称赞的清流里喂鱼吃了。几年来本地人在内战反复中被派捐拉夫，在应付差役中把日子混过去，大致把这件事也慢慢的忘掉了。

桃源小船载到沅州府，舵手把客人行李扛上岸，讨得酒钱回船时，这些水手必乘兴过南门外皮匠街走走。那地方同桃源的后江差不多，住下不少经营最古职业的人物，地方既非商埠，价钱可公道一些。花五角钱关一次门，上船时还可以得一包黄油油的上净烟丝，那是十年前的规矩。照目前百物昂贵情形想来，一切当然已不同了，出钱的花费也许得多一点，收钱的待客也许早已改用"美丽牌"代替"上净丝"了。

或有人在皮匠街蓦然间遇见水手，对水手发问："弄船的，'肥水不落外人田'，家里有的你让别人用，用别人的你还得花钱，这上算吗？"

那水手一定会拍着腰间麂皮抱兜，笑眯眯的回答说："大爷，'羊毛出在羊身上'，这钱不是我桃源人的钱，上算的。"

他回答的只是后半截，前半截却不必提。本人正在沅州，离桃源远过六七百里，桃源那一个他管不着。

便因为这点哲学，水手们的生活，比起"风雅人"来似乎也洒脱多了。

若说话不犯忌讳，无人疑心我"袒护无产阶级"，我还想说，他们的行为，比起那些读了些"子曰"，带了《五百家香艳诗》去桃源寻幽访胜，过后江讨经验的"风雅人"来，也实在还道德的多。

美/文/赏/析

《桃源与沅州》写于1935年，记叙了桃源与沅州地区的景况、人物、出产、风俗与民情等。作者在开篇将陶渊明《桃花源记》中所描述的桃花源与现实中的桃花源相对照，为全文定下基调："住在那儿的人呢，却无人自以为是遗民或神仙，也从不曾有人遇着遗民或神仙。"接着作者以从桃源坐船沿沅水上游为线索，对那里的风情人物极事铺陈。在作者笔下，那里是一个美丽、封闭、自给的世界，那里的人们卑微、愚浑而纯朴。作者着重描述了桃源妓女和沅水水手这两类人物，反映了妓女们性格中柔弱而坚强的一面，水手们在困境中勇敢、乐观生活的精神，对他们的凄苦悲惨生活寄予了深深的同情，同时对虚伪的"风雅人"进行了辛辣的嘲讽。

西湖的雪景

/ 钟敬文

　　从来谈论西湖之胜景的，大抵注目于春夏两季；而各地游客，也多于此时翩然来临。——秋季游人已渐少，入冬后，则更形疏落了。这当中自然有以致其然的道理。春夏之间，气温和暖，湖上风物，应时佳胜，或"杂花生树，群莺乱飞"，或"浴晴鸥鹭争飞，拂袂荷风荐爽"，都是要教人眷眷不易忘情的。于此时节，往来湖上，沉醉于柔媚芳馨的情味中，谁说不应该呢？但是春花固可爱，秋月不是也要使人销魂么？四时的烟景不同，而真赏者各能得其佳趣；不过，这未易以论于一般人罢了。高深父先生曾告诉过我们："若能高朗其怀，旷达其意，超尘脱俗，别具天眼，揽景会心，便得真趣。"我们虽不成材，但对于先贤这种深于体验的话，

钟敬文像

作者简介

　　钟敬文（1903—2002），广东海丰人，著名散文家、民俗学家。1922年毕业于陆安师范学院，后到中山大学、岭南大学、浙江大学任教。1934年到日本早稻田大学学习。两年后回国，在杭州、桂林等地从事教学和研究工作。1941年在中山大学任教。中华人民共和国成立后执教于北京师范大学，曾任中国民间文艺家协会主席、中国民俗学会理事长。著有散文集《荔枝小品》《西湖漫话》，诗集《海滨的二月》，以及多部民俗研究著作。

也忍只当做全无关系的耳边风么？

自宋朝以来，平章西湖风景的，有所谓"西湖十景，钱塘十景"之说，虽里面也曾列入"断桥残雪"，"孤山霁雪"两个名目，但实际上，真的会去赏玩这种清寒不很近情的景致的，怕没有多少人吧。《四时幽赏录》的著者，在"冬时幽赏"门中，言及雪景的，几占十分的七八，其名目有"雪霁策蹇寻梅"，"三茅山顶望江天雪霁"，"西溪道中玩雪"，"扫雪烹茶玩画"，"雪夜煨芋谈禅"，"山窗听雪敲竹"，"雪后镇海楼观晚炊"等。其中大半所述景色，读了不禁移人神思，固不徒文字粹美而已。但他是一位潇洒出尘的名士，所以能够有此独具心眼的幽赏；我们一方面自然佩服他心情的深湛，另方面却也可以证出能领略此中奥味者之所以稀少的必然了。

西湖的雪景，我共玩了两次。第一次是在此间初下雪的第三天。我于午前十点钟时才出去。一个人从校门乘黄包车到湖滨下车，徒步走出钱塘门。经白堤，旋转入孤山路。沿孤山西行，到西泠桥，折由大道回来。此次雪本不大，加以出去时间太迟，山野上盖着的，大都已消去，所以没有什么动人之处。现在我要细述的，是第二次的重游。

那天是一月念四日。因为在床上感到意外冰冷之故，清晨初醒来时，我便预知昨宵是下了雪。果然，当我打开房门一看时，对面房屋的瓦上全变成白色了，天井中一株木樨花的枝叶上，也粘缀着一小堆一小堆的白粉。详细的看去，觉得比日前两三回所下的都来得大些。因为以前的，虽然也铺盖了屋顶，但有些瓦沟上却仍然是黑色，这天却一色地白着，绝少铺不匀的地方了。并且都厚厚的，约莫有一两寸高的程度。日前的雪，虽然铺满了屋顶，但于木樨花树，却好像全无关系似的，此回它可不免受影响了，这也是雪落得比较大些的明证。

老李照例是起得很迟的，有时我上了两课下来，才看见他在房里穿衣服，预备上办公厅去。这天，我起来跑到他的房里，把他叫醒之后，他犹带着几分睡意的问我："老钟，今天外面有没有下雪？"我回答他说："不但有呢，并且颇大。"他起初怀疑着，直待我把窗内的白布幔拉开，让他望见了屋顶才肯相信。"老钟，我们今天到灵隐去耍子吧？"他很高兴的说。我"哼"的应了一声，便回到自己的房里来了。

我们在校门上车时，大约已九点钟左右了。时小雨霏霏，冷风拂人如泼水。从车帘两旁缺处望出去，路旁高起之地，和所有一切高低不平的屋顶，都撒着白面粉似的，又如铺陈着新打好的棉被一般。街上的已大半变成雪泥，车子在上面碾过，不绝的发出唧唧的声音，与车轮转动时磨擦着中间横木的音响相杂。

我们到了湖滨，便换登汽车。往时这条路线的搭客是颇热闹的，现在却很零落了。同车的不到十个人，为遨游而来的客人还怕没有一半。当车驶过白堤时，我们向车外眺望内外湖风景，但见一片迷蒙的水气弥漫着，对面的山峰，只有一个几乎辨不清楚的薄影。葛岭、宝石山这边，因为距离比较密迩的缘故，山上的积雪和树木，大略可以看得出来；但地位较高的保俶塔，便陷于朦胧中了。到西泠桥前近时，再回望湖中，见湖心亭四围枯秃的树干，好似怯寒般的在那里呆立着，我不禁联想起《陶庵梦忆》中一段情词俱幽绝的文字来：

崇祯五年十二月，余住西湖。大雪三日，湖中人鸟声俱绝。是日更定矣，余拿一小舟，拥毳衣炉火，独往湖心亭。天与云与水上下一白。湖上影子，惟长堤一痕，湖心亭一点，与余舟一芥，舟中人两三粒而已。到亭上，有两人铺毡对坐，一童子烧酒，炉正沸。见余大喜，曰："湖中焉得更有此人！"拉余同饮，余强饮三大白而别。问其姓氏，是金陵人，客此。及下船，舟子喃喃曰："莫说相公痴，更有痴似相公者！"（《湖心亭看雪》）

不知这时的湖心亭上，尚有此种痴人否？心里不觉漠然了一会。车过西泠桥以后，车暂驶行于两边山岭林木连接着的野道中。所有的山上，都堆积着很厚的雪块，虽然不能如瓦屋上那样铺填得均匀普遍，那一片片清白的光彩，却尽够使我感到宇宙的清寒、壮旷与纯洁！常绿树的枝叶后所堆着的雪，和枯树上的，很有差别。前者因为有叶子衬托着之故，雪上特别堆积得大块点，远远望去，如开满了白的山茶花，或吾乡的水锦花。后者，则只有一小小块的雪片能够在上面粘着不堕落下去，与刚著花的梅李树绝地相似。实在，我初头几乎把那些近在路旁的几株错认了。野上半黄或全赤了的枯草，多压在两三寸厚的雪褥下面；有些枝条软弱的树，也被压抑得欹欹倒倒的。路上行人很稀少。道旁野人的屋里，时见有衣饰破旧而笨重的老人、童子，在围着火炉取暖。看了那种古朴清贫的情况，仿佛令我忘怀了我们所处时代的纷扰、繁遽了。

到了灵隐山门，我们便下车了。一走进去，空气怪清冷的，不但没有游客，往时那些卖念珠、古钱、天竺筷子的小贩子也不见了。石道上铺积着颇深的雪泥。飞来峰疏疏落落的着了许多雪块，清泠亭及其它建筑物的顶面，一例的密盖着纯白色的毡毯。一个拍照的，当我们刚进门时，便紧紧的跟在后面。因为老李的高兴，我们便在清泠亭旁照了两个影。

好奇心打动着我，使我感觉到眼前所看到的之不满足，而更向处境较幽深的韬光庵去。我幽悄地尽移着步向前走，老李也不声张的跟着我。从灵隐寺到韬光庵的这条山径，实际上虽不见怎样的长；但颇深曲而饶于风致。这里的雪，要比城中和湖上各处的都大些。在径上的雪块，大约有半尺来厚，两旁树上的积雪，也比来路上所见的浓重。曾来游玩过的人，该不会忘记的吧，这条路上两旁是怎样的繁植着高高的绿竹。这时，竹枝和竹叶上，大都着满了雪，向下低低地垂着。《四时幽赏录》"山窗听雪敲竹"条云："飞雪有声，惟在竹间最雅。山窗寒夜：时听雪洒竹林；淅沥萧萧，连翻瑟瑟，声韵悠然，逸我清听。忽尔回风交急，折竹一声，使我寒毡增冷。"这种风味，可惜我没有福分消受。

在冬天，本来是游客冷落的时候，何况这样雨雪清冷的日子呢？所以当我们跑到庵里时，别的游人一个都没有——这在我们上山时看山径上的足迹便可以晓得的——而僧人的眼色里，并且也有一种觉得怪异的表示。我们一直跑上最后的观海亭。那里石阶上下都厚厚地堆满了水沫似的雪，亭前的树上，雪着得很重，在雪的下层并结了冰块。旁边有几株山茶花，正在艳开着粉红色的花朵。那花朵有些堕下来的，半掩在雪花里，红白相映，色彩灿然，使我们感到华而不俗，清而不寒；因而联忆起那"天寒翠袖薄，日暮倚修竹"的美人儿来。

西湖断桥雪景

登上这亭，在平日是可以近瞰西湖，远望浙江，甚而至于缥缈的沧海的，可是此刻却不能了。离庵不远的山岭、僧房、竹树，尚勉强可见，稍远则封锁在茫漠的烟雾里了。

空斋蹋壁卧，忽梦溪山好。朝骑秃尾驴，来寻雪中道。石壁引孤松，长空没飞鸟。不见远山横，寒烟起林杪。（《雪中登黄山》）

我倚着亭柱，默默地在咀嚼着王渔洋这首五言诗的清妙；尤其是结尾两句，更道破了雪景的三昧。但说不定许多没有经验的人，要妄笑它是无味的诗句呢。文艺的真赏鉴，本来是件不容易的事，这又何必咄咄见怪？自己解说了一番，心里也就释然了。

本来拟在僧房里吃素面的，不知为什么，竟跑到山门前的酒楼喝酒了。老李不能多喝，我一个人也就无多兴致干杯了。在那里，我把在山径上带下来的一团冷雪，放进在酒杯里混着喝。堂倌看了说："这是顶上的冰淇淋呢。"

半因为等不到汽车，半因为想多玩一点雪景，我们决意步行到岳坟才叫划子去游湖。一路上，虽然走的是来时汽车经过的故道，但在徒步观赏中，不免觉得更有情味了。我们的革履，踏着一两寸厚的雪泥前进，频频地发出一种清脆的声音。有时路旁树枝上的雪块，忽然掉了下来，着在我们的外套上，正前人所谓"玉堕冰柯，沾衣生湿"的情景。我迟回着我的步履，旷展着我的视域，油然有一脉浓重而灵秘的诗情，浮上我的心头来，使我幽然意远，漠然神凝。郑綮答人家自己的诗思，在灞桥雪中，驴背上，真是怪懂得趣儿的说法！

当我们在岳王庙前登舟时，雪又纷纷的下起来了。湖里除了我们的一只小划子以外，再看不到别的舟楫。平湖漠漠，一切都沉默无哗。舟穿过西泠桥，缓泛里西湖中，孤山和对面诸山及上下的楼亭、房屋，都白了头，在风雪中兀立着。

山径上，望不见一个人影；湖面连水鸟都没有踪迹，只有乱飘的雪花堕下时，微起些涟漪而已。柳宗元诗云："千山鸟飞绝，万径人踪灭。孤舟蓑笠翁，独钓寒江雪。"我想这时如果有一个渔翁在垂钓，它很可以借来说明眼前的景物呢。

舟将驶近断桥的时候，雪花飞飘得更其凌乱。我们向北一面的外套，差不多大半白而且湿了。风也似乎吹得格外紧劲些，我的脸不能向它吹来的方面望去。因为革履渗进了雪水的缘故，双足尤冰冻得难忍。这时，从来不多开过口的舟子，忽然问我们说："你们觉得此处比较寒冷么？"我们问他什么缘故。据说是宝石山一带的雪山风吹过来的原因。我于是默默的兴想到知识的范围和它的获得等重大的问题上去了。

我们到湖滨登岸时，已是下午三点余钟了。公园中各处都堆满了雪，有些已变成泥泞。除了极少数在待生意的舟子和别的苦力之外，平日朝夕在此间舒舒地来往着的少男少女、老爷太太，此时大都密藏在"销金帐中，低斟浅酌，饮羊羔美酒"，——至少也靠在腾着血焰的火炉旁，陪伴家人或挚友，无忧虑地在大谈其闲天。——以享乐着他们幸福的时光，再不愿来风狂雪乱的水涯，消受贫穷人所应受的寒冷了！这次的薄游，虽然也给了我些牢骚和别的苦味，但我要用良心做担保的说，它所给予我的心灵深处的欢悦，是无穷地深远的！可惜我的诗笔是钝秃了。否则，我将如何超越了一切古诗人的狂热地歌咏了它呢！

好吧，容我在这儿诚心沥情地说一声，谢谢雪的西湖，谢谢西湖的雪！

美/文/赏/析

《西湖的雪景》是一篇游记散文，写于 1929 年 1 月，是作者在杭州任教时重游西湖的观感。

文章以游踪为线索，采取移步换景的手法，从白堤、西泠桥，到灵隐寺、韬光庵，最后泛舟过断桥，直至登岸，从不同的角度，以多变的笔法细致地勾勒出各个景点雪景的不同情态，将西湖的雪景写得气象万千、丰富多彩。作者独具慧眼，以细腻的笔调挖掘出远处的、眼前的、树上的、湖面的、漫飘的、堆积的等形态各异的雪景，惟妙惟肖地刻画出了西湖雪的色彩之美、朦胧之美，使人仿佛身临其境，如同亲临现场"幽赏"一般。文中多处引用了古诗文佳句，古今名联，使文章平添许多光彩。钟敬文素以民俗学和民间文艺研究著称，但其散文也有不凡的魅力和独特的个性，清淡隽美，幽深精细，《西湖的雪景》即是其众多散文中一篇代表性的佳作。

雅 舍

/ 梁实秋

入选理由·······

梁实秋的散文代表作

体现了一种困境中的旷达淡泊、乐观宽容的人生襟怀

语言淡雅、简练、风趣

到四川来，觉得此地人建造房屋最是经济。火烧过的砖，常常用来做柱子，孤零零的砌起四根砖柱，上面盖上一个木头架子，看上去瘦骨嶙嶙，单薄得可怜；但是顶上铺了瓦，四面编了竹篦墙，墙上敷了泥灰，远远的看过去，没有人能说不像是座房子。我现在住的"雅舍"正是这样一座典型的房子。不消说，这房子有砖柱，有竹篦墙，一切特点都应有尽有。讲到住房，我的经验不算少，什么"上支下摘"，"前廊后厦"，"一楼一底"，"三上三

梁实秋像

作者简介

梁实秋（1903—1987），原名梁治华，字实秋，一度以秋郎、子佳为笔名。祖籍浙江杭县，生于北京。1923年留学美国。1926年回国，任教于东南大学，并主编《新月》等刊物。1949年迁居台湾。著作甚丰，主要有文学评论集《浪漫的与古典的》《秋室杂文》，散文集《雅舍小品》，译著《莎士比亚全集》，百万言著作《英国文学史》等。

下"，"亭子间"，"茅草棚"，"琼楼玉宇"和"摩天大厦"，各式各样，我都尝试过。我不论住在那里，只要住得稍久，对那房子便发生感情，非不得已我还舍不得搬。这"雅舍"，我初来时仅求其能蔽风雨，并不敢存奢望，现在住了两个多月，我的好感油然而生。虽然我已渐渐感觉它是并不能蔽风雨，因为有窗而无玻璃，风来则洞若凉亭；有瓦而空隙不少，雨来则渗如滴漏。纵然不能蔽风雨，"雅舍"还是自有它的个性。有个性就可爱。

"雅舍"的位置在半山腰，下距马路约有七八十层的土阶。前面是阡陌螺旋的稻田。再远望过去是几抹葱翠的远山，旁边有高粱地，有竹林，有水池，有粪坑，后面是荒僻的榛莽未除的土山坡。若说地点荒凉，则月明之夕，或风雨之日，亦常有客到，大抵好友不嫌路远，路远乃见情谊。客来则先爬几十级的土阶，进得屋来仍须上坡，因为屋内地板乃依山势而铺，一面高，一面低，坡度甚大，客来无不惊叹，我则久而安之，每日由书房走到饭厅是上坡，饭后鼓腹而出是下坡，亦不觉有大不便处。

"雅舍"共是六间，我居其二。篦墙不固，门窗不严，故我与邻人彼此均可互通声息。邻人轰饮作乐，咿唔诗章，喁喁细语，以及鼾声，喷嚏声，吮汤声，撕纸声，脱皮鞋声，均随时由门窗户壁的隙处荡漾而来，破我岑寂。入夜则鼠子瞰灯，才一合眼，鼠子便自由行动，或搬核桃在地板上顺坡而下，或吸灯油而推翻烛台，或攀援而上帐顶，或在门框桌脚上磨牙，使人不得安枕。但是对于鼠子，我很惭愧的承认，我"没有法子"。"没有法子"一语是被外国人常常引用着的，以为这话最足代表中国人的懒惰隐忍的态度。其实我的对付鼠子并不懒惰。窗上糊纸，纸一戳就破；门户关紧，而相鼠有牙，一阵咬便是一个洞洞。试问还有什么法子？洋鬼子住到"雅舍"里，不也是"没有法子"？比鼠子更骚扰的是蚊子。"雅舍"的蚊风之盛，是我前所未见的。"聚蚊成雷"真有其事！每当黄昏的时候，满屋里磕头碰脑的全是蚊子，又黑又大，骨骼都像是硬的。在别处蚊子早已肃清的时候，在"雅舍"则格外猖獗，来客偶不留心，则两腿伤处累累隆起如玉蜀黍，但是我仍安之。冬天一到，蚊子自然绝迹，明年夏天——谁知道我还是住在"雅舍"！

"雅舍"最宜月夜——地势较高，得月较先。看山头吐月，红盘乍涌，一霎间，清光四射，天空皎洁，四野无声，微闻犬吠，坐客无不悄然！舍前有两株梨树，等到月升中天，清光从树间筛洒而下，地下阴影斑斓，此时尤为幽绝。直到兴阑人散，归房就寝，月光仍然逼进窗来，助我凄凉。细雨蒙蒙之际，"雅舍"亦复有趣。推窗展望，俨然米氏章法，若云若雾，一片弥漫。但若大雨滂沱，我就又惶悚不安了，屋顶湿印到处都有，起初如碗大，俄而扩大如盆，继则滴水乃不绝，终乃屋顶灰泥突然崩裂，如奇葩初绽，砉然一声而泥水下注，此刻满室狼藉，抢救无及。此种经验，已数见不鲜。

"雅舍"之陈设，只当得简朴二字，但洒扫拂拭，不使有纤尘。我非显要，故名公巨卿之照片不得入我室；我非牙医，故无博士文凭张挂壁间；我不业理发，故丝织西湖十景以及电影明星之照片亦均不能张我四壁。我有一几一椅一榻，酣睡写读，均已有着，我亦不复他求。但是陈设虽简，我却喜欢翻新布置。西人常常讥笑妇人喜欢变更桌椅位置，以为这是妇人天性喜变之一征。诬否且不论，我是喜欢改变的，中国旧式家庭，陈设千篇一律，正厅上是一条案，前面一张八仙桌，一边一把靠椅，两旁是两把靠椅夹一只茶几。我以为陈设宜求疏落参差之致，最忌排偶。"雅舍"所有，毫无新奇，但一物一事之安排布置俱不从俗。人人我室，即知此是我室。笠翁闲情偶寄之所论，正合我意。

"雅舍"非我所有，我仅是房客之一。但思"天地者万物之逆旅"，人生本来如寄，我住"雅舍"一日，"雅舍"即一日为我所有。即使此一日亦不能算是我有，至少此一日"雅舍"所能给予之苦辣酸甜，我实躬受亲尝。刘克庄词："客里似家家似寄。"我此时此刻卜居"雅舍"，"雅舍"即似我家。其实似家似寄，我亦分辨不清。

长日无俚，写作自遣，随想随写，不拘篇章，冠以"雅舍小品"四字，以示写作所在，且志因缘。

《雅舍》主要描写了作者抗战期间在四川乡间"雅舍"里生活的种种情状，抒发了作者躬身亲尝种种酸甜苦辣的情趣。"雅舍"是一种幽默的称谓，它实际上是一间简陋破败的四川土房。统观全文，作者写的几乎都是雅舍的"敝""陋""噪"，对雅舍的"雅""美"很少着笔。但在字里行间，人们并不感到雅舍的丑陋，反觉得其极可爱、可亲，这显示了作者独特的艺术匠心。在淡雅、简练、风趣的语言叙述中，透射着作者在任何环境中都能甘于淡泊、怡然自乐的处世态度和人生襟怀。

雪

/ 梁实秋

入选理由……………………………………
语调平和，思想深邃
充分体现散文的理趣美
旁征博引，内蕴丰盈

李白句："燕山雪花大如席。"这话靠不住，诗人夸张，犹"白发三千丈"之类。据科学的报道，雪花的结成视当时当地的气温状况而异，最大者直径三至四寸。大如席岂不是一片雪就可以把整个人盖住？雪，是越下得大越好，只要是不成灾。雨雪霏霏，像空中撒盐，像柳絮飞舞，缓缓然下，真是有趣，没有人不喜欢。有人喜雨，有人苦雨，不曾听说过谁厌恶雪。就是在冰天雪地的地方，爱斯基摩人也还利用雪块砌成圆顶小屋，住进去暖和得很。

赏雪，须先肚中不饿。否则雪虐风饕之际，饥寒交迫，就许一口气上不来，焉有闲情逸致去细数"一片一片又一片……飞入梅花都不见"？后汉有一位袁安，大雪塞门，无有行路，人谓已死，洛阳令令人除雪，发现他在屋里僵卧，问他为什么不出来，他说："大雪人皆饿，不宜干人。"此公戆得可爱，自己饿，料想别人也饿。我相信袁安僵卧的时候一定吟不出"风吹雪片似花落"之类的句子。晋王子犹居山阴，夜雪初霁，月色清朗，忽然想起远在剡的朋友戴安道，即便夜乘小舟就之，经宿方至，造门不前而返。假如没有那一场大雪，他固然不会发此奇兴，假如他自己饘粥不继，他也不会风雅到夜乘小船去空走一遭。至于谢安石一门风雅，寒雪之日与儿女吟诗，更是富贵人家事。

一片雪花含有无数的结晶，一粒结晶又有好多好多的面，每个面都反射着光，所以雪才显着那样的洁白。我年轻时候听说从前有烹雪瀹茗的故事，一时好奇，便到院里就新降的积雪掬起表面的一层，放在甑里融成水，煮沸，走七步，用小宜兴壶，沏大红袍，倒在小茶盅里，细细品啜之，举起喝干了的杯子就鼻端猛嗅三两下——我一点也不觉得两腋生风，反而觉得舌本闲强。我再检视那剩余的雪水，好像有用矾打的必要！空气污染，雪亦不能保持其清白。有一年，我在汴洛道上行役，途中车坏，时值大雪，前不巴村后不着店，饥肠辘辘，乃就路边草棚买食，主人饷我以挂面，我大喜过望。但是煮面无水，主人取洗脸盆，舀路旁积雪，以混沌沌的雪水下面。虽说饥者易为食，这样的清汤挂面也不是顶容易下咽的。从此我对于雪，觉得只可远观，不可亵玩。苏武饥吞毡渴饮雪，那另当别论。

雪的可爱处在于它的广被大地，覆盖一切，没有差别。冬夜拥被而眠，觉寒气袭人，蜷缩不敢动，凌晨张开眼皮，窗棂窗帘隙处有强光闪映大异往日，起来推窗一看，——啊！白茫茫一片银世界。竹枝松叶顶着一堆堆的白雪，权芽老树也都镶了银边。朱门与蓬户同样的蒙受它的沾被，雕栏玉砌与瓮牖桑枢没有差别待遇。地面上的坑穴洼溜，冰面上的枯枝断梗，路面上的残刍败屑，全都罩在天公抛下的一件鹤氅之下。雪就是这样的大公无私，装点了美好的事物，也遮掩了一切的芜秽，虽然不能遮掩太久。

雪最有益于人之处是在农事方面，我们靠天吃饭，自古以来就看上天的脸色，"天上同云，雨雪纷纷。……既沾既足，生我百谷。"俗语所说"瑞雪兆丰年"，即今冬积雪，明年将丰之谓。不必"天大雪，至于牛目"，盈尺就可成为足够的宿泽。还有人说雪宜麦而避蝗，因为蝗遗子于地，雪深一尺则入地一丈，连虫害都包治了。我自己也有过一点类似的经验，堂前有芍药两栏，书房檐下有玉簪一畦，冬日几场大雪扫积起来，堆在花栏花圃上面，不但可以使花根保暖，而且来春雪融成了天然的润溉，大地回苏的时候果然新苗怒发，长得十分苗壮，花团锦簇。我当时觉得比堆雪人更有意义。

据说有一位枭雄吟过一首咏雪的诗："黄狗身上白，白狗身上肿，出门一啊喝，天下大一统。"俗话说"官大好吟诗"，何况一位枭雄在夤缘际会踌躇满志的时候？这首诗不是没有一点巧思，只是趣味粗犷得可笑，这大概和出身与气质有关。

相传法国皇帝路易十四写了一首三节联韵诗，自鸣得意，征求诗人批评家布洼娄的意见，布洼娄说："陛下无所不能，陛下欲做一首歪诗，果然做成功了。"我们这位枭雄的咏雪，也应该算是很出色的一首歪诗。

美/文/赏/析

　　《雪》是梁实秋一篇思想性与艺术性俱佳的文章。在文中，作者提到了"赏雪"，他说"赏雪，须先肚中不饿"，又谈到古人常说的"烹雪"，认为"烹雪瀹茗"无实际意义。梁实秋认为雪的真正可爱之处，在于它"覆盖一切，没有差别"，在于它一视同仁的公平。而它"最有益于人之处是在农事方面"，它可以更好地让人"靠天吃饭"。这样看来，追求实实在在的人生，保持踏踏实实的生活态度，就成了梁实秋在《雪》中传达的主要思想了。

风雨中忆萧红

/ 丁玲

入选理由……………………………
丁玲的散文代表作之一
中国现代散文史上忆念萧红的优秀散文
跌宕起伏，情真意切

　　本来就没有什么地方可去，一下雨便更觉得闷在窑洞里的日子太长。要是有更大的风雨也好，要是有更汹涌的河水也好，可是仿佛要来一阵骇人的风雨似的，那么一块肮脏的云成天盖在头上，而水声也是那么不断地哗啦哗啦在耳旁响，微微地下着一点看不见的细雨，打湿了地面，那轻柔的柳絮和蒲公英都飘舞不起而沾在泥土上了。这会使人有遐想，想到随风而倒的桃李，和在风雨中更迅速迸出的苞芽。即使是很小的风雨和浪潮，都更能显出百物的凋谢和生长，丑陋和美丽。

　　世界上什么是最可怕的呢，决不是艰难险阻，决不是洪水猛兽，也决不是荒凉寂寞。而难于忍耐的却是阴沉和絮聒；人的伟大也不是能乘风而起，青云直上，也不只是能抵抗横逆之来，而是能在阴霾的气压下，打开局面，指示光明。

作者简介

丁玲像

　　丁玲（1904—1986），现当代女作家，原名蒋伟，字冰之，湖南临澧人。1927年毕业于上海大学中文系，同年发表小说《莎菲女士的日记》。1930年参加中国左翼作家联盟，主编左联机关刊物《北斗》月刊。这时期她创作了《水》《母亲》等多部作品，是其走向文学创作道路的丰收时期。1936年去陕北，在解放区写的小说分别收录在《一颗未出膛的子弹》《我在霞村的时候》等集子中。1948年写成了她创作道路上具有里程碑意义的长篇小说《太阳照在桑干河上》。

时代已经非复少年时代了，谁还有悠闲的心情在闷人的风雨中煮酒烹茶与琴诗为侣呢？或者是温习着一些细腻的情致，重读着那些曾经被迷醉过被感动过的小说，或者低徊冥思那些天涯的故人，流着一点温柔的泪？那些天真、那些纯洁、那些无疵的赤子之心，那些轻微的感伤，那些精神上的享受都飞逝了，早已飞逝得找不到影子了。这个飞逝得很好，但现在是什么呢？是听着不断的水的絮聒，看着脏布也似的云块，痛感着阴霾，连寂寞的宁静也没有，然而却需要阿底拉斯的力背负着宇宙的时代所给予的创伤，毫不动摇的存在着，存在便是一种大声疾呼，便是一种骄傲，便是给絮聒以回答。

然而我决不会麻木的，我的头成天膨胀着要爆炸，它装得太多，需要呕吐。于是我写着，在白天，在夜晚，有关节炎的手臂因为放在桌子上太久而疼痛，患沙眼的眼睛因为在微小的灯光下而模糊。但幸好并没有激动，也没有感慨，我决不缺乏冷静，而且很富有宽恕，我很愉快，因为我感到我身体内有东西在冲撞；

它支持了我的疲倦，它使我会看到将来，它使我跨过现在，它会使我更冷静，它包括了真理和智慧，它是我生命中的力量，比少年时代的那种无愁的青春更可爱呵！

但我仍会想起天涯的故人的，那些死去的或是正受着难的。前天我想起了雪峰，在我的知友中他是最没有自己的了。他工作着，他一切为了党，他受埋怨过，然而他没有感伤过，他对于名誉和地位是那样的无睹，那样不会趋炎附势，培植党羽，装腔作势，投机取巧。昨天我又苦苦地想起秋白，在政治生活中过了那么久，却还不能彻底地变更自己，他那种二重的生活使他在临死时还不能免于有所申诉。我常常责怪他申诉的"多余"，然而当我去体味他内心的战斗历史时，却也不能不感动，哪怕那在整体中，是很渺小的。今天我想起了刚逝世不久的萧红，明天，我也许会想到更多的谁，人人都与这社会有关系，因为这社会，我更不能忘怀于一切了。

萧红和我认识的时候，是在一九三八年春初。那时山西还很冷，很久生活在军旅之中，习惯于粗

萧红是中国现代文学史上一位杰出的、个性鲜明的女作家。其一生经历坎坷，饱受磨难，1942年病逝于香港，年仅31岁。萧红在自己短暂的一生中，写出了包括小说《生死场》《呼兰河传》等在内的近100万字的不朽作品，以自己的鲜血和生命抒写了一位觉醒女性的奋斗史，赢得了她同时代的人们和后人的永恒尊敬和怀念。

黑龙江省哈尔滨市呼兰区的萧红故居

犷的我，骤睹着她的苍白的脸，紧紧闭着的嘴唇，敏捷的动作和神经质的笑声，使我觉得很特别，而唤起许多回忆，但她的说话是很自然而真率的。我很奇怪作为一个作家的她，为什么会那样少于世故，大概女人都容易保有纯洁和幻想，或者也就同时显得有些稚嫩和软弱的缘故吧。但我们都很亲切，彼此并不感觉到有什么孤僻的性格。我们都尽情地在一块儿唱歌，每夜谈到很晚才睡觉。当然我们之中在思想上，在情感上，在性格上都不是没有差异，然而彼此都能理解，并不会因为不同意见或不同嗜好而争吵，而揶揄。接着是她随同我们一道去西安，我们在西安住完了一个春天，我们也痛饮过，我们也同度过风雨之夕，我们也互相倾诉。然而现在想来，我们谈得是多么地少啊！我们似乎从没有一次谈到过自己，尤其是我。然而我却以为她从没有一句话之中是失去了自己的，因为我们实在都太真实，太爱在朋友的面前赤裸自己的精神，因为我们又实在觉得是很亲近的。但我仍会觉得我们是谈得太少的，因为，像这样的能无妨嫌、无拘束、不需警惕着谈话的对手是太少了啊！

那时候我很希望她能来延安，平静地住一时期之后而致全力于著作。抗战开始后，短时期的劳累奔波似乎使她感到不知在什么地方能安排生活。她或许比我适于幽美平静。延安虽不够作为一个写作的百年长计之处，然在抗战中，的确可以使一个人少顾虑于日常琐碎，而策划于较远大的。并且这里有一种朝气，或者会使她能更健康些。但萧红却南去了。至今我还很后悔那时我对于她生活方式所参与的意见是太少了，这或许由于我们相交太浅，和我的生活方式离她太远的缘故，但徒劳的热情虽然常常于事无补，然在个人仍可得到一种心安。

我们分手后，就没有通过一封信。端木曾来过几次信，在最后的一封信上告诉我，萧红因病始由皇后医院迁出。不知为什么我就有一种预感，觉得有种可怕的东西会来似的。有一次我同白朗说："萧红决不会长寿的。"当我说这话的时候，我是曾把眼睛扫遍了中国我所认识的或知道的女性朋友，而感到一种无言的寂寞，能够耐苦的，不依赖于别的力量，有才智、有气节而从事于写作的女友，是如此其寥寥呵！

不幸的是我的杞忧竟成了现实，当我昂头望着天的那边，或低头细数脚底的泥沙，我都不能压制我丧去一个真实的同伴的叹息。在这样的世界中生活下去，多一个真实的同伴，便多一份力量，我们的责任还不只于打开局面，指示光明，而还是创造光明和美丽；人的灵魂假如只能拘泥于个体的偏狭之中，便只能陶醉于自我的小小成就。我们要使所有的人，连仇敌也在内都能有崇高的享受，和为这享受而做出伟大牺牲。

生在现在的这个世界上，活着固然能给整个事业添一份力量，而死对于自己也是莫大的损失。因为这世界上有的是戮尸的遗法，从此你的话语和文学将更被歪曲，被侮辱；听说连未死的胡风都有人证明他是汉奸，那么对于已死的人，当然更不必贿买这种无耻的人证了。鲁迅先生的"阿 Q"曾被那批御用的文人歪曲地诠释，那么《生死场》的命运也就难免于这种灾难。在活着的时候，你不能不被逼走到香港；死去，却还有各种污蔑在等着，而你还不会知道；那些与你一起的脱险回国的朋友们还将有被监视或被处分的前途。我完全不懂得到底要把这批人逼到什么地步才算够？猫在吃老鼠之前，必先玩弄它以娱乐自己的得意。这种残酷是比一切屠戮都更恶毒，更需要毁灭的。

只要我活着，朋友的死耗一定将陆续地压住我沉闷的呼吸。尤其是在这风雨的日子里，我会更感到我的重荷。我的工作已经够消磨我的一生，何况再加上你们的屈死，和你们未完的事业，但我一定可以支持下去的。我要借这风雨，寄语你们，死去的，未死的朋友们，我将压榨我生命所有的余剩，为着你们的安慰和光荣。哪怕就仅仅为着你们也好，因为你们是受苦难的劳动者，你们的理想就是真理。

风雨已停，朦胧的月亮浮在西边的山头上，明天将有一个晴天。我为着明天的胜利而微笑，为着永生而休息。我吹熄了灯，平静地躺到床上。

美/文/赏/析

《风雨中忆萧红》写于 1942 年 4 月，距萧红在香港去世约 3 个月。当时在延安工作的丁玲受到了不公正的批判，她心情极为烦闷，于是思念故友，发而为文，以遣释心中的愁绪。在本文中，丁玲怀着痛惜之情，追忆了自己与萧红的一段短暂的交往。作者以四月延安的雨夜为背景，追忆了萧红的为人处世、自然直率的性格和悲惨的结局。文章写得跌宕起伏、情真意切，在准确刻画了萧红的音容笑貌的同时，也真实描摹了作者的内心世界，给人以良多的感慨和回味。

雨中登泰山

/ 李健吾

入选理由…………………………………
情景交融、夹叙夹议的手法并用
独具匠心的结构布局

从火车上遥望泰山，几十年来有好些次了，每次想起"孔子登东山而小鲁，登泰山而小天下"那句话来，就觉得过而不登，像是欠下悠久的文化传统一笔债似的。杜甫的愿望："会当凌绝顶，一览众山小。"我也一样有，惜乎来去匆匆，每次都当面错过了。

而今确实要登泰山了，偏偏天公不作美，下起雨来，淅淅沥沥，不像落在地上，倒像落在心里。天是灰的，心是沉的。我们约好了清晨出发，人齐了，雨却越下越大。等天晴吗？想着这渺茫的"等"字，先是憋闷。盼到十一点半

作者简介

李健吾（1906—1982），山西运城人。常用笔名刘西渭。从小喜欢戏剧和文学，1925年考入清华大学，先在中文系后转入西洋文学系，同年加入文学研究会。1931年赴法国巴黎现代语言专修学校，研究福楼拜。1933年回国，任复旦大学教授。与黄佐临等创办了上海实验戏剧学校，中华人民共和国成立后继任该校（改名为上海戏剧专科学校）戏剧文学系主任，1954年调北京大学文学研究所。1964年调中国科学院外国文学研究所，任研究员。曾任国务院学位委员会评议组成员、法国文学研究会名誉会长。

李健吾像

钟，天色转白，我不由喊了一句："走吧!"带动年轻人，挎起背包，兴致勃勃，朝岱宗坊出发了。

是烟是雾，我们辨识不清，只见灰蒙蒙一片，把老大一座高山，上上下下，裹了一个严实。古老的泰山越发显得崔嵬了。我们才过岱宗坊，震天的吼声就把我们吸引到虎山水库的大坝前面。七股大水，从水库的桥孔跃出，仿佛七幅闪光黄锦，直铺下去，碰着嶙嶙的乱石，激起一片雪白水珠，脱线一般，撒在回漩的水面。这里叫作虬在湾：据说虬早已被吕洞宾渡上天了，可是望过去，跳掷翻腾，像又回到了故居。我们绕过虎山，站到坝桥上，一边是平静的湖水，迎着斜风细雨，懒洋洋只是欲步不前，一边却暗噁叱咤，似有千军万马，躲在绮丽的黄锦底下。黄锦是方便的比喻，其实是一幅细纱，护着一幅没有经纬的精致图案，透明的白纱轻轻压着透明的米黄花纹——也许只有织女才能织出这种瑰奇的景色。

雨大起来了，我们拐进王母庙后的七真祠。这里供奉着七尊塑像，正面当中是吕洞宾，两旁是他的朋友铁拐李和何仙姑，东西两侧是他的四个弟子，所以叫作七真祠。吕洞宾和他的两位朋友倒也罢了，站在龛里的两个小童和柳树精对面的老人，实在是少见的传神之作。一般庙宇的塑像，往往不是平板，就是怪诞，造型偶尔美的，又不像中国人，跟不上这位老人这样逼真、亲切。无名的雕塑家对年龄和面貌的差异有很深的认识，形象才会这样栩栩如生。不是年轻人提醒我该走了，我还会欣赏下去的。

我们来到雨地，走上登山的正路，一连穿过三座石坊：一天门、孔子登临处和天阶。水声落在我们后面，雄伟的红门把山挡住。走出长门洞，豁然开朗，山又到了我们跟前。人朝上走，水朝下流，流进虎山水库的中溪陪我们，一直陪到二天门。悬崖峻嶒，石缝滴滴答答，泉水和雨水混在一起，顺着斜坡，流进山涧，涓涓的水声变成訇訇的雷鸣。有时候风过云开，在底下望见南天门，影影绰绰，耸立山头，好像并不很远；紧十八盘仿佛一条灰白大蟒，匍匐在山峡当中；更多的时候，乌云四合，层峦叠嶂都成了水墨山水。蹚过中溪水浅的地方，走不太远，就是有名的经石峪，一片大水漫过一亩大小的一个大石坪，光光的石头刻着一部《金刚经》，字有斗来大，年月久了，大部分都让水磨平了。回到正路，雨不知道什么时候已经住了，人走了一身汗，巴不得把雨衣脱下来，凉快凉快。说巧也巧，我们正好走进一座柏树林，阴森森的，亮了的天又变黑了，好像黄昏提前到了人间，汗不但下去，还觉得身子发冷，无怪乎人把这里叫作柏洞。我们抖擞精神，一气走过壶天阁，登了黄岘岭，发现沙石全是赤黄颜色，明白中溪的水为什么黄了。

　　靠住二天门的石坊，向四下里眺望，我又是骄傲，又是担心。骄傲我已经走了一半的山路，担心自己走不了另一半的山路。云薄了，雾又上来。我们歇歇走走，走走歇歇，如今已经是下午四点多了。困难似乎并不存在，眼前是一段平坦的下坡土路，年轻人跳跳蹦蹦走了下去，我也像年轻了一样，有说有笑，跟在他们后头。

　　我们在不知不觉中，从下坡路转到上坡路，山势陡峭，上升的坡度越来越大。路一直是宽整的，只有探出身子的时候，才知道自己站在深不可测的山沟边，明明有水流，却听不见水声。仰起头来朝西望，半空挂着一条两尺来宽的白带子，随风摆动，想凑近了看，隔着辽阔的山沟，走不过去。我们正在赞不绝口，发现已经来到了座石桥跟前，自己还不清楚是怎么一回事，细雨打湿了浑身上下。原来我们遇到另一类型的飞瀑，紧贴桥后，我们不提防，几乎和它撞个正着。水面有两三丈宽，离地不高，发出一泻千里的龙虎声威，打着桥下奇形怪状的石头，口沫喷得老远。从这时候起，山涧又从左侧转到右侧。水声淙淙，跟我们跟到南天门。

　　过了云步桥，我们开始走上攀登泰山主峰的盘道。南天门应该近了，由于山峡回环曲折，反而望不见了。野花野草，什么形状也有，什么颜色也有，挨挨挤挤，芊芊莽莽，要把巉岩的山石装扮起来。连我上了一点岁数的人，也学小孩子，掐了一把，直到花朵和叶子全蔫了，才带着抱歉的心情，丢在山涧里，随水漂去。但是把人的心灵带到一种崇高的境界的，却是那些"吸翠霞而夭矫"的松树。它们不怕山高，把根扎在悬崖绝壁的隙缝，身子扭得像盘龙柱子，在半空展开枝叶，像是和狂风乌云争夺天日，又像是和清风白云游戏。有的松树望穿秋水，不见你来，独自上到高处，斜上身子张望。有的松树像一顶墨绿大伞，支开了等你。有的松树自得其乐，显出一副潇洒的模样。不管怎么样，它们都让你觉得它们是泰山的天然的主人，谁少了谁，都像不应该似的。雾在对着松山的山峡飘来飘去，天色眼看黑将下来。我不知道上了多少石级，一级又一级，是乐趣也是苦趣，好像从我有生命以来就在登山似的，迈前脚，拖后脚，才不过走完慢十八盘。我靠住升仙坊，仰起头来朝上望，紧十八盘仿佛一架长梯，塔在南天门口。我胆怯了。新砌的石级窄窄的，搁不了整脚。怪不得东汉的应劭引用马第伯在《封禅仪记》里的话，这样形容："仰视天门，窔辽如从穴中视天，直上七里，赖其羊肠透迤，名曰环道，往往有絙索，可得而登也。两从者扶挟，前人相牵，后人见前人履底，前人见后人顶，如画重累人矣。所谓磨胸舁石，扪天之难也。"一位老大爷，斜着脚步，穿花一般，侧着身子，赶到我们前头。一位老大娘，挎着香袋，尽管脚小，也稳稳当当，从我们身边过去。我像应劭说的那样，"目视而脚不随"，抓住铁扶手，揪牢年轻人，走十几步，歇一口气，终于在下午七点钟，上到南天门。

心还在跳，腿还在抖，人到底还是上来了。低头望着新整然而长极了的盘道，我奇怪自己居然也能上来。我走在天街上，轻松愉快，像一个没事人一样。一排留宿的小店，没有名号，只有标记，有的门口挂着一只笊篱，有的窗口放着一对鹦鹉，有的是一根棒槌，有的是一条金牛，地方宽敞的摆着茶桌，地方窄小的只有炕几，后墙紧贴着峥嵘的山石，前面正对着万丈的深渊。别成一格的还有那些石头。古诗人形容泰山，说"泰山岩岩"，注解人告诉我：岩岩，积石貌。的确这样，山顶越发给你这种感觉。有的石头像莲花瓣，有的像大象头，有的像老人，有的像卧龙，有的错落成桥，有的兀立如柱，有的侧身探海，有的怒目相向。有的什么也不像，黑糊糊的，一动不动，堵住你的去路。年月久，传说多，登封台让你想象帝王拜山的盛况，一个光秃秃的地方会有一块石碣，指明是"孔子小天下处"。有的山池叫作洗头盆，据说玉女往常在这里洗过头发；有的山洞叫作白云洞，传说过去往外冒白云，如今不冒白云了，白云在山里依然游来游去。晴朗的天，你正在欣赏"齐鲁青未了"，忽然一阵风来，"荡胸生层云"，转瞬间，便像宋之问在《桂阳三日述怀》里说起的那样，"云海四茫茫"。是云吗？头上明明另有云在。看样子是积雪，要不也是棉絮堆，高高低低，连续不断，一直把天边变成海边。于是阳光掠过，云海的银涛像镀了金，又像着了火，烧成灰烬，不知去向，露出大地的面目。两条白线，曲曲折折，是漯河，是汶河。一个黑点子在碧绿的图案中间移动，仿佛蚂蚁，又冒一缕青烟。你正在指手画脚，说长道短，虚象和真象一时都在雾里消失。

　　我们没有看到日出的奇景。那要在秋高气爽的时候。不过我们也有自己的独得之乐：我们在雨中看到的瀑布，两天以后下山，已经不那样壮丽了。小瀑布不见，大瀑布变小了。我们沿着西溪，翻山越岭，穿过果香扑鼻的苹果园，在黑龙潭附近待了老半天。不是下午要赶火车的话，我们还会待下去的。山势和水势在这里别是一种格调，变化而又和谐。

　　山没有水，如同人没有眼睛，似乎少了灵性。我们敢于在雨中登泰山，看到有声有势的飞泉流布，倾盆大雨的时候，恰好又在斗母宫躲过，一路行来，有雨趣而无淋漓之苦，自然也就格外感到意兴盎然。

美/文/赏/析

　　我国五岳之宗泰山以它的高大宏伟成为历代作家吟诵、抒写的对象。不少作品中再现的景色多是晴朗天气中的泰山，而雨中泰山就十分少见了。李健吾先生在《雨中登泰山》这篇散文中，交错运用写景、叙事等手法，旁征博引，挥洒自如，独创了一个别具魅力的雨中泰山的艺术境界。阴雨淅沥，当不少游人的游兴被破坏而诅咒这鬼天气时，作者却满怀逸兴豪情地冒雨登山。在他看来，雨中的泰山就是宏伟壮丽的诗。用质朴的语言把诗情真实地抒写出来，在里面淡淡地蕴含着醇厚朴素的美，"看似寻常最奇崛，成如容易却艰辛"（王安石诗），仔细玩味，这篇散文的意蕴是深厚的。《雨中登泰山》是"双线结构"，一是以登临顺序为线索，这是明线；二是以登临时的盎然意兴为线索，这是暗线。两条线索相互交凝，针线严密，无懈可击。

菜园小记

/吴伯箫

入选理由⋯⋯⋯⋯⋯⋯⋯⋯⋯⋯
真实生活状态的记录
质朴中蕴含浓浓的诗情画意

种花好，种菜更好。花种得好，姹紫嫣红，满园芬芳，可以欣赏；菜种得好，嫩绿的茎叶，肥硕的块根和果实，却可以食用。俗话说："瓜菜半年粮。"

我想起在延安蓝家坪我们种的菜园来了。

说是菜园，其实是果园。那园里桃树杏树很多，还有海棠。每年春二三月，粉红的桃杏花开罢，不久就开绿叶衬托的艳丽的海棠花，很热闹。果实成熟的时候，杏是水杏，桃是毛桃，海棠是垂垂联珠，又是一番繁盛景象。

作者简介

吴伯箫（1906—1982），原名吴熙成，山东莱芜人。1925年考入北京师范大学英语系，同年开始文学创作，发表了处女作《白天与黑夜》。1931年大学毕业，曾在青岛大学、山东教育厅工作。这时期发表的散文后结集为《羽书》。1938年到延安，进入抗大学习。曾任陕甘宁边区文化协会秘书厅长、教育厅厅长。1942年参加延安文艺座谈会。抗战胜利后任华北联合大学中文系副主任。1951年任东北教育学院副院长。1954年任人民教育出版社副社长、副总编辑，后任中国社会科学院文学研究所副所长。

果园也是花园。那园里花的种类不少。木本的有蔷薇，木槿，丁香；草本的有凤仙，石竹，夜来香，江西腊，步步高，……草花不名贵，但是长得繁茂泼辣。甬路的两边，菜地的周围，园里的角角落落，密密丛丛地到处都是。草花里边长得最繁茂最泼辣的是波斯菊。这种花开得稠，有绛紫的，有银白的，一层一层，散发着浓郁的异香；也开得时间长，能装点整个秋天。这一点很像野生的千头菊。这种花称作"菊"，看来是有道理的。

说的菜园，是就园里的隙地开辟的。果树是围屏，草花是篱笆，中间是菜畦，共有三五处，面积大小不等，都是土壤肥沃、阳光充足、最适于种菜的地方。我们经营的那一处，三面是果树，一面是山坡；地形长方，面积约二三分。那是在大种蔬菜的时期我们三个同志在业余时间为集体经营的。收成的蔬菜归集体伙食，自己也有一份比较丰富的享用。

那几年，在延安的同志，大家都在工作、学习、战斗的空隙里种蔬菜。机关、学校、部队里吃的蔬菜差不多都能自给。那个时候没有提出种"十边"，可是见缝插针，很自然地"十边"都种了。窑洞的门前，平房的左右前后，河边，路边，甚至个别山头新开的土地都种了菜。

我们种的那块菜地，在那园里是条件最好的。土肥地整，曾经有人侍弄过，算是熟菜地。地的一半是韭菜畦。韭菜有宿根，不要费太大的劳力（当然要费些工夫），只要施施肥，培培土，浇浇水，出了九就能发出鲜绿肥嫩的韭芽。最难得的是，菜地西北的石崖底下有一个石寨，挖出石寨里的乱石沉泥，石缝里就涔涔地流出泉水。石寨不大，但是积一寨水恰好可以浇完那块菜地。积水用完，一顿饭的工夫又可以蓄满。水满的时间，一清到底，不溢不流，很有点像童话里的宝瓶，水用了还有，用了还有，不用就总是满着。泉水清冽，不浇菜也可以浇果树，或者用来洗头，洗衣服。"沧浪之水清兮，可以濯我缨；沧浪之水浊兮，可以濯我足。"这比沧浪之水还好。同样种菜的别的同志，菜地附近没有水泉，用水要到延河里去挑，不像我们三个，从石寨通菜地掏一条窄窄浅浅的水沟，用柳罐扛水，抬抬手就把菜浇了。大家都羡慕我们。我们也觉得沾了自然条件的光，仿佛干活掂了轻的，很不好意思，就下定决心要把菜种好，管好。

"庄稼一枝花，全靠粪当家。"为了积肥，大家趁早晚散步的时候到大路上拾粪，那里来往的牲口多，"只要动动手，肥源到处有"啊。我们请老农讲课，大家跟着学了不少知识。《万丈高楼从地起》的歌者，农民诗人孙万福，就是有名的老师之一。记得那个时候他是六十多岁，精神矍铄，声音响亮，讲话又亲切又质朴，那老当益壮的风度，到现在我还留着深刻的印象。跟那些老师，我们学种菜，种瓜，种烟。像种瓜要浸种、压秧，种烟要打杈、掐尖，很多实际学问我们都是边做边跟老师学的。有的学会烤烟，自己做挺讲究的纸烟和雪茄；有的学会蔬菜加工，做的番茄酱能吃到冬天；有的学会蔬菜腌渍、窖藏，使秋菜接上春菜。

种菜是细致活儿，"种菜如绣花"；认真干起来也很累人，就劳动量说，"一亩园十亩田"。但是种菜是极有乐趣的事情。种菜的乐趣不只是在吃菜的时候，像苏东坡在《菜羹赋》里所说的："汲幽泉以揉濯，抟露叶与琼根。"或者像他在《后杞菊赋》里所说的："春食苗，夏食叶，秋食花实而冬食根，庶几西河南阳之寿。"种菜的整个过程，随时都有乐趣。施肥，松土，整畦，下种，是花费劳动量最多的时候吧，那时蔬菜还看不到影子哩，可是"种瓜得瓜，种豆得豆"，就算种的只是希望，那希望也给人很大的鼓舞。因为那希望是用成实的种子种在水肥充足的土壤里的，人勤地不懒，出一分劳力就一定能有一分收成。验证不远，不出十天八天，你留心那平整湿润的菜畦吧，就从那里会生长出又绿又嫩又苗壮的瓜菜的新芽哩。那些新芽，条播的行列整齐，撒播的万头攒动，点播的傲然不群，带着笑，发着光，充满了无限生机。一棵新芽简直就是一颗闪亮的珍珠。"夜雨剪春韭"是老杜的诗句吧，清新极了；老圃种菜，一畦菜怕不就是一首更清新的诗？

暮春，中午，踩着畦垅间苗或者锄草中耕，煦暖的阳光照得人浑身舒畅。新鲜的泥土气息，素淡的蔬菜清香，一阵阵沁人心脾。一会儿站起来，伸伸腰，用手背擦擦额头的汗，看看苗间得稀还是稠，中耕得深还是浅，草锄得是不是干净，那时候人是会感到劳动的愉快的。夏天，晚上，菜地浇完了，三五个同志趁着皎洁的月光，坐在畦头泉边，吸吸烟，谈谈话，谈生活，谈社会和自然的改造。一边人声咯咯啰啰，一边在听菜畦里昆虫的鸣声。蒜在抽苔，白菜在卷心，芫荽在散发脉脉的香气。一切都使人感到一种真正的田园乐趣。

我们种的那块菜地里，韭菜以外，有葱、蒜，有白菜、萝卜，还有黄瓜、茄子、辣椒、西红柿，等等。农谚说："谷雨前后，栽瓜种豆。""头伏萝卜二伏菜。"虽然按照时令季节，各种蔬菜种得有早有晚，有时收了这种菜才种那种菜；但是除了冰雪严寒的冬天，一年里春夏秋三季，菜园里总是经常有几种蔬菜在竞肥争绿。特别是夏末秋初，你看吧：青的萝卜，紫的茄子，红的辣椒，又红又黄的西红柿，真是五彩斑斓，耀眼争光。

那年蔬菜丰收。韭菜割了三茬，最后吃了苔下韭（跟莲下藕一样，那是以老来嫩有名的），掐了韭花。春白菜以后种了秋白菜，细水萝卜以后种了白萝卜。园里连江西腊、波斯菊都要开败的时候，我们还收了最后一批西红柿。天凉了，西红柿吃起来甘脆爽口，有些秋梨的味道。我们还把通红通红的辣椒穿成串晒干了，挂在窑洞的窗户旁边，一直挂到过新年。

美/文/赏/析

吴伯箫的散文以质朴美著称。他的作品主题设计和创作基调单纯简练、峭拔明朗，为我们描绘出一幅幅具有强烈的真实感和鲜明的时代色彩的画卷。同时，在明朗朴实的画面之外，传达一种朴素的内在情感。《菜园小记》展现的是抗日战争时期延安大生产运动中，蓝家坪一道独特的风景，表现了当时延安人的乐观向上的精神面貌。

作者在开篇点明种菜的好处，"菜种得好，嫩绿的茎叶，肥硕的块根和果实，却可以食用"，可以收到"瓜菜半年粮"的效果，同时在菜地的周围还可以种果树、栽花，使菜园起到果园和花园的多重作用。其中，可以观看海棠"垂垂联珠"的盛景，可以陶醉于波斯菊飘来的浓郁的异香之中，但菜园中真正触动作者心弦的地方并不在于此。接下来，作者倾注全部心思，对种菜过程进行大篇幅的叙述，对于施肥浇水收获的细节进行具体的描述。作者说"种菜的整个过程，随时都有乐趣"作者将种菜当成一种超实用的活动，既是盼望丰收的辛勤劳作，又是一种全身心的享受。其时"在畦头泉边，吸吸烟，谈谈话，谈生活，谈社会和自然的改造"的田间休憩，更是一种人与人之间互相亲近、互相信任，富有人情味的关系的反映，是一种对未来充满希望的表现，是一种精神面貌的展现。

中国人与山水

/罗兰

入选理由··········
客观品评人物的态度
文笔流畅，感情真实
不失为大家之作

中国人对山水的看法和西方人有所不同。中国人游山玩水，是持着纯欣赏的态度，而不是持着运动的态度。而西方人则是抱着健行和征服的"壮志"。现在我们也有了这风气。

过去中国人谈游山，从未见有人说他"征服"了某个冰封雪冻的高山而引以为傲。中国人游山是欣赏它的深邃幽缈、高不可攀、深不可测的含蓄之美，所以说是"寻幽探胜"。"寻"与"探"，都意味着一种小心翼翼地赞叹激赏之情，即使不得不越过穷山恶水，也并不以自己此举是一种"征服"。

中国人对山的欣赏，是欣赏它林木森森的含蓄，和人迹罕至的空灵。唐朝诗人常用山林来造境，以表达他们的禅思和对大自然的喜爱。因此，他们笔下的山是："石泉淙淙若风雨，桂花松子常满地"的生机，"只在此山中，云深不知处"的幽谧，是"落叶满空山，何处寻行迹"的隐逸，是在人世的生活中，奋斗浮沉之余，

作者简介

罗兰（1919—2015），原名靳佩芬，河北省人。1948年只身到台湾省。从事音乐教育及广播工作多年。著有《罗兰小语》《罗兰散文》、长短篇小说、诗论、诗歌剧、散文体自传等多种，均畅销海峡两岸及海外。1969年获台湾《中山文艺》散文奖，1970年应美国国务院邀请赴美访问。1994年获广播金钟特别奖，1996年《岁月沉沙》"三部曲"获台湾文学界最高奖——第21届文学奖。1997年，《罗兰小语》列大陆畅销书排行榜。1987年被列入"英国剑桥名人录"。

给自己的心灵寻访一个自由通遥、无人干扰的空间，使人间桎梏得到解脱。所以，中国人游山是纯然精神上的快乐与解脱，绝无一丝欲要"征服"而后快的敌意。

寒山子有诗形容他被认为隐入寒岩的实际境界是：君问寒山道，寒山路不通。夏天冰未释，日出雾朦胧。似我何由届，与君心不同。君心若似我，还得到其中。

人们不去体会他这首偈语般的诗，而误以为他真的隐入寒岩去了。于是，美国嬉皮起而仿效，结果无功而返。

寒山子并没有去"征服"寒岩，他的"隐入寒岩"是"与君心不同"。所以你要问他"似我何由届"？那就是不懂得中国人所重视的"心境"了。"隐"是心的事，而不是实际行动的事。没有人能在"夏天冰未释，日出雾朦胧"的寒岩生存。寒山子只是不想让人知道他在人世间的某一个角落，避开扰攘纷争的纠缠而已。

如果他真是能在寒岩生存，那他岂不就是今天世界上的登山专家，可以去征服额非尔士峰而毫不费力了？但那又岂是中国诗哲所赞赏追求的境界？

中国诗人都爱山，"五岳寻仙不辞远"，而他们的态度是谦和的，心情是轻松的，出发点是爱与诚服的。他们不觉得山有去"征服"的必要。除非你是像西方侵略者那样，要去别国的边境，偷偷插上一面属于他们自己的国旗。那便不是游山，也不是健行，而变成侵略与偷袭了。

再看中国人对水的态度，也与西方人有所不同。我常觉得中国人都是天生的道家，而道家哲学的具体象征就是"水"。从老子的"上善若水，水善利万物而不争"到"江海所以能为百谷王者，以其善下之"，到庄子秋水篇，借河伯与海若来比喻见识的小与大，渔父篇，借江上渔父来象征一种不屑世俗仪节的超然，都是用"水"来给人造成浩阔博大的思想境界，然后才对照出个人的渺小。因此，中国人游山玩水的"玩"，是"玩味"的"玩"，而不是介入其中的玩。文人乘月泛舟，静态多于动态，用心灵多于用体力。最高境界的"玩水"，是像苏东坡赤壁赋里的玩法，是静观的。由观赏"澄江似练"和"月出于东山之上，徘徊于斗牛之间"而想象到自己可以"羽化而登仙"。最后体悟到"逝者如斯而未尝往也，盈虚者如彼，而卒莫消长也，盖将自其变者而观之，则天地不曾以一瞬，自其不变者而观之，则物与我皆无尽也……"的哲思。用这种哲思来面对世界宇宙，则不会演变成杀伐黩武或破坏自然生态的可怕结局。

　　中国人是天生的哲学家。我们几乎可以从日常一切活动之中提炼出令人感动的意义。即使游玩，也不强调表面的体力活动。历来文人与武人都不鼓励匹夫之勇，诗人李白好任侠，喜登山，却不曾听说他夸耀过自己"征服"了多少山头，而只说"五岳寻仙不辞远，一生好入名山游"。他爱水，"举杯邀明月，对影成三人"，甚至传说他醉后想向水中捞月而淹死，不曾听说他创了游过某条长河的纪录。他们饮酒是为了赋诗，游山是为了寻真，玩水是为了旷怀，郊游是为了陶冶性灵。著名登山旅行家徐霞客或许比较特殊，他是为了探寻地理山形，不是纯欣赏，但也未闻他以"征服某山"自我夸耀，他只是向大地求知而已。

　　中国人欣赏山水的态度也可以从山水画中看出。世界各国的画家，除日、韩等亚洲国家，受中国的影响，有专门的山水画家之外，西方国家并不以山水画作为一个画派。也说明了东西两方对世界的看法角度之不同。国画中绝少穷山恶水，纵使孤峰插云，仍不会给人险恶的感觉。多数山水画，在层峦叠嶂之间，细看总有曲径通幽，所谓"已通樵径行还碍，似有人声近却无"。在涧水之上，或有小桥可通山径，隐约可达茅屋一椽，想象当是隐者的居处。即使怪石嶙峋，仍有草木点缀其间。雪景则温柔如堆絮，故宫博物院收藏后人临摹王维的《雪石图》、燕肃的《寒岩积雪图》，都只使人觉得幽静之至，却又深藏着生机，而不使人感到惊惧可畏，望而却步。五代人所绘《雪渔图》中的渔父，在水滨竹林间，冒雪瑟缩，画家却把他的衣服衬以彩笔着色，立刻使人感到寒中有暖，这渔父，不是无家可归，这是中国古人借艺术所表达的对世界的善意与爱惜，显现温柔敦厚之美。使人无论读诗看画，在孤高超诣之中却能感到无限的温和与安慰。说明尽管文人雅士向往离群索居的隐逸生涯，却并不是真的厌恨人间。王维的《终南别业》，虽然"终年无客常闭关，终日无心常自闲"，但是仍然邀约好友"可以饮酒复垂钓，君但能来相往还"。这样的隐入山中，是十分感情的。

你也许会说，那是因为写诗作画的人是文人的缘故，所以不以攀登高山去强调勇气与体力。不过，如果你细读中国各式武侠小说，其中却更不乏山中的高人隐士、武林的大侠。他们隐居山林，志节高蹈，是武人中的智者，其生活情调典雅悠闲，是中国人对侠客最崇仰的一项因素。武人也不逞匹夫之勇。武侠小说中之逞强斗力的角色都是配角。在中国武人心中，大自然也是宗师，而不是要求征

118

服的对象。中国武术招式常采取动物的动作，也是以自然为宗师之一例。

"征服"山头，是人与自然站在敌对立场，来显示人类的强大。事实上，人类只可以"到达"某些山头，却并不能"征服"它。中国诗人笔下的"寻幽探胜"是"认识"二字的美化。

用"征服"的心情，专找穷山恶水去冒险，和中国式的游山玩水，在趣味上和格调上，是截然不同的两回事。前者是敌对，后者是爱惜。

人类登月是伟大的成功，但与其说这是"征服"了月亮，不如说是超越了自己，创造了历史和进一步了解了大自然。因为月亮上尽管有了人类的足迹，但在人类的世界里，仍然是"何处春江无月明"。

人类有史以来，确实克服了无数自然界的阻力，创造了文明，这是值得夸耀的一面，但人类真正的成功，还是要与自然合作而善用自然，因"征服"而贬损了对自然界的欣赏，固非人类之福；因"征服"破坏了自然界运行的秩序，恐怕更是人类之祸了。

美/文/赏/析

罗兰是台湾著名的女作家。她的散文并不囿于女性作家固有的狭窄空间，优美而不失深刻的文笔，体现着对社会较为宽广的折射和较为深刻的理解。读罗兰散文，如在月朗星疏的盛夏之夜欣赏门前莲池中风姿摇曳的莲花，既可享受她文字中的清雅灵动，又能体味字里行间如广阔星空般的旷达情怀。《中国人与山水》便是这样的一篇文章。

《中国人与山水》中罗兰说："中国的文人们"，"饮酒是为了赋诗，游山是为了寻真，玩水是为了旷怀，郊游是为了陶冶性灵"，而如徐霞客的登山游历，则是为了"向大地求知而已"，毫无征服的世俗目的。罗兰欣赏中国传统知识分子在自然山水中所得出的人生境界，她认为中国人与自然山水间，是一个最为和谐的统一，因为作者认为"中国人游山是纯然精神上的快乐与解脱，绝无一丝欲要征服而后快的敌意"。在作者眼里，中国人是相对成功的，因为他们懂得如何与自然合作，而人类真正的成功不正在于"与自然合作而善用自然"吗？字里行间洋溢着对于中国传统文化的挚爱，这在各种文化现象芜杂的当代，实属难得。热爱中华民族传统文化是罗兰散文中的一根主线，于是由此穿起的如珠如玑的片片文字，便有了非凡的光彩，这正是《中国人与山水》的魅力之所在。

花　潮

/李广田

入选理由…………………
诗化的美文的经典代表
借景抒情，情景交融

昆明有个圆通寺。寺后就是圆通山。从前是一座荒山，现在是一个公园，就叫圆通公园。

公园在山上。有亭，有台，有池，有榭，有花，有树，有鸟，有兽。

后山沿路，有一大片海棠，平时枯枝瘦叶，并不惹人注意，一到三四月间，真是花团锦簇，变成一个花世界。

这几天天气特别好，花开得也正好，看花的人也就最多。"紫陌红尘拂面来，无人不道看花回"，办公室里，餐厅里，晚会上，道路上，经常听到有人问答："你去看海棠没有？""我去过了。"或者说："我正想去。"到了星期天，道路相逢，多争说圆通山海棠消息。一时之间，几乎形成一种空气，甚至是一种压力，一种诱惑，如果谁

李广田像

作者简介

李广田（1906—1968），山东邹平人。1923年考入济南第一师范后，开始接触"五四"以来兴起的新思潮、新文学。1929年入北京大学外语系预科，先后在《华北日报》副刊和《现代》杂志上发表诗歌、散文。1935年北京大学毕业，回济南教书，继续散文创作。1941年秋至昆明，在昆明西南联大任教。抗战胜利后，他先后在南开大学、清华大学任教。中华人民共和国成立后任清华大学中文系主任。1951年任清华副教务长。1952年调任云南大学副校长、校长。历任中国科学院云南分院文学研究所所长、作协云南分会副主席、中国作协理事等。

没有到圆通山看花，就好像是一大憾事，不得不挤点时间，去凑个热闹。

星期天，我们也去看花。不错，一路同去看花的人可多着哩。进了公园门，步步登山，接踵摩肩，人就更多了。向高处看，隔看密密层层的绿荫，只见一片红云，望不到边际，真是"寺门尚远花先来，漫天锦绣连云开"。这时候，什么苍松啊，翠柏啊，碧梧啊，修竹啊，……都挽不住游人。大家都一口气地攀到最高峰，淹没在海棠花的红海里。后山一条大路，两旁，四周，都是海棠。人们坐在花下，走在路上，既望不见花外的青天，也看不见花外还有别的世界。花开得正盛，来早了，还未开好，来晚了已经开败，"千朵万朵压枝低"，每棵树都炫耀自己的鼎盛时代，每一朵花都在微风中枝头上颤抖着说出自己的喜悦。"喷云吹雾花无数，一条锦绣游人路"，是的，是一条花巷，一条花街，上天下地都是花，可谓花天花地。可是，这些说法都不行，都不足以说出花的动态，"四厢花影怒于潮"，"四山花影下如潮"，还是"花潮"好。古人写诗真有他的，善于说出要害，说出花的气势。你不要乱跑，你静下来，你看那一望无际的花，"如钱塘潮夜澎湃"，有风，花在动，无风，花也潮水一般地动，在阳光照射下，每一个花瓣都有它自己的阴影，就彷佛多少波浪在大海上翻腾，你越看得出神，你就越感到这一片花潮正在向天空向四面八方伸展，好像有一种生命力在不断扩展。而且，你可以听到潮水的声音，谁知道呢，也许是花下的人语声，也许是花丛中蜜蜂嗡嗡声，也许什么地方有黄莺的歌声，还有什么地方送来看花人的琴声，歌声，笑声……这一切交织在一起，再加上风声，天籁人籁，就如同海上午夜的潮声。大家都是来看花的，可是，这个花到底怎么看法？有人走累了，拣个最好的地方坐下来看，不一会，又感到这里不够好，也许别个地方更好吧，于是站起来，既依依不舍，又满怀向往，慢步移向别处去。多数人都在花下走来走去，这棵树下看看，好，那棵树下看看，也好，伫立在另一棵树下仔细端详一番，更好，看看，想想，再看看，再想想。有人很大方，只是驻足观赏，有人贪心重，伸手牵过一枝花来摇摇，或者干脆翘起鼻子一嗅，再嗅，甚至三嗅。"天公斗巧乃如此，令人一步千徘徊"。人们面对这绮丽的风光，真是徒唤奈何了。

老头儿们看花，一面看，一面自言自语，或者嘴里低吟着什么。老妈妈看花，扶着拐杖，牵着孙孙，很珍惜地折下一朵，簪在自己的发髻上。青年们穿得整整齐齐，干干净净，好像参加什么盛会，不少人已经穿上雪白的衬衫，有的甚至是绸衬衫，有的甚至已是短袖衬衫，好像夏天已经来到他们身上，东张张，西望望，既看花，又看人，洋气得很。青年妇女们，也都打扮得利利落落，很多人都穿着花衣花裙，好像要与花争妍，也有人擦了点胭脂，抹了点口红，显得很突出，可是，在这花世界里，又叫人感到无所谓了。很自然地想起了龚自珍《西郊落花歌》中说的，"如八万四千天女洗脸罢，齐向此地倾胭脂"，真也有点形容过分，反而没有真实感了。小学生们，系着漂亮的红领巾，带着弹弓来了，可是他们并没有射击，即便有鸟，也不射了，被这一片没头没脑的花惊呆了。画家们正调好了颜色对花写生，看花的人又围住了画花的，出神地看画家画花。喜欢照相的人，抱着相机跑来跑去，不知是照花，还是照人，是怕人遮了花，还是怕花遮了人，还是要选一个最好的镜头，使如花的人永远伴着最美的花。有人在花下喝茶，有人在花下弹琴，有人在花下下象棋，有人在花下打桥牌。昆明四季如春，四季有花，可是不管山茶也罢，报春也罢，梅花也罢，杜鹃也罢，都没有海棠这样幸运，有这么多人，这样热热闹闹地来访它，来赏它，这样兴致勃勃地来赶这个开花的季节。还有桃花什么的，目前也还开着，在这附近，就有几树碧桃正开，"猩红鹦绿天人姿，回首夭桃恼失色"，显得冷冷落落地待在一旁，并没有谁去理睬。在这圆通山头，可以看西山和滇池，可以看平林和原野，可是这时候，大家都在看花，什么也顾不得了。

看着看着，实在也有点疲乏，找个地方坐下来休息一下吧，哪里没有人？都是人。坐在一群看花人旁边，无意中听人家谈论，猜想他们大概是哪个学校的文学教师。他们正在吟诗谈诗。

一个吟道："泪眼问花花不语，乱红飞过秋千去。"

一个说："这个不好，哪来的这么些眼泪！"

另一个吟道："一片花飞减却春，风飘万点正愁人。"

又一个说："还是不好，虽然是诗圣的佳句，也不好。"

一个青年人抢过去说："'繁枝容易纷纷落，嫩蕊商量细细开'，也是杜诗，好不好？"

一个人回答："好的，好的，思想健康，说的是新陈代谢。"

一个人不等他说完就接上去："好是好，还不如龚定庵的'落红不是无情物，化作春泥更护花'，有辩证观点，乐观精神。"

有一个人一直不说话，人家问他，他说："天何言哉，四时兴焉，万物生焉。天何言哉，桃李无言，下自成蹊。你们看，海棠并没有说话，可是大家都被吸引来了。"

我也没有说话。想起泰山高处有人在悬崖上刻了四个大字："予欲无言"，其实也甚是多事。

回家的路上，还是听到很多人纷纷议论。

有人说："今年的花，比去年好，去年，比前年好，解放以前，谈不到。"

有人说："今天看花好，今夜睡梦好，明天工作好。"

有人说："明天作文课，给学生出题目，有了办法。"

有人说："最好早晨来看花，迎风带露的花，会更娇更美。"

有人说："雨天来看花更好，海棠著雨胭脂透，当然不是大雨滂沱，而是斜风细雨。"

有人说："也许月下来看花更好，将是花气氤氲。"

有人说："下星期再来看花，再不来就晚了。"

有人说："不怕花落去，明年花更好。"

好一个"明年花更好"。我一面走着，一面听人家说着，自己也默念着这样两句话：

春光似海，
盛世如花。

美/文/赏/析

《花潮》是"汉园三诗人"之一的李广田写于1962年的散文。文字优美，字里行间飞扬着欢快的旋律，可以说既是作者赏花的所见所闻，又是作者获得平反后舒畅心情的抒发。《花潮》其实是写了三"潮"：花开如潮。从静态、动态、听觉等角度正面来写花的繁茂。各种修辞手法的运用使文字熠熠生辉。赏花人潮。这一部分写了游人举动、赏花情形和赏花行动。这部分中列举了老人、青年、妇女、孩子置于花潮的各种表现，从侧面烘托了花的美，也表现了人们安定、喜悦的心情。作者欢快的情感也溢于言表。谈花热潮。这一部分是点明主旨，升华感情的部分。"明年花更好"，表明了作者对未来的美好憧憬。这一节中笑语喧哗的对话描写，使文章显得更加灵动、妙趣横生。

春 雨

/ 梁遇春

入选理由……………………………………
表现人间至纯至美的境界
发掘生活每一处生机
近代散文名篇

　　整天的春雨，接着是整天的春阴，这真是世上最愉快的事情了。我向来厌恶晴朗的日子，尤其是娇阳的春天；在这个悲惨的地球上忽然来了这么一个欣欢的气象，简直像无聊赖的主人宴饮生客时拿出来的那副古怪笑脸，完全显出宇宙里的白痴成分。在所谓大好的春光之下，人们都到公园大街或者名胜地方去招摇过市，像猩猩那样嘻嘻笑着，真是得意忘形，弄到变成为四不像了。

　　可是阴霾四布或者急雨滂沱的时候，就是最沾沾自喜的财主也会感到苦闷，因此也略带了一些人的气味，不像好天气时候那样望着阳光，盛气凌人地大踏步走着，颇有上帝在上，我得其所的意思。至于懂得人世哀怨的人们，黯淡的日子可说是他们唯一光荣的时光。苍穹替他们流泪，乌云替他们皱眉，他们觉到四围都是同情的空气，仿佛一个堕落的女子躺在母亲怀中，看见慈母一滴滴的热泪溅到自己的泪痕，真是润遍了枯萎的心田。斗室中默坐着，忆念十载相违的密友，已经走去的情人，想起生平种种的坎坷，一身经历的苦楚，倾听窗外檐前凄清的滴沥，

作者简介

梁遇春(1906—1932),福建闽侯人,1924年进入北京大学英文系学习。1928年秋毕业后曾到上海暨南大学任教。翌年返回北京大学图书馆工作。后因染急性猩红热,猝然去世。文学活动始于大学学习期间,主要是翻译西方文学作品和写作散文。1926年开始陆续在《语丝》《奔流》《骆驼草》《现代文学》《新月》等刊物上发表散文,后大部分收入《春醪集》和《泪与笑》。

仰观波涛浪涌,似无止期的雨云,这时一切的荆棘都化做洁净的白莲花了,好比中古时代那班圣者被残杀后所显的神迹。"最难风雨故人来",阴森森的天气使我们更感到人世温情的可爱,替从苦雨凄风中来的朋友倒上一杯热茶时候,我们很有放下屠刀,立地成佛的心境。"风雨如晦,鸡鸣不已",人类真是只有从悲哀里滚出来才能得到解脱,千锤百炼,腰间才有这一把明晃晃的钢刀,"今日把似君,谁为不平事"。"山雨欲来风满楼",这很可以象征我们孑立人间,尝尽辛酸,远望来日大难的气概,真好像思乡的客子拍着栏杆,看到郭外的牛羊,想起故里的田园,怀念着宿草新坟里当年的竹马之交,泪眼里仿佛模糊辨出龙钟的父老蹒跚走着,或者只瞧见几根靠在破壁上的拐杖的影子。所谓生活术恐怕就在于怎么样当这么一个临风的征人罢。无论是风雨横来,无论是澄江一练,始终好像惦记着一个花一般的家乡,那可说就是生平理想的结晶,蕴在心头的诗情,也就是明哲保身的最后壁垒了;可是同时还能够认清眼底的江山,把住自己的步骤,不管这个异地的人们是多么残酷,不管这个他乡的水土是多么不惯,却能够清瘦地站着,戛戛然好似狂风中的老树。能够忍受,却没有麻木，能够多情，却不流于感伤，仿佛楼前的春雨，悄悄下着，遮住耀目的阳光，却滋润了百草同千花。檐前的燕子躲在巢中，对着如丝如梦的细雨呢喃，真有点像在向我道出此中的消息。

可是春雨有时也凶猛得可以，风驰电掣，从高山倾泻下来也似的，万紫千红，都付诸流水，看起来好像是煞风景的，也许是别有怀抱罢。生平性急，一二知交常常焦急万分地苦口劝我，可是暗室扪心，自信绝不是追逐事功的人，不过对于纷纷扰扰的劳生却常感到厌倦，所谓性急无非是疲累的反响罢。有时我却极有耐心，好像废殿上的琉璃瓦，一任他风吹雨打，霜蚀日晒，总是那样子痴痴地望着空旷的青天。我又好像能够在无字碑面前坐下，慢慢地去冥想这块石板的深意，简直是个蒲团已碎，呆然跌坐着的老僧，想赶快将世事了结，可以抽身到紫竹林中去逍遥，更把世事撇在一边，大隐隐于市，就站在热闹场中来仰观天上的白云，这两种心境原来是不相矛盾的。我虽然还没有，而且绝不会跳出入海的波澜，但是拳拳之意自己也略知一二，大概摆动于焦燥与倦怠之间，总以无可奈何天为中心罢。所以我虽然爱蒙蒙茸茸的细雨，我也爱大刀阔斧的急雨，纷至沓来，洗去阳光，同时也洗去云雾，使我们想起也许此后永无风恬日美的光阴了，也许老是一阵一阵的暴雨，将人世哀乐的踪迹都漂到大海里去，白浪一翻，什么渣滓也看不出了。焦燥同倦怠的心境在此都得到涅槃的妙悟，整个世界就像客走后，撤下筵席洗得顶干净，排在厨房架子上的杯盘。当个主妇的创造主看着大概也会微笑罢，觉得一天的工作总算告终了。最少我常常臆想这个还了本来面目的大地。

可是最妙的境界恐怕是尺牍里面那句烂调，所谓"春雨缠绵"罢。一连下了十几天的霉雨，好像再也不会晴了，可是时时刻刻都有晴朗的可能。有时天上现出一大片的澄蓝，雨脚也慢慢收束了，忽然间又重新点滴凄清起来，那种捉摸不到，万分别扭的神情真可以做这个哑谜一般的人生的象征。记得十几年前每当连朝春雨的时候，常常剪纸作和尚形状，把他倒贴在水缸旁边，意思是叫老天不要再下雨了，虽然看到院子里雨脚下一粒一粒新生的水泡我总觉到无限的欣欢，尤其当急急走过檐前，脖子上溅几滴雨水的时候。可是那时我对于春雨的情趣是不知不觉之间领略到的，并没有凝神去寻找，等到知道怎么样去欣赏恬适的雨声时候，我却老在干燥的此地做客，单是夏天回去，看看无聊的骤雨，过一过雨瘾罢了。因此"小楼一夜听春雨"的快乐当面错过，从我指尖上滑走了，盛年时候好梦无多，到现在彩云已散，一片白茫茫，生活不着边际，如堕五里雾中，对于春雨的怅惘只好算做内中的一小节罢，可是仿佛这一点很可以代表我整个的悲哀情绪。但是我始终喜欢冥想春雨，也许因为我对于自己的愁绪很有顾惜爱抚的意思；我常常把陶诗改过来，向自己说道："衣沾不足惜，但愿恨无违。"我会爱凝恨也似的缠绵春雨，大概也因为自己有这种的心境罢。

美/文/赏/析

在现代文学中，有鲁迅为代表的杂文，富于战斗性和时代气息；有林语堂为代表的小品文，文人气息浓厚，人生意境悠远；再有就是以徐志摩、梁实秋、叶公超、梁遇春为代表的小品文，师法英美小品风格，幽默、诙谐、冷静中，自有一派绅士风度。梁遇春是这个阵营中一位短命而天才的作家。关于他的文章。唐师曾说："文苑中难得有像他那样的才气，像他那样的绝顶聪明，像他那样顾盼多姿的风格。"他善于抓住生活中每一处生机，甚至将一些了无生趣的事物也表现得风姿绰约、有声有色，在苍凉的尘世中自娱自乐，也给旁人以生活的慰藉，这就是梁遇春散文独特的文学价值。

《春雨》是梁遇春的一篇写景抒情散文，文章借写春雨，来抒发人生感悟。文章开篇说"整天的春雨，接着是整天的春阴，这真是世上最愉快的事情了。"开篇点题，表明作者对于"春雨"的感情，作者认为春雨可以"带来一些人的气味"，是"慈母的一滴滴眼泪"，在春雨中可以听雨燕呢喃，可以"怀念着宿草新坟里当年的竹马之交"，可以依稀望见年迈老父的倚壁的拐杖。而这些不过是人间最普通的东西，在作者眼中，它们却代表了一种人间至纯至美的真情。作者表面说喜爱"春雨"，实际上是留恋雨外那份温暖美好的人情。这是雨中的景致，更是人间的景致。

囚绿记

/ 陆蠡

入选理由……………………………………
陆蠡的散文代表作之一
托物言志的精品
构思精巧，文笔清新流丽

这是去年夏间的事情。

我住在北平的一家公寓里。我占据着高广不过一丈的小房间，砖铺的潮湿的地面，纸糊的墙壁和天花板，两扇木格子嵌玻璃的窗，窗上有很灵巧的纸卷帘，这在南方是少见的。

窗是朝东的。北方的夏季天亮得快，早晨五点钟左右太阳便照进我的小屋，把可畏的光线射个满室，直到十一点半才退出，令人感到炎热。这公寓里还有几间空房子，我原有选择的自由的，但我终于选定了这朝东房间，我怀着喜悦而满足的心情占有它，那是有一个小小理由。

这房间靠南的墙壁上，有一个小圆窗，直径一尺左右。窗是圆的，却嵌着一块六角形的玻璃，并且左下角是打碎了，留下一个大孔隙，手可以随意伸进伸出。圆窗外面长着常春藤。当太阳照过它繁密的枝叶，透到我房里来的时候，便有一片绿影。我便是欢喜这片绿影才选定这房间的。当公寓里的伙计替我提了随身小提箱，领我到这房间来的时候，我瞥见这绿影，感觉到一种喜悦，便毫不犹疑地

作者简介

陆蠡（1908—1942），笔名陆敏、六角等，浙江天台人。早年毕业于上海劳动大学，后在杭州中学等校任教。1932 年起任上海文化生活出版社编辑。1938 年创办《少年读物》杂志。抗战期间，留守上海坚持工作。1942 年惨遭日军杀害。主要作品有散文集《海星》《竹刀》《囚绿记》等，另有译著多部。

决定下来，这样了截爽直使公寓里伙计都惊奇了。

绿色是多宝贵的啊！它是生命，它是希望，它是慰安，它是快乐。我怀念着绿色把我的心等焦了。我欢喜看水白，我欢喜看草绿。我疲累于灰暗的都市的天空和黄漠的平原，我怀念着绿色，如同涸辙的鱼盼等着雨水！我急不暇择的心情即使一枝之绿也视同至宝。当我在这小房中安顿下来，我移徙小台子到圆窗下，让我的面朝墙壁和小窗。门虽是常开着，可没人来打扰我，因为在这古城中我是孤独而陌生。但我并不感到孤独。我忘记了困倦的旅程和已往的许多不快的记忆。我望着这小圆洞，绿叶和我对语。我了解自然无声的语言，正如它了解我的语言一样。

我快活地坐在我的窗前。度过了一个月，两个月，我留恋于这片绿色。我开始了解渡越沙漠者望见绿洲的欢喜，我开始了解航海的冒险家望见海面飘来花草的茎叶的欢喜。人是在自然中生长的，绿是自然的颜色。

我天天望着窗口常春藤的生长。看它怎样伸开柔软的卷须，攀住一根缘引它的绳索，或一茎枯枝；看它怎样舒开折叠着的嫩叶，渐渐变青，渐渐变老，我细细观赏它纤细的脉络，嫩芽，我以揠苗助长的心情，巴不得它长得快，长得茂绿。下雨的时候，我爱它淅沥的声音，婆娑的摆舞。

忽然有一种自私的念头触动了我。我从破碎的窗口伸出手去，把两枝浆液丰富的柔条牵进我的屋子里来，教它伸长到我的书案上，让绿色和我更接近，更亲密。我拿绿色来装饰我这简陋的房间，装饰我过于抑郁的心情。我要借绿色来比喻葱茏的爱和幸福，我要借绿色来比喻猗郁的年华。我囚住这绿色如同幽囚一只小鸟，要它为我作无声的歌唱。

绿的枝条悬垂在我的案前了，它依旧伸长，依旧攀缘，依旧舒放，并且比在外边长得更快。我好像发现了一种"生的欢喜"，超过了任何种的喜悦。从前我有个时候，住在乡间的一所草屋里，地面是新铺的泥土，未除净的草根在我的床下茁出嫩绿的芽苗，蕈菌在地角上生长，我不忍加以剪除。后来一个友人一边说一边笑，替我拔去这些野草，我心里还引为可惜，倒怪他多事似的。

可是每天早晨，我起来观看这被幽囚的"绿友"时，它的尖端总朝着窗外的方向。甚至于一枚细叶，一茎卷须，都朝原来的方向。植物是多固执啊！它不了解我对它的爱抚，我对它的善意。我为了这永远向着阳光生长的植物不快，因为它损害了我的自尊心。可是我囚系住它，仍旧让柔弱的枝叶垂在我的案前。

它渐渐失去了青苍的颜色，变得柔绿，变成嫩黄；枝条变成细瘦，变成娇弱，好像病了的孩子。我渐渐不能原谅我自己的过失，把天空底下的植物移锁到暗黑的室内；我渐渐为这病损的枝叶可怜，虽则我恼怒它的固执，无亲热，我仍旧不放走它。魔念在我心中生长了。

我原是打算七月尾就回南方去的。我计算着我的归期，计算这"绿囚"出牢的日子。在我离开的时候，便是它恢复自由的时候。

卢沟桥事件发生了。担心我的朋友电催我赶速南归。我不得不变更我的计划，在七月中旬，不能再留连于烽烟四逼中的旧都，火车已经断了数天，我每日须得留心开车的消息。终于在一天早晨候到了。临行时我珍重地开释了这永不屈服于黑暗的囚人。我把瘦黄的枝叶放在原来的位置上，向它致诚意的祝福，愿它繁茂苍绿。

离开北平一年了。我怀念着我的圆窗和绿友。有一天，得重和它们见面的时候，会和我面生么？

美/文/赏/析

《囚绿记》写于1938年，当时正是"祖国蒙受极大耻辱的时候"（陆蠡语）。作者困居"孤岛"上海，怀念起一年前住在北平公寓的生活，借公寓窗外的一株常春藤，抒发自己热爱自由、向往光明、仇恨敌寇的感情。作者在文中以"绿"为主题，以"恋绿—囚绿—释绿—念绿"为线索行文，描绘了常春藤在自由生长时的活脱可爱和被幽囚后的倔强不屈，委婉、含蓄地抒发了自己对生活的热爱和对光明的追求，赞美永不屈服的民族精神。文章运用象征和拟人手法，构思精巧，文笔清新流丽，充满诗意的韵律美。

故园春

/ 柯灵

入选理由·····················
文字优美，主题深沉，一个时代的缩影
自然平淡而饱含辛酸
具有批判精神

故乡的三月，是田园诗中最美的段落。

桃花笑靥迎人，在溪边山脚，屋前篱落，浓淡得宜，疏密有致，尽你自在流连，尽情欣赏，不必像上海的摩登才子，老远地跑到香烟缭绕的龙华寺畔，向卖花孩子手中购取，装点风雅。

冬眠的草木好梦初醒，抽芽，生叶，嫩绿新翠，妩媚得像初熟的少女，不似夏天的蓊蓊郁郁，少妇式的丰容盛鬓。油菜花给遍野铺满黄金，紫云英染得满地妍红，软风里吹送着青草和豌豆花的香气，燕子和黄莺忘忧的歌声……

这大好的阳春景色，对大地的主人却只有一个意义："一年之计在于春。"春天对乡下人不代表诗情画意，却孕育着梦想和希望。

天寒地裂的严冬过去了。忍饥挨冻总算又捱过一年。自春徂秋，辛苦经营的

作者简介

柯灵（1909—2000），原名高季琳。原籍浙江绍兴，生于广州。1926年在上海《妇女杂志》发表叙事诗《织布的妇人》而步入文坛。1931年冬到上海参与左翼作家联盟的文艺活动。1941年与师陀合作根据高尔基的话剧《底层》改编成话剧剧本《夜店》（后改编成电影），产生广泛的影响。1948年到香港《文汇报》工作。1949年回到上海，次年加入中国共产党。中华人民共和国成立后，历任《文汇报》副社长兼副总编辑、上海电影艺术研究所所长、上海作家协会书记处书记、国际笔会上海中心主席等职。

粮食——那汗水淘洗出来的粒粒珍珠，让"收租老相公"开着大船下乡，升较斗量，满载而去。咬紧牙齿，勒紧裤带，渡过了缴租的难关，结账还债的年关，好容易春天姗姗地来了。

谢谢天！现在总算难得让人缓过一口气，脱下破棉袄，赤了膊到暖洋洋的太阳下做活去。

手把锄头，翻泥锄草，一锄一个美梦，巴望来个难得的好年景。虽说惨淡的光景几乎年不如年，春暖总会给人带来一阵欢悦和松爽。

在三月里，日子也会照例显得好过些。"春花"起了：春笋正好上市，豌豆蚕豆开始结荚，有钱人爱的就是尝新；收过油菜子，小麦开割也就不远。春江水暖，鲜鱼鲜虾正在当令，只要你有功夫下水捕捞。……干瘪的口袋活络些了，但一过春天，就得准备端阳节还债，准备租牛买肥料，在大毒日头底下去耘田种稻。挖肉补疮，只好顾了眼前再说。

家里有孩子的，便整天被打发到垄头坡上，带一把小剪刀，一只蔑青小篮子，三五结伴，坐在绿茸茸的草场上，细心地从野草中间剪荠菜、马兰头、黄花麦果，或者是到山上去摘松花，一边劳动，一边唱着顽皮的歌子消遣：

荠菜马兰头，

姊姊嫁亨（在）后门头；

后门春破我来修，

修得两只奶奶头。

女孩子就唱那有情有义的山歌：

油菜开花黄似金，

萝卜开花白如银，

草紫开花满天星，

芝麻开花九莲灯，

蚕豆开花当中一点黑良心，

怪不得我家爹爹要赖婚。

故乡有句民谣："正月灯，二月鹞，三月上坟船里看姣姣。" 三月正是扫墓的季节，挑野菜的孩子，遇见城市人家来上坟的，算是春天的一件大乐事，大家高高兴兴，一哄而上，看那些打扮得花团锦簇的哥儿姐儿奶奶太太们，摆开祭祀三牲，在风灯里点起红烛，一个个在坟前欠身下拜。要遇见新郎新娘头年祭祖，阔人家还有乐队吹奏。祭扫完毕，上坟人家便照例把那些"上坟果"——发芽豆、烧饼、馒头、甘蔗、荸荠分给看热闹的孩子，算是结缘施福。上坟还有放炮仗的，从天上掉到地下的炮仗头，也有孩子们宝贝似的拾了放在篮子里。说说笑笑，重新去挑野菜。

等得满篮翠碧，便赶着新鲜拿到镇上叫卖，换得一把叮当作响的铜板，拿回家里交给父母。

因为大自然的慷慨，这时候田事虽忙，不算太紧，日子也过得比较舒心。——在我们乡间，种田人的耐苦胜过老牛；无论你苦到什么地步，只要有口苦饭，便已经心满意足了。"收租老相公"的生活跟他们差得有多远，他们永远想不到，也不敢想。——他们认定一切都命中注定，只好逆来顺受，把指望托付祖宗和神灵。

在三月里，乡间敬神的社戏特别多。

按照历年的例规，到时候自会有热心的乡人为首，挨家着户募钱。农民哪怕再穷，也不会吝惜这份捐献。

演戏那天，村子里便忙忙碌碌，热火朝天。家家户户置办酒肴香烛，乘便祭祖上坟，朝山进香。午后社戏开场，少不更事的姑娘嫂子们，便要趁这一年难得的机会，换上红红绿绿的土布新衣，端端正正坐到预先用门板搭成的看台上去看戏。但家里的主人主妇，却很少有能闲适地去看一会戏的，因为他们得小心张罗，迎接客人光降。

镇上的佃主也许会趁扫墓的方便，把上坟船停下来看一看戏，这时候就得赶紧泡好一壶茶，送上瓜子花生，乡间土做的黄花果糕、松花饼；傍晚时再摆开请过祖宗的酒肴，殷勤留客款待。

夜戏开锣，戏场上照例要比白天热闹得多。来看戏的，大半是附近村庄的闲人，镇上那些米店、油烛店、杂货店里的伙计。看过一出开场的"夺头"（全武行），各家的主人便到戏台下去找寻一些熟识的店伙先生，热心地拉到自己家里，在门前早用小桌子摆好菜肴点心，刚坐下，主妇就送出大壶"三年陈"，在锣鼓声里把客人灌得大醉。

他们用最大的诚心邀客，客人半推半就："啊哎，老八斤，别拉呵，背心袖子也给拉掉了！"到后却总是大声笑着领了情。这殷勤有点用处，端午下乡收帐时可以略略通融，或者在交易中沾上一点小便宜。

在从前，演戏以外还有迎神赛会。

迎起会来，当然更热闹非凡。我们家乡，三月里的张神会最出名，初五初六，接连两天的日会夜会，演戏，走浮桥，放焰火，那狂欢的景象，至今梦里依稀。可是这种会至少有七八年烟消火灭，现在连社戏也听说演得很少。农民的生计一年不如一年，他们虽然还信神佞佛，但也无力顾及这些了。——今年各处都在举行"新生活运动"提灯会，起先我想，故乡的张神会也许会借此出迎一次罢？可是没有。只是大地春回，一年一度，依然多情地到茅檐草庐访问。

春天是使人多幻想，多做梦的。那些忠厚的农民，一年一年地挣扎下来，这时候又像遍野的姹紫嫣红，编织他们可怜的美梦了。

在三月里，他们是兴奋的，乐观的；一过了三月，他们便要在现实的灾难当中，和生活作艰辛的搏斗了。

美/文/赏/析

《故园春》是柯灵的一篇反映解放前农民生活境况的散文。文章开头说"故乡的三月，是田园诗中最美的段落"，作者一方面写这个季节固有的美，草木复苏、桃花笑靥迎人的春景之美；另一方面写最关键人之美，也就是春天给人带来的"梦想和希望"之美。然而在这一派欣欣向荣的气象中，虚华的美景并不是文章的重点，艰辛地与生活所作的搏斗，为通融收租者而竭诚待客，这些沉重的东西才是作者真正关注和同情的。作者用哀伤的笔调来写故乡农民三月的希望，这种"哀伤"不仅存在于故乡父老的精神上，而且存在于他们日复一日、年复一年的命运中。而这样的命运，又是他们自己难以改变的东西。

鲁迅先生记

/ 萧红

入选理由·····················
萧红的散文代表作之一
中国散文史上回忆鲁迅的名篇
着笔随意，娓娓叙来，亲切自然

鲁迅先生家里的花瓶，好像画上所见的西洋女子用以取水的瓶子，灰蓝色，有点从瓷釉而自然堆起的纹痕，瓶口的两边，还有两个瓶耳，瓶里种的是几棵万年青。

我第一次看到这花的时候，我就问过：

"这叫什么名字？屋里不生火炉，也不冻死？"

第一次，走进鲁迅家里去，那是近黄昏的时节，而且是个冬天，所以那楼下室稍微有一点暗，同时鲁迅先生的纸烟，当它离开嘴边而停在桌角的地方，那烟纹的卷痕一直升腾到他有一些白丝的发梢那么高。而且再升腾就看不见了。

鲁迅全家合影

"这花，叫'万年青'，永久这样！"他在花瓶旁边的烟灰盒中，抖掉了纸烟上的灰烬，那红的烟火，就越红了，好像一朵小红花似的和他的袖口相距离着。

作者简介

萧红（1911—1942），原名张迺莹，黑龙江呼兰人，幼年丧母。1929年入哈尔滨第一女子中学学习，接触"五四"新文学。1930年反对家庭包办婚姻，离家出走，几经颠沛。1936年赴日本。1940年到达中国香港。1942年在香港病逝。主要作品有小说《生死场》《呼兰河传》，散文集《鲁迅先生记》《回忆鲁迅先生》等。

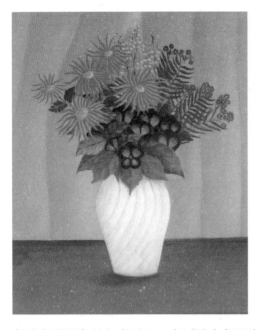

"这花不怕冻？"以后，我又问过，记不得是在什么时候了。

许先生说："不怕的，最耐久！"而且她还拿着瓶口给我摇着。

我还看到了那花瓶的底边是一些圆石子。以后，因为熟识了的缘故，我就自己动手看过一两次，又加上这花瓶是常常摆在客厅的黑色长桌上；又加上自己是来在寒带的北方，对于这在四季里都不凋零的植物，总带着一点惊奇。

而现在这"万年青"依旧活着，每次到许先生家去，看到那花，有时仍站在那黑色的长桌子上，有时站在鲁迅先生照像的前面。

花瓶是换了，用一个玻璃瓶装着，看得到淡黄色的须根，站在瓶底。

有时候许先生一面和我们谈论着，一面检查着房中所有的花草。看一看叶子是不是黄了？该剪掉的剪掉；该洒水的洒水，因为不停地动作是她的习惯。有时候就检查着这"万年青"，有时候就谈鲁迅先生，就在他的照像前面谈着，但那感觉，却像谈着古人那么悠远了。

至于那花瓶呢？站在墓地的青草上面去了，而且瓶底已经丢失，虽然丢失了也就让它空空地站在墓边。我所看到的是从春天一直站到秋天；它一直站到邻旁墓头的石榴树开了花而后结成了石榴。

从开炮以后，只有许先生绕道去过一次，别人就没有去过。当然那墓草是长得很高了，而且荒了，还说什么花瓶，恐怕鲁迅先生的瓷半身像也要被荒了的草埋没到他的胸口。

我们在这边，只能写纪念鲁迅先生的文章，而谁去努力剪齐墓上的荒草？我们是越去越远了，但无论多少远，那荒草是总要记在心上的。

美/文/赏/析

萧红曾与鲁迅有过一段难忘的交往经历。鲁迅对萧红的生活、创作都给予了慈父、师长般的关怀，曾为萧红的小说《生死场》作了序言，因此萧红对鲁迅的尊敬、景仰之情是不言而喻的。1938年，即鲁迅逝世两年后，萧红写了两篇怀念鲁迅的文章《鲁迅先生记》（一）、《鲁迅先生记》（二）。本文选的是《鲁迅先生记》（一）。文章通过忆写鲁迅生活的零星片断，展示了鲁迅的言谈笑貌、品性气质和人格精神，寄托了作者对鲁迅的浓浓思念之情。作者以小显大，紧扣常人不注意的"花瓶"和"万年青"展开内容，通过自己与鲁迅、许广平的简单对话，寥寥数语便使鲁迅的形象跃然纸上。文章巧用象征、拟人等修辞手法，以"万年青"象征鲁迅的精神，生动而形象。文章虽然篇幅短小，却蕴含有很重的思想、感情分量。文章着笔随意，娓娓叙来，亲切自然，悠悠思念之情充溢字里行间，具有很强的感染力。

茶花赋

/ 杨朔

入选理由·····························
散文作品的典范
初学散文者的学习范本

　　久在异国他乡，有时难免要怀念祖国的。怀念极了，我也曾想：要能画一幅画儿，画出祖国的面貌特色，时刻挂在眼前，有多好。我把这心思去跟一位擅长丹青的同志商量，求她画，她说："这可是个难题，画什么呢？画点零山碎水，一人一物，都不行。再说，颜色也难调，你就是调尽五颜六色，又怎么画得出祖国的面貌？"我想了想，也是，就搁下这桩心思。

　　今年二月，我从海外回来，一脚踏进昆明，心都醉了。我是北方人，论季节，北方也许正是搅天风雪，水瘦山寒，云南的春天却脚步儿勤，来得快，到处早像催生婆似的正在催动花事。

　　花事最盛的去处数着西山华庭寺。不到寺门，远远就闻见一股细细的清香，直渗进人的心肺。这是梅花，有红梅、白梅、绿梅，还有朱砂梅，一树一树的，每一树梅花都是一首诗。白玉兰花略微有点儿残，娇黄的迎春却正当时，那一片春色啊，比起滇池的水来不知还要深多少倍。

作者简介

　　杨朔（1913—1968），原名杨毓，字莹叔。山东蓬莱人。1929年随舅父到哈尔滨谋生。抗战爆发后，两度去延安，后转战西北、广东、华北各地，从事文学创作。1939年到太行山八路军总部从事文化宣传工作。解放战争期间，当过随军记者，转战晋察冀地区。中华人民共和国成立后在中华全国铁路总工会工作。抗美援朝战争期间，赴朝参战。1955年后，主要从事对外文化交流工作。

　　究其实这还不是最深的春色。且请看那一树，齐着华庭寺的廊檐一般高，油光碧绿的树叶中间托出千百朵重瓣的大花，那样红艳，每朵花都像一团烧得正旺的火焰。这就是有名的茶花。不见茶花，你是不容易懂得"春深似海"这句诗的妙处的。

　　想看茶花，正是好时候。我游过华庭寺，又冒着星星点点细雨游了一次黑龙潭，这都是看茶花的名胜地方。原以为茶花一定很少见，不想在游历当中，时时望见竹篱茅屋旁边会闪出一枝猩红的花来。听朋友说："这不算稀奇。要是在大理，差不多家家户户都养茶花。花期一到，各样品种的花儿争奇斗艳，那才美呢。"

　　我不觉对着茶花沉吟起来。茶花是美啊。凡是生活中美的事物都是劳动创造的。是谁白天黑夜，积年累月，拿自己的汗水浇着花，像抚育自己儿女一样抚育着花秧，终于培养出这样绝色的好花？应该感谢那为我们美化生活的人。

　　普之仁就是这样一位能工巧匠，我在翠湖边上会到他。翠湖的茶花多，开得也好，红通通的一大片，简直就是那一段彩云落到湖岸上。普之仁领我穿着茶花走，指点着告诉我这叫大玛瑙，那叫雪狮子；这是蝶翅，那是大紫袍……名目花名多得很。后来他攀着一棵茶树的小干枝说："这叫童子面，花期迟，刚打骨朵，开起来颜色深红，倒是最好看的。"

　　我就问："古语说：看花容易栽花难——栽培茶花一定也很难吧？"

　　普之仁答道："不很难，也不容易。茶花这东西有点特性，水壤气候，事事都得细心。又怕风，又怕晒，最喜欢半阴半阳。顶讨厌的是虫子。有一种钻心虫，钻进一条去，花就死了。一年四季，不知得操多少心呢。"

　　我又问道："一棵茶花活不长吧？"

　　普之仁说："活的可长啦。华庭寺有棵松子鳞，是明朝的，五百多年了，一开花，能开一千多朵。"

　　我不觉噢了一声：想不到华庭寺见的那棵茶花来历这样大。

　　普之仁误会我的意思，赶紧说："你不信么？大理地面还有一棵更老的呢，

盛开的古茶树

云南种植茶花有1300多年的历史，茶花品种多达2000多种，素有"茶花王国"之称。滇中茶花花色艳而不妖，每朵花可开十多天。早在清代中后期，昆明万寿庵、云安寺和金殿三处均种植有名茶。

听老人讲，上千年了，开起花来，满树数不清数，都叫万朵茶。树干子那样粗，几个人都搂不过来。"说着他伸出两臂，做个搂抱的姿势。

我热切地望着他的手，那双手满是茧子，沾着新鲜的泥土。我又望着他的脸，他的眼角刻着很深的皱纹，不必多问他的身世，猜得出他是个曾经忧患的中年人。如果他离开你，走进人丛里去，立刻便消逝了，再也不容易寻到他——他就是这样一个极其普通的劳动者。然而正是这样的人，整月整年，劳心劳力，拿出全部精力培植着花木，美化我们的生活。美就是这样创造出来的。

正在这时，恰巧有一群小孩也来看茶花，一个个仰着鲜红的小脸，甜蜜蜜地笑着，唧唧喳喳叫个不休。

我说："童子面茶花开了。"

普之仁愣了愣，立时省悟过来，笑着说："真的呢，再没有比这种童子面更好看的茶花了。"

一个念头忽然跳进我的脑子，我得到一幅画的构思。如果用最浓最艳的朱红，画一大朵含露乍开的童子面茶花，岂不正可以象征着祖国的面貌？我把这个简单的构思记下来，寄给远在国外的那位丹青能手，也许她肯再斟酌一番，为我画一幅画儿吧。

美/文/赏/析

《茶花赋》是杨朔的一篇较有代表性的文章。作者采用了"见景—入境—抒情—升华—点题"的模式来谋篇布局，开篇从久居异乡思念祖国写起，先设置要画祖国面貌的悬念；然后写昆明西山华亭寺的二月花景，接着以茶花来入境，写茶花之美；然后以"凡是生活中美的事物都是劳动创造的"为过渡语，引出"普之仁"这个普通人的代表来作为抒情的对象，并借此升华到赞美普通劳动者的高度；最后又以画"童子面茶花"的构想点题，来歌颂"祖国的面貌"。这就是本文的大体脉络，层次清晰，环环相扣，这是杨朔一贯的写作思路。

采蒲台的苇

/ 孙犁

入选理由·····························

孙犁的散文代表作之一
——一曲反映抗战时期白洋淀人民团结御侮、
　　不屈不挠的英雄精神的赞歌

我到了白洋淀，第一个印象，是水养活了苇草，人们依靠苇生活。这里到处是苇，人和苇结合的是那么紧。人好像寄生在苇里的鸟儿，整天不停地在苇里穿来穿去。

我渐渐知道，苇也因为性质的软硬、坚固和脆弱，各有各的用途。其中，大白皮和大头栽因为色白、高大，多用来织小花边的炕席；正草因为有骨性，则多用来铺房、填房碱；白毛子只有漂亮的外形，却只能当柴烧；假皮织篮捉鱼用。

我来的早，淀里的凌还没有完全融化。苇子的根还埋在冰冷的泥里，看不见大苇形成的海。我走在淀边上，想像假如是五月，那会是苇的世界。

在村里是一垛垛打下来的苇，它们柔顺地在妇女们的手里翻动，远处的炮声

作者简介

孙犁（1913—2002），河北安平人。早年毕业于保定育德中学。1936年到安新县小学教书，后任教于冀中抗战学院和华北联大，任晋察冀通讯社和《晋察冀日报》编辑。1944年赴延安，在鲁迅艺术文学院工作。1945年回冀中农村。1949年起主编《天津日报》的《文艺周刊》。曾任中国作家协会理事和天津作协副主席等职。主要作品有小说《芦花荡》《荷花淀》和《铁木前传》，散文集《晚华集》《耕堂散文》等。

还不断传来，人民的创伤并没有完全平复。关于苇塘，就不只是一种风景，它充满火药的气息，和无数英雄的血液的记忆。如果单纯是苇，如果单纯是好看，那就不成为冀中的名胜。

这里的英雄事迹很多，不能一一记述。每一片苇塘，都有英雄的传说。敌人的炮火，曾经摧残它们，它们无数次被火烧光，人民的血液保持了它们的清白。

最好的苇出在采蒲台。一次，在采蒲台，十几个干部和全村男女被敌人包围。那是冬天，人们被围在冰上，面对着等待收割的大苇塘。

敌人要搜。干部们有的带着枪，认为是最后战斗流血的时候到来了。妇女们却偷偷地把怀里的孩子递过去，告诉他们把枪支插在孩子的裤裆里。搜查的时候，干部又顺手把孩子递给女人……十二个女人不约而同地这样做了。仇恨是一个，爱是一个，智慧是一个。

枪掩护过去了，闯过了一关。这时，一个四十多岁的人，从苇塘打苇回来，被敌人捉住。敌人问他："你是八路？""不是！""你村里有干部？""没有！"敌人砍断他半边脖子，又问："你的八路？"他歪着头，血流在胸膛上，说："不是！""你村的八路大大的！""没有！"

妇女们忍不住，她们一齐沙着嗓子喊："没有！没有！"

敌人杀死他，他倒在冰上。血冻结了，血是坚定的，死是刚强！

"没有！没有！"

这声音将永远响在苇塘附近，永远响在白洋淀人民的耳朵旁边，甚至应该一代代传给我们的子孙。永远记住这两名简短有力的话吧！

美/文/赏/析

《采蒲台的苇》是孙犁的散文名篇。文章以抗战时期白洋淀地区为背景，以诗意的笔调叙述了发生在这一地区一个真实感人的军民抗日的故事。文章的前半部分写"苇"，在作者眼中，苇不是单纯的自然物，而是英勇无畏的白洋淀人民的化身，是白洋淀军民团结御侮、宁死不屈的伟大精神的象征。文章后半部分以白描手法，叙述了采蒲台的妇女们面对日寇，机智勇敢掩护干部和一中年打苇人宁死不屈的故事，刻画了白洋淀人民大智大勇、铮铮铁骨的英雄形象。文章朴素无华，语言凝练清新，情感炽烈，生动表现了采蒲台人、白洋淀人，乃至中华儿女不屈不挠、英勇斗争的民族精神。

黄山记

/ 徐迟

入选理由……………………………………

恢宏大气的山河颂歌

精于设计的结构布局，热情奔放的诗性语言

一

大自然是崇高、卓越而美的。它煞费心机，创造世界。它创造了人间，还安排了一处胜境。它选中皖南山区。它是大手笔，用火山喷发的手法，迅速地，在周围 120 公里，面积千余平方公里的一个浑圆的区域里，分布了这么多花岗岩的山峰。它巧妙地搭配了其中三十六大峰和三十六小峰。高峰下临深谷；幽潭傍依天柱。这些朱砂的，丹红的，紫霭色的群峰，前拥后簇，高矮参差。三个主峰，高风峻骨，鼎足而立，撑起青天。

作者简介

徐迟像

徐迟（1914—1996），原名商寿，浙江吴兴人。1931 年至 1933 年，先后就读于苏州东吴大学和燕京大学。1933 年开始写诗。1936 年出版第一部诗集《二十岁人》。抗战爆发后，辗转于上海、香港、重庆。这期间，曾与戴望舒、叶君健合编英文版《中国作家》。协助郭沫若编辑《中原》月刊，创作和翻译了不少作品。抗战胜利后，由重庆抵上海，曾一度回故乡教书。中华人民共和国成立后，先后任《人民中国》（英文版）编辑、《诗刊》副主编。1960 年调湖北文联从事专业创作，创作了大量的诗、散文和特写。他创作了一系列脍炙人口的报告文学，曾获 1981 年全国优秀报告文学一等奖。

　　这样布置后，它打开了它的云库，拨给这区域的，有倏来倏去的云，扑朔迷离的雾，绮丽多彩的霞光，雪浪滚滚的云海。云海五座，如五大洋，汹涌澎湃。被雪浪拍击的山峰，或被吞没，或露顶巅，沉浮其中。然后，大自然又毫不悭吝地赐予几千种植物，它处处散下了天女花和高山杜鹃。它还特意委托风神带来名贵的松树树种，播在险要处。黄山松铁骨冰肌；异萝松天下罕见。这样，大自然把紫红的峰，雪浪云的海，虚无缥缈的雾，苍翠的松，拿过来组成了无穷尽的幻异的景。云海上下，有三十六源，二十四溪，十六泉，还有八潭，四瀑。一道温泉，能治百病。各种走兽之外，又有各种飞禽。神奇的音乐鸟能唱出八个乐音。稀世的灵芝草，有珊瑚似的肉芝。作为最高的效果，它格外赏赐了只属于幸福的少数人的，极罕见的摄身光。这种光最神奇不过，它有彩色光晕如镜框，中间一明镜可显见人形。三个人并立峰上，各自从峰前摄身光中看见自己的面容身影。

　　这样，大自然布置完毕，显然满意了，因此它在自己的这件艺术品上，最后三下两下，将那些可以让人从人间通入胜境去的通道全部切断，处处悬崖绝壁，无可托足。它不肯随便把胜境给予人类。它封了山。

二

　　鸿蒙以后多少年，只有善于攀援的金丝猴来游。以后又多少年，才来到了人。第一个来者黄帝，一来到，黄山命了名。他和浮丘公、容成子上山采药。传说他在三大主峰之一，海拔 1840 公尺的光明顶之傍，炼丹峰上，飞升了。

又几千年，无人攀登这不可攀登的黄山。直到盛唐，开元天宝年间，才有个诗人来到。即使在猿猴愁攀登的地方，这位诗人也不愁。在他足下，险阻山道阻不住他。他是李白。他逸兴横飞，登上了海拔1860公尺的莲花峰，黄山最高峰的绝顶。有诗为证：丹崖夹石柱，菡萏金芙蓉，伊惜升绝顶，俯视天目松。李白在想象中看见，浮丘公引来了王子乔，"吹笙舞风松"。他还想"乘桥蹑彩虹"，又想"遗形入无穷"，可见他游兴之浓。

莲花峰（后方）和玉屏峰（前方）

莲花峰位于黄山中部，玉屏峰西南，东对天都峰，为36大峰之一。它海拔1864米，是黄山最高峰，也是华东地区第三高峰。玉屏峰介于天都、莲花峰间，为36小峰之一，海拔1716米，峰壁如玉雕屏障，故名"玉屏峰"。

又数百年，宋代有一位吴龙翰，"上丹崖万仞之巅，夜宿莲花峰顶。霜月洗空，一碧万里"。看来那时候只能这样，白天登山，当天回不去。得在山顶露宿，也是一种享乐。

可是这以后，元明清数百年内，极大多数旅行家都没有能登上莲花峰顶。汪璨以"从者七人，二僧与俱"，组成一支浩浩荡荡的登山队，"一仆前持斧斤，剪伐丛莽，一仆鸣金继之，二三人肩糗执剑戟以随。"他们只到了半山寺，狼狈不堪，临峰翘望，败兴而归。只有少数人到达了光明顶。登莲花峰顶的更少了。而三大主峰之中的天都峰，海拔只有1810公尺，却最险峻，从来没有人上去过。那时有一批诗人，结盟于天都峰下，称天都社。诗倒是写了不少，可登了上去的，没有一个。

登天都，有记载的，仅后来的普门法师、云水僧、李匡台、方夜和徐霞客。

三

白露之晨，我们从温泉宾馆出发。经人字瀑，看到了从前的人登山之途，五百级罗汉级。这是在两大瀑布奔泻而下的光滑的峭壁上琢凿出来的石级，没有扶手，仅可托足，果然惊险。但我们现在并不需要从这儿登山。另外有比较平缓的，相当宽阔的石级从瀑布旁侧的山林间，一路往上铺砌。我们甚至还经过了一段公路，只是它还没有修成。一路总有石级。装在险峻地方的铁栏杆很结实；红漆了，更美观。林业学校在名贵树木上悬挂小牌子，写着树名和它们的拉丁学名，像公园里那样的。

过了立马亭，龙蟠坡，到半山寺，便见天都峰挺立在前，雄峻难以攀登。这时山路渐渐的陡削，我们快到达那人间与胜境的最后边界线了。

然而，现在这边界线的道路全是石级铺砌的了，相当宽阔，直到天都峰趾。仰头看吧！天都峰，果然像过去的旅行家所描写的"卓绝云际"。他们来到这里时，莫不"心甚欲住"。可是"客怨，仆泣"，他们都被劝阻了。"不可上，乃止"，他们没上去。方夜在他的《小游记》中写道："天都险莫能上。自普门师蹑其顶，继之者惟云水僧一十八人集月夜登之，归而几堕崖者已四。又次为李匡台，登而其仆亦堕险几毙。自后遂无至者。近踵其险而至者，惟余侣耳。"

那时上天都确实险。但现今我们面前，已有了上天的云梯。一条鸟道，像绳梯从上空落下来。它似乎是无穷尽的石级，等我们去攀登。它陡则陡矣，累亦累人，却并不可怕。石级是不为不宽阔的，两旁还有石栏，中间挂铁索，保护你。我们直上，直上，直上，不久后便已到了最险处的鲫鱼背。

那是一条石梁，两旁削壁千仞。石梁狭仄，中间断却。方夜到此，"稍栗"。我们却无可战栗，因为鲫鱼背上也有石栏和铁索在卫护我们。这也化险为夷了。

如是，古人不可能去的，以为最险的地方，鲫鱼背，阎王坡，小心壁等等，今天已不再是艰险的，不再是不可能去的地方了。我们一行人全到了天都峰顶。千里江山，俱收眼底；黄山奇景，尽踏足下。

我们这江山，这时代，正是这样，属于少数人的幸福已属于多数人。虽然这里历代有人开山筑道，却只有这时代才开成了山，筑成了道。感谢那些黄山石工，峭壁见他们就退让了，险处见他们就回避了。他们征服了黄山。断崖之间架上桥梁，正可以观泉赏瀑。险绝处的红漆栏杆，本身便是可羡的风景。

胜境已成公园，绝处已经逢生。看呵，天都峰，莲花峰，玉屏峰，莲蕊峰，光明顶，狮子林，这许多许多佳丽处，都在公园中。看呵，这是何等的公园！

四

只见云气氤氲来，飞升于文殊院，清凉台，飘拂过东海门，西海门，弥漫于北海宾馆，白鹅岭。如此之飘泊无定；若许之变化多端。毫秒之间，景物不同；同一地点，瞬息万变。一忽儿阳光泛滥；一忽儿雨脚奔驰，却永有云雾，飘去浮来；

整个的公园，藏在其中。几枝松，几个观松人，溶出溶入；一幅幅，有似古山水，笔意简洁。而大风呼啸，摇撼松树，如龙如凤。显出它们矫健多姿。它们的根盘入岩缝，和花岗石一般颜色，一般坚贞。它们有风修剪的波浪形的华盖；它们因风展开了似飞翔之翼翅。从峰顶俯视，它们如苔藓，披覆住岩石；从山腰仰视，它们如天女，亭亭而玉立。沿着岩壁折缝，一个个的走将出来，薄纱轻绸，露出的身段翩然起舞。而这舞松之风更把云雾吹得千姿万态，令人眼花缭乱。这云雾或散或聚；群峰则忽隐忽现。刚才还是顶盆雨，迷天雾，而千分之一秒还不到，它们全部散去了。庄严的天都峰上，收起了哈达；俏丽的莲蕊峰顶，揭下了蝉翼似的面纱。阳光一照，丹崖贴金。这时，云海滚滚，如海宁潮来，直拍文殊院宾馆前面的崖岸。朱砂峰被吞没；桃花峰到了波涛底。耕云峰成了一座小岛；鳌鱼峰游泳在雪浪花间。波涛平静了，月色耀银。这时文殊院正南前方，天蝎星座的全身，如飞龙一条，伏在面前，一动不动。等人骑乘，便可起飞。而当我在静静的群峰间，暗蓝的宾馆里，突然睡醒，轻轻起来，看到峰峦还只有明暗阴阳之分时，黎明的霞光却渐渐显出了紫蓝青绿诸色。初升的太阳透露出第一颗微粒。从未见过这鲜红如此之红；也从未见过这鲜红如此之鲜。一刹间火球腾空；凝眸处彩霞掩映。光影有了千变万化；空间射下百道光柱。万松林无比绚丽；云谷寺豪光四射。忽见琉璃宝灯一盏，高悬始信峰顶。奇光异彩，散花坞如大放焰火。焰火正飞舞，那暗鸣变色，叱咤的风云又汇聚起来。笙管齐鸣，山呼谷应。风急了。西海门前，雪浪滔滔。而排云亭前，好比一座繁忙的海港，码头上装卸着一包包柔软的货物。我多么想从这儿扬帆出海去。可是暗礁多，浪这样险恶，准可以撞碎我的帆桅，打翻我的船。我穿过密林小径，奔上左数峰，上有平台，可以观海。但见浩瀚一片，了无边际，海上蓬莱，尤为诡奇。我又穿过更密的林子，翻过更奇的山峰，蛇行经过更险的悬崖，踏进更深的波浪。一苇可航，我到了海心的飞来峰上。游兴更浓了，我又踏上云层，到那黄山图上没有标志，在任何一篇游记之中无人提及，根本没有石级，没有小径，没有航线，没有方向的云中。仅在岩缝间，松根中，雪浪褶皱里，载沉载浮，我到海外去了。浓云四集，八方茫茫。忽见一位药农，告诉我，这里名叫海外五峰。他给我看黄山的最高荣誉，一枝灵芝草，头尾花茎俱全，色泽鲜红如珊瑚。他给我指点了道路，自己缘着绳子下到数十丈深谷去了。他在飞腾，在荡秋千。黄山是属于他的，属于这样的药农的。我又不知穿过了几层云，盘过几重岭，发现我在炼丹峰上，光明顶前。大雨将至，我刚好躲进气象站里。黄山也属于他们，这几个年轻的科学工作者。他们邀我进入他们的研究室。倾盆大雨倒下来了。这时气象工作者祝贺我，因为将看到最好的景色了。那时我喘息甫定，他们却催促我上观察台去。果然，雨过天又晴。天都突兀而立，如古代将军。绯红的莲花峰迎着阳光，舒展了一瓣瓣的含水的花瓣。轻盈的云海隙处，看得见山下晶晶的水珠。休宁的白岳山，青阳的九华山，临安的天目山，九江的匡庐山。远处如白练一条浮着的，正是长江。这时彩虹一道，挂上了天空。七彩鲜艳，银海衬底。妙极！妙极了！彩虹并不远，它近在目前，就在观察台边。不过十步之外，虹脚升起，跨天都，直上晴空，至极远处。仿佛可以从这长虹之脚，拾级而登，临虹款步，俯览江山。而云海之间，忽生宝光。松影之荫，琉璃一片，闪闪在垂虹下，离我只二十步，探手可得。它光彩异常，它中间晶莹，它的比彩虹尤其富丽的镜圈内有面镜子。摄身光！摄身光！

这是何等的公园！这是何等的人间！

《黄山记》是一篇不可多得的游记佳作。文章在开篇即以造物对黄山的精心布局，设景置笔，文章大气。首先写出了黄山的奇特，而后又以古人游记的文献为依据写出了黄山的奇险，最后以自己的亲临之感真切诱人地写出了黄山的奇美。文章处处在写奇，于奇中起笔落笔，构思超过一般游记文章，先铺开大局，后细处染点，遂成为一幅气势磅礴的云山画卷。作者以奔放优美的文字，错落有序的叙述，笔随心转，舒卷自如，显示了作者豪放的个性和过人的创作能力。

天山景物记

/ 碧野

入选理由……………………………………

热烈奔放的色彩渲染和各种修辞手法的精当运用

丰富多样的风景构图取景，层次分明的叙述角度和声画同步

朋友，你到过天山吗？天山是我们祖国西北边疆的一条大山脉，连绵几千里，横亘准噶尔盆地和塔里木盆地之间，把广阔的新疆分为南北两半。远望天山，美丽多姿，那长年积雪高插云霄的群峰，像集体起舞时的维吾尔族少女的珠冠，银光闪闪；那富于色彩的连绵不断的山峦，像孔雀开屏，艳丽迷人。

天山不仅给人一种稀有美丽的感觉，而且更给人一种无限温柔的感情。它有丰饶的水草，有绿发似的森林。当它披着薄薄云纱的时候，它像少女似的含羞；当它被阳光照耀得非常明朗的时候，又像年轻母亲饱满的胸膛。人们会同时用两种甜蜜的感情交织着去爱它，既像婴儿喜爱母亲的怀抱，又像男子依偎自己的恋人。

如果你愿意，我陪你进天山去看一看。

雪峰·溪流·森林

七月间新疆的戈壁滩炎暑逼人，这时最理想的是骑马上天山。新疆北部的

作者简介

碧野（1916—2008），原名黄潮洋，广东省大埔县赤山村人。中国作家协会驻会作家。1935 年，参加北平作家协会和进步文艺团体"泡沫社""浪花社"，从此正式从事写作。碧野作为一位紧随时代同步前进的作家，以其充沛的热情和执着的毅力，长期勤奋耕耘于文学领域，始终笔耕不已，时有新作问世。因此半个多世纪以来，在其几经风雨、屡遭坎坷的文学人生道路上，已留下了 30 多部计约 500 万字的累累硕果。

伊犁和南部的焉耆都出产良马:不论伊犁的哈萨克马或者焉耆的蒙古马,骑上它爬山就像走平川,又快又稳。

进入天山,戈壁滩上的炎暑就远远地被撇在后边。迎面送来的雪山寒气,立刻使你感到像秋天似的凉爽。蓝天衬着高耸的巨大的雪峰,在太阳下,几块白云在雪峰间投下云影,就像白缎上绣上了几朵银灰的暗花。那融化的雪水,从高悬的山涧,从峭壁断崖上飞泻下来,像千百条闪耀的银练。这飞泻下来的雪水,在山脚汇成冲激的溪流,浪花往上抛,形成千万朵盛开的白莲,可是每到水势缓慢的洄水涡,却有鱼儿在跳跃,当这个时候,饮马溪边,你坐在马鞍上,就可以俯视那阳光透射到的清澈的水底,在五彩斑斓的水石间,鱼群闪闪的鳞光映着雪水清流,给寂静的天山添上了无限生机。

再往里走,天山越来显得越优美。沿着那白皑皑群峰的雪线以下,是蜿蜒无尽的翠绿的原始森林,密密的塔松像撑天的巨伞,重重叠叠的枝丫,只漏下斑斑点点细碎的日影。骑马穿行林中,只听见马蹄溅起漫流在岩石上的水声,增添了密林的幽静,在这林海深处,连鸟雀也少飞来,只偶然能听到远处的几声鸟鸣。这时,如果你下马坐在一块岩石上吸烟休息,虽然林外是阳光灿烂,而遮去了天日的密林中却闪耀着你烟头的红火光。从偶然发现的一棵两棵烧焦的枯树看来,这里也许来过辛勤的猎人,在午夜中他们生火宿过营,烤过猎获的野味。这天山上有的是成群的野羊、草鹿、野牛和野骆驼。

如果说进到天山这里还像是秋天，那么再往里走就像是春天了，山色逐渐变得柔嫩，山形也逐渐变得柔和，很有一伸手就可以触摸到凝脂似的感觉。这里溪流缓慢，萦绕着每一个山脚，在轻轻荡漾着的溪流两岸，满是高过马头的野花，红、黄、蓝、白、紫，五彩缤纷，像织不完的织锦那么绵延，像天边的彩霞那么耀眼，像高空的长虹那么绚烂。这密密层层成丈高的野花，朵儿赛八寸的玛瑙盘，瓣儿赛巴掌大。马走在花海中，显得格外矫健，人浮在花海上，也显得格外精神，在马上你用不着离鞍，只要稍为伸手就可以满怀捧到你最心爱的大鲜花。

虽然天山这时并不是春天，但是有哪一个春天的花园能比得过这时天山的无边繁花呢？

迷人的夏季牧场

就在雪的群峰的围绕中，一片绮丽的千里牧场展现在你的眼前，墨绿的原始森林和鲜艳的野花，给这辽阔的千里牧场镶上了双重富丽的花边，千里牧场上长着一色青翠的酥油草，清清的溪水齐着两岸的草丛在漫流。草原是这样无边的平展，就像风平浪静的海洋。在太阳下，那点点水泡似的蒙古包在闪烁着白光。

当你尽情策马在这千里草原上驰骋的时候，处处都可以看见千百成群肥壮的羊群、马群和牛群，它们吃了含有乳汁的酥油草，毛色格外发亮，好像每一根毛尖都冒着油星，特别是那些被碧绿的草原衬托得十分清楚的黄牛、花牛、白羊、红羊，在太阳下就像绣在绿色缎面上的彩色图案一样美。

有的时候，风从牧群中间送过来银铃似的叮当声，那是哈萨克牧女们坠满衣角的银饰在风中击响，牧女们骑着骏马，优美的身姿映衬在蓝天、雪山和绿草之间，显得十分动人。她们欢笑着跟着嬉逐的马群驰骋，而每当停下来，就骑马轻轻地挥动着牧鞭歌唱她们的爱情。

这雪峰、绿林、繁花围绕着的天山千里牧场虽然给人一种低平的感觉，但位置在海拔两三千公尺以上，每当一片乌云飞来，云脚总是扫着草原，洒下阵雨，牧群在雨云中出没，加浓了云意，很难分辨得出哪是云头哪是牧群。而当阵雨过后，雨洗后的草原就变得更加清新碧绿，远看像块巨大的蓝宝石，近看缀满草尖上的水珠，却又像数不清的金刚钻。

特别诱人的是牧场的黄昏，周围的雪峰被落日映红，像云霞那么灿烂；雪峰的红光映射到这辽阔的牧场上，形成一个金碧辉煌的世界，蒙古包、牧群和牧女们，都镀上了一色的玫瑰红。当落日沉没，周围雪峰的红光逐渐消褪，银灰色的暮霭笼罩草原的时候，你就可以看见无数点点的红火光，那是牧民们在烧起铜壶准备晚餐。

你用不着客气，任何一个蒙古包都是你的温暖的家，只要你朝有火光的地方走去，不论走进哪一家蒙古包，好客的哈萨克牧民都会像对待亲兄弟似的热情地接待你，渴了你可以先喝一盆马奶，饿了有烤羊排，有酸奶疙瘩，有酥油饼，你可以一如哈萨克牧民那样豪情地狂饮大嚼。

当家家蒙古包的吊壶三脚架下的野牛粪只剩下一堆红火烬的时候，夜风就会送来冬不拉的弦音和哈萨克牧女们婉转嘹亮的歌声，这是十家八家聚居在一处的牧民们齐集到一家比较大的蒙古包里，欢度一天最后的幸福时辰。

过后，整个草原沉浸在夜静中。如果这时你披上一件皮衣走出蒙古包，在月光下或者繁星下，你就可以朦胧地看见牧群在夜的草原上轻轻地游荡，夜的草原是这么宁静而安详，只有漫流的溪水声引起你对这大自然的遐思。

野马·蘑菇圈·旱獭·雪莲

夜幕中，草原在繁星的闪烁下或者在月光的披照中，该发生多少动人的情景，但人们却在安静的睡眠中疏忽过去了：只有当黎明来到这草原上，人们才会发现自己马群里的马匹在一夜间忽然变多了，而当人们怀着惊喜的心情走拢去，马匹立刻就分为两群，其中一群会奔腾离你远去，那长长的鬃鬣在黎明淡青的天光下，就像许多飘曳的缎幅。这个时候，你才知道那是一群野马。夜间，它们混入牧群，跟牧马一块嬉戏追逐。它们机警善跑，游走无定，几匹最骠壮的公野马领群，它们对许多牧马都熟悉，相见彼此用鼻子对闻，彼此用头亲热地磨擦，然后就合群在一起吃草、嬉逐。黎明，当牧民们走出蒙古包，就是它们分群的一刻，公野马总是掩护着母野马和野马驹远离人们。当野马群远离人们站定的时候，在日出的草原上，还可以看见屹立护群的公野马的长鬣鬃，那鬣鬃一直披垂到膝下，闪着美丽的光泽。

日出后的草原千里通明，这时最便于发现蘑菇。天山蘑菇又嫩又肥厚，又大又鲜甜。这个时候你只要立马草原上瞭望，便可以发现一些特别翠绿的圆点子，那就是蘑菇圈。你对着它直驰马前去，就很容易在这直径三四丈宽的一圈沁绿的酥油草丛里，发现像夏天夜空里的繁星似的蘑菇。眼看着这许许多多雪白的蘑菇隐藏在碧绿的草丛中，谁都会动心。一只手忙不过来，你自然会用双手去采，身上的口袋装不完，你自然会添上你的帽子、甚至马靴去装。第一次采到这么多新鲜蘑菇，对一个远来的客人是一桩最快乐的事。你把鲜蘑菇在溪水里洗净，不要油，不要盐，光是白煮来吃就有一种特别鲜甜的滋味，如果再加上一条野羊腿，那就又鲜甜又浓香。

天山上奇珍异品很多，我们知道水獭是生活在水滨和水里的，而天山上却生长着旱獭。在牧场边缘的山脚下，你随处都可以看见一个个洞穴。这就是旱獭居住的地方。从九、十月大雪封山，到第二年四、五月冰消雪化，旱獭要整整在它们的洞穴里冬眠半年。只有到了夏至后，发青的酥油草才把它们养得胖墩墩，圆滚滚。这时它们的毛色麻黄发亮，肚子拖着地面，短短的四条腿行走迟缓，正可以大量捕捉。

另一种奇异珍品是雪莲。如果你从山脚往上爬，超越天山雪线以上，就可以看见青凛凛的寒光中挺立着一朵朵玉琢似的雪莲，这习惯于生长在奇寒环境中的雪莲，根部扎入岩隙间，汲取着雪水，承受着雪光，柔静多姿，洁白晶莹。这生长在人迹罕至的海拔几千公尺雪线以上的灵花异草，据说是稀世之宝——一种很难求得的妇女良药。

天然湖与果子沟

在天山峰峦的高处，常常出现巨大的天然湖，就像美女晨妆时开启的明净的镜面。湖面平静，水清见底。高空的白云和四周的雪峰清晰地倒影水上，把湖山天影融为晶莹的一体。在这幽静的湖中，唯一活动的东西就是天鹅。天鹅的洁白增添了湖水的明净，天鹅的叫声增添了湖面的幽静。人家说山色多变，而事实上湖色也是多变，如果你站立高处瞭望湖面，眼前是一片赏心悦目的碧水茫茫，如果你再留意一看，接近你的视线的是闪闪鳞光，就像千万条银鱼在游动，而远处平展如镜，没有一点纤尘或者一根游丝的侵扰。湖水越远越深，由近到远，是银白、淡蓝、深青、墨绿，界线非常分明。传说中有这么一个湖是古代一个不幸的哈萨克少女滴下的眼泪，湖色的多变正是象征着那个古代少女的万种哀愁。

就在这个湖边，传说中的少女的后代子孙们现在已在放牧着羊群。湖水滋润着湖边的青草，青草喂胖了羊群，羊奶哺育着少女的后代子孙。当然，这象征着哈萨克族不幸的湖，今天已经变为实际的幸福湖。

山高爽朗，湖边清净，日里披满阳光，夜里缀满星辰，牧民们的蒙古包随着羊群环湖周游，他们的羊群一年年繁殖，他们恋爱、生育，他们弹琴歌唱自己幸福的生活。

高山的雪水汇入湖中，又从像被一刀劈开的峡谷岩石间，泻落到千丈以下的山涧里去，水从悬崖上像条飞练似的泻下，即使站在十几里外的山头上，也能看见那飞练的白光。如果你走到悬崖跟前，脚下就会受到一种惊心动魄的震撼。俯视水练冲泻到深谷的涧石上，溅起密密的飞沫，在日中的阳光下，形成蒙蒙的瑰丽的彩色水雾。就在急湍的涧流边，绿色的深谷里也散布着一顶顶牧民的蒙古包，像水洗的玉石那么洁白。

如果你顺着弯弯曲曲的涧流走，沿途汇入千百条泉流就逐渐形成溪流，然后沿途再汇入涧流和溪流，就形成河流奔腾出天山。

就在这种深山野谷的溪流边，往往有着果树夹岸的野果子沟。春天繁花开遍峡谷，秋天果实压满山腰。每当花红果熟，正是鸟雀野兽的乐园。这种野果子沟往往不为人们所发现。其中有这么一条野果子沟，沟里长满野苹果，连绵五百里。春天，五百里的苹果花开无人知，秋天，五百里成熟累累的苹果无人采。老苹果树凋枯了，更多的新苹果树苗长起来。多少年来，这条五百里长沟堆满了几丈厚的野苹果泥。

现在，已经有人发现了这条野苹果沟，有人已经开始计划在沟里建立酿酒厂，把野苹果酿造成大量芬芳的美酒，让这大自然的珍品化成人们的血液，增进人们的健康。

朋友，天山的丰美景物何止这些，天山绵延几千里，不论高山、深谷，不论草原、湖泊，不论森林、溪流，处处有丰饶的物品，处处都有绮丽的美景，你要我说可真说不完。如果哪一天你有豪情去游天山，临行前别忘了通知我一声，也许我能给你当一个不很出色的向导。当向导在我只是一个漂亮的借口，其实我私心里也很想找个机会去重游天山。

美/文/赏/析

这是一篇热情洋溢的游记散文，语言绚丽而奔放，充满强烈的色彩感，歌唱英雄的时代是碧野散文的主调。不论是描写山光水色，还是展示建设大业，他的作品总是格调高昂、春光明媚，充满了对新生活的希望和祝福。他的游记作品中的力作《天山景物记》，介绍了新疆天山的丰富物产和异彩奇情的景物，歌颂了边疆各族人民的新面貌。比喻、对仗、排比、拟人是碧野常用的修辞手段，借此来创造富有节奏感的艺术境界。《天山景物记》的艺术美是多方面的。如果循其创作手法观察下去，我们不难发现，那充满感情、充满生命意识和艺术感觉的灼炽夺目的色彩描绘尤为突出。碧野对色彩描绘的真谛无疑有着深刻的领悟。他那天趣盎然的绘色艺术，给他笔下的天山平添了一种异彩纷呈的景象。如对森林、野花、蘑菇圈、蓝天、山峰的描写，都闪烁着五颜六色美，诱人去想象天山的诗情画意。而在对雨后草原的描写中，我们不难看到，碧野并没有一味追求色彩的绘画效果，而是把艺术的触角伸向对摄影技法的借鉴和实践中。统观全文，我们可以看出，精心构图和专一取景，是这篇游记的过人之处。

长江三日

/ 刘白羽

入选理由……………………………
大时代气势磅礴的交响乐章
宏大叙事和个性体验的完美结合

十一月十七日

雾笼罩着江面，气象森严。十二时，"江津"号启碇顺流而下了。在长江与嘉陵江汇合后，江面突然开阔，天穹顿觉低垂。浓浓的黄雾，渐渐把重庆隐去。一刻钟后，船又在两面碧森森的悬崖陡壁之间的狭窄的江面上行驶了。

你看那急速漂流的波涛一起一伏，真是"众水会万涪，瞿塘争一门"。而两三木船，却齐整的摇动着两排木桨，像鸟儿扇动着翅膀，正在逆流而上。我想到李白、杜甫在那遥远的年代，以一叶扁舟，搏浪急进，该是多少雄伟的搏斗，会激发诗人多少瑰丽的诗思啊！……不久，江面更开朗辽阔了。两条大江，骤然相见，欢腾拥抱，激起云雾迷蒙，波涛沸荡，至此似乎稍为平定，水天极目之处，灰蒙蒙的远山展开一卷清淡的水墨画。

作者简介

刘白羽（1916—2005），1916 年生于北京。1936 年中学毕业到南京，开始小说创作。1938 年 2 月到延安并加入中国共产党。1949 年作为第四野战军代表，从长江前线回京参加中华全国文学艺术工作者代表大会，当选为"文协"理事。1950 年参加编制的反映解放战争的影片《中国人民的胜利》获斯大林文艺奖金。中华人民共和国成立后主要从事党的文艺领导工作，抗美援朝期间两次赴前线。1955 年后历任中国作家协会党组书记、副主席、书记处书记，文化部副部长、总政文化部部长、顾问等职。

从长江上顺流而下，这一心愿真不知从何时就在心中扎下根子，年幼时读"大江东去……"读"两岸猿声……"辄心向往之。后来，听说长江发源于一片冰川，春天的冰川上布满奇异艳丽的雪莲，而长江在那儿不过是一泓清溪；可是当你看到它那奔腾叫啸，如万瀑悬空，砰然万里，就不免在神秘气氛的"童话世界"上又涂了一层英雄光彩。后来，我两次到重庆，两次登枇杷山看江上夜景，从万家灯光、灿烂星海之中，辨认航船上缓缓浮动而去的灯火，多想随那惊涛骇浪，直赴瞿塘，直下荆门呀。但亲身领略一下长江真风景，直到这次才实现。因此，这一回在"江津"号上，正如我在第二天写的一封信中所说：

　　"这两天，整天我都在休息室里，透过玻璃窗，观望着三峡。昨天整日都在朦胧的雾罩之中。今天却阳光一片。这庄严秀丽气象万千的长江真是美极了。"

　　下午三时，天转开朗。长江两岸，层层叠叠，无穷无尽的都是雄伟的山峰，苍松翠竹绿茸茸的遮了一层绣幕。近岸陡壁上，背纤的纤夫历历可见。你向前看，前面群山在江流浩荡之中，则依然为雾笼罩，不过雾不像早晨那样浓，那样黄，而呈乳白色了。现在是"枯水季节"，江中突然露出一块黑色礁石，一片黄色浅滩，船常常在很狭窄的两面航标之间迂回前进，顺流驶下。山愈聚愈多，渐渐暮霭低垂了，渐渐进入黄昏了，红绿标灯渐次闪光，而苍翠的山峦模糊为一片灰色。

　　当我正为夜色降临而惋惜的时候，黑夜里的长江却向我展开另外一种魅力。开始是，这里一星灯火，那儿一簇灯火，好像长江在对你眨着眼睛。而一会儿又是漆黑一片，你从船身微微的荡漾中感到波涛正在翻滚沸腾。一派特别雄伟的景象，出现在深宵。我一个人走到甲板上，这时江风猎猎，上下前后，一片黑森森的，而无数道强烈的探照灯光，从船顶上射向江面，天空江上一片云雾迷蒙，电光闪闪，风声水声，不但使人深深体会到"高江急峡雷霆斗"的赫赫声势，而且你觉得你自己和大自然是那样贴近，就像整个宇宙，都罗列在你的胸前。水天，风雾，浑然融为一体，好像不是一只船，而是你自己正在和江流搏斗而前。"曙光就在前面，我们应当努力。"这时一种庄严而又美好的情感充溢我的心灵，我觉得这是我所经历的大时代突然一下集中地体现在这奔腾的长江之上。是的，我们的全部生活不就是这样战斗、航进、穿过黑夜走向黎明的吗？现在，船上的人都已酣睡，整个世界也都在安眠，而驾驶室上露出一片宁静的灯光。想一想，掌握住舵轮，透过闪闪电炬，从惊涛骇浪之中寻到一条破浪前进的途径，这是多么豪迈的生活啊！我们的哲学是革命的哲学，我们的诗歌是战斗的诗歌，正因为这样——我们的生活是最美的生活。列宁有一句话说得好极了："前进吧！——这是多么好啊！这才是生活啊！"……"江津"号昂奋而深沉的鸣响着汽笛向前方航进。

十一月十八日

在信中，我这样叙说："这一天，我像在一支雄伟而瑰丽的交响乐中飞翔。我在海洋上远航过，我在天空上飞行过，但在我们的母亲河流长江上，第一次，为这样一种大自然的威力所吸摄了。"

朦胧中听见广播到奉节。停泊时天已微明。起来看了一下，峰峦刚刚从黑夜中显露出一片灰蒙蒙的轮廓。启碇续行，我到休息室里来，只见前边两面悬崖绝壁，中间一条狭狭的江面，已进入瞿塘峡了。江随壁转，前面天空上露出一片金色阳光，像横着一条金带，其余天空各处还是云海茫茫。瞿塘峡口上，为三峡最险处，杜甫《夔州歌》云："白帝高为三峡镇，瞿塘险过百牢关。"古时歌谣说："滟滪大如马，瞿塘不可下；滟滪大如猴，瞿塘不可游；滟滪大如龟，瞿塘不可回；滟滪大如象，瞿塘不可上。"这滟滪堆指的是一堆黑色巨礁。它对准缺口，万水奔腾一冲进峡口，便直奔巨礁而来。你可想象得到那真是雷霆万钧，船如离弦之箭，稍差分厘，便撞得个粉碎。现在，这巨礁，早已炸掉。不过，瞿塘峡中，激流澎湃，涛如雷鸣，江面形成无数漩涡，船从漩涡中冲过，只听得一片哗啦啦的水声。过了八公里的瞿塘峡，乌沉沉的云雾，突然隐去，峡顶上一道蓝天，浮着几小片金色浮云，一注阳光像闪电样落在左边峭壁上。右面峰顶上一片白云像白银片样发亮了，但阳光还没有降临。这时，远远前方，无数层峦叠嶂之上，迷蒙云雾之中，忽然出现一团红雾，你看，绛紫色的山峰，衬托着这一团雾，真美极了。就像那深谷之中向上反射出红色宝石的闪光，令人仿佛进入了神话境界。这时，你朝江流上望去，也是色彩缤纷：两面巨岩，倒影如墨；中间曲曲折折，却像有一条闪光的道路，上面荡着细碎的波光；近处山峦，则碧绿如翡翠。时间一分钟一分钟过去，前面那团红雾更红更亮了。船越驶越近，渐渐看清有一高峰亭亭笔立于红雾之中，渐渐看清那红雾原来是千万道强烈的阳光。八点二十分，我们来到这一片晴朗的金黄色朝阳之中。

抬头望处，已到巫山。上面阳光垂照下来，下面浓雾滚涌上去，云蒸霞蔚，颇为壮观。刚从远处看到那个笔直的山峰，就站在巫峡口上，山如斧削，隽秀婀娜，人们告诉我这就是巫山十二峰的第一峰，它仿佛在招呼上游来的客人说："你看，这就是巫山巫峡了。""江津"号紧贴山脚，进入峡口。红彤彤的阳光恰在此时射进玻璃厅中，照在我的脸上。峡中，强烈的阳光与乳白色云雾交织一处，数步之隔，这边是阳光，那边是云雾，真是神妙莫测。几只木船从下游上来，帆篷给阳光照得像透明的白色羽翼，山峡却越来越狭，前面两山对峙，看去连一扇大门那么宽也没有，而门外，完全是白雾。

八点五十分，满船人，都在仰头观望。我也跑到甲板上来，看到万仞高峰之巅，有一细石耸立如一人对江而望，那就是充满神奇缥缈传说的美女峰了。据说一个渔人在江中打鱼，突遇狂风暴雨，船覆灭顶，他的妻子抱了小孩从峰顶眺望，盼他回来，一天一天，一月一月，他终未回来，而她却依然不顾晨昏，不顾风雨，站在那儿等候着他——至今还在那儿等着他呢！……

如果说瞿塘峡像一道闸门，那么巫峡简直像江上一条迂回曲折的画廊。船随山势左一弯，右一转，每一曲，每一折，都向你展开一幅绝好的风景画。两岸山势奇绝，连绵不断，巫山十二峰，各峰有各峰的姿态，人们给它们以很高的美的评价和命名，显然使我们的江山增加了诗意，而诗意又是变化无穷的。突然是深灰色石岩从高空直垂而下浸入江心，令人想到一个巨大的惊叹号；突然是绿茸茸草坂，像一支充满幽情的乐曲；特别好看的是悬岩上那一堆堆给秋霜染得红艳艳的野草，简直像是满山杜鹃了。峡急江陡，江面布满大大小小漩涡，船只能缓缓行进，像一个在丛山峻岭之间漫步前行的旅人。但这正好使远方来的人，有充裕的时间欣赏这莽莽苍苍、浩浩荡荡长江上大自然的壮美。苍鹰在高峡上盘旋，江涛追随着山峦激荡，山影云影，日光水光，交织成一片。

十点，江面渐趋广阔，急流稳渡，穿过了巫峡。十点十五分至巴东，已入湖北境。十点半到牛口，江浪汹涌，把船推在浪头上，摇摆着前进。江流刚奔出巫峡，还没来得及喘息，却又冲入第三峡——西陵峡了。

西陵峡比较宽阔，但是江流至此变得特别凶恶，处处是急流，处处是险滩。船一下像流星随着怒涛冲去，一下又绕着险滩迂回浮进。最著名的三个险滩是：泄滩、青滩和崆岭滩。初下泄滩，你看着那万马奔腾的江水会突然感到江水简直是在旋转不前，一千个、一万个旋涡，使得"江津"号剧烈震动起来。这一节江流虽险，却流传着无数优美的传说。十一点十五分到秭归。据袁崧《宜都山川记》载：秭归是屈原故乡，是楚子熊绎建国之地。后来屈原被流放到汨罗江，死在那里。民间流传着：屈大夫死日，有人在汨罗江畔，看见他峨冠博带，美髯白皙，骑一匹白马飘然而去。又传说：屈原死后，被一大鱼驮回秭归，终于从流放之地回归楚国。这一切初听起来过于神奇怪诞，却正反映了人民对屈原的无限怀念之情。

秭归正面有一大片铁青色礁石，森然耸立江面，经过很长一段急流绕过泄滩。在最急峻的地方，"江津"号用尽全副精力，战抖着，震颤着前进。急流刚刚滚过，看见前面有一奇峰突起，江身沿着这山峰右面驶去，山峰左面却又出现一道河流，原来这就是王昭君诞生地香溪。它一下就令人记起杜甫的诗："群山万壑赴荆门，生长明妃尚有村。"我们遥望了一下香溪，船便沿着山峰进入一道无比险峻的长峡——兵书宝剑峡。这儿完全是一条窄巷，我到船头上，仰头上望，只见黄石碧岩，高与天齐，再驶行一段就到了青滩。江面陡然下降，波涛汹涌，浪花四溅，当你还没来得及仔细观看，船已像箭一样迅速飞下，巨浪为船头劈开，旋卷着，合在一起，一下又激荡开去。江水像滚沸了一样，到处是泡沫，到处是浪花。船上的同志指着岩上一片乡镇告我："长江航船上很多领航人都出生在这儿……每只木船要想渡过青滩，都得请这儿的人引领过去。"这时我正注视着一只逆流而上的木船，看起来这青滩的声势十分吓人，但人从汹涌浪涛中掌握了一条前进途径，也就战胜了大自然了。

中午，我们来到崆岭滩跟前，长江上的人都知道："泄滩青滩不算滩，崆岭才是鬼门关。"可见其凶险了。眼看一片灰色石礁布满水面，"江津"号却抛锚停泊了。原来崆岭滩一条狭窄航道只能过一只船，这时有一只江轮正在上行，我们只好等下来。谁知竟等了那么久，可见那上行的船只是如何小心翼翼了。当我们驶下崆岭滩时，果然是一片乱石林立，我们简直不像在浩荡的长江上，而是在苍莽的丛林中找寻小径跋涉前进了。

十一月十九日

早晨，一片通红的阳光，把平静的江水照得像玻璃一样发亮。长江三日，千姿万态，现在已不是前天那样大雾迷蒙，也不是昨天"巫山巫峡气萧森"，而是苏东坡所谓的"楚地阔无边，苍茫万顷连"了。长江在穿过长峡之后，现在变得如此宁静，就像刚刚诞生过婴儿的年轻母亲一样安详慈爱。天光水色真是柔和极了。江水像微微拂动的丝绸，有两只雪白的鸥鸟缓缓地和"江津"号平行飞进，水天极目之处，凝成一种透明的薄雾，一簇一簇船帆，就像一束一束雪白的花朵在蓝天下闪光。

巫峡秋涛图　清　袁耀

图中所绘巫峡秋景奇险壮丽，山岸耸峙，江流湍急，几艘桅船正顺流而下，惊涛骇浪，极为惊险。山崖间楼阁亭台，曲径盘旋，古松苍郁。

在这样一天，江轮上非常宁静的一日，我把我全身心沉浸在"红色的罗莎"——卢森堡的《狱中书简》中。

这个在一九一八年德国无产阶级革命中最坚定的领袖，我从她的信中，感到一个伟大革命家思想的光芒和胸怀的温暖，突破铁窗镣铐，而闪耀在人间，你看，这一页：

雨点轻柔而均匀地洒落在树叶上，紫红的闪电一次又一次地在铅灰色中闪耀，遥远处，隆隆的雷声像汹涌澎湃的海涛余波似的不断滚滚传来。在这一切阴霾惨淡的情景中，突然间一只夜莺在我窗前的一株枫树上叫起来了！在雨中，闪电中，隆隆的雷声中，夜莺啼叫得像是一只清脆的银铃，它歌唱得如醉如痴，它要压倒雷声，唱亮昏暗……

昨晚九点钟左右，我还看到壮丽的一幕，我从我的沙发上发现映在窗玻璃上的玫瑰色的返照，这使我非常惊异，因为天空完全是灰色的。我跑到窗前，着了迷似的站在那里。在一色灰沉沉的天空上，东方涌现出一块巨大的、美丽得人间少有的玫瑰色的云彩，它与一切分隔开，孤零零地浮在那里，看起来像是一个微笑，像是来自陌生的远方的一个问候。我如释重负地长吁了一口气，不由自主地把双手伸向这幅富有魅力的图画。有了这样的颜色，这样的形象，然后生活才美妙，才有价值，不是吗？我用目光饱餐这幅光辉灿烂的图画，把这幅图画的每一线玫瑰色的霞光都吞咽下去，直到我突然禁不住笑起自己来。天哪，天空啊，云彩啊，以及整个生命的美并不只存在于佛龙克，用得着我来跟它们告别？不，它们会跟着我走的，不论我到哪儿，只要我活着，天空、云彩和生命的美会跟我同在。

"江津"号在平静的浪花中缓缓驶行。我读着书，一种非常珍贵的感情渗透我的全身。我必须立刻把它写下来，我愿意把它写在这奔腾叫啸、而又安静温柔的长江一起，因为它使我联想到我前天想到的"战斗——航进——穿过黑夜走向黎明"的想象，过去，多少人，从他们艰巨战斗中想望着一个美好的明天呀！而当我承受着像今天这样灿烂的阳光和清丽的景色时，我不能不意识到，今天我们整个大地，所吐露出来的那一种芬芳、宁馨的呼吸，这社会主义生活的呼吸，正是全世界上，不管在亚洲还是在欧洲，在美洲还是在非洲，一切先驱者的血液，凝聚起来，而发射出来的最自由最强大的光辉。我读完了《狱中书简》，一轮落日——那样圆，那样大，像鲜红的珊瑚球一样，把整个江面笼罩在一脉淡淡的红光中，面前像有一种细细的丝幕柔和地、轻悄地撒落下来。

最后让我从我自己的一封信中抄下一段，来结束这一日吧：

夜间，九时许从前面漆黑的夜幕中，看见很小很小几点亮光。人们指给我那就是长江大桥，"江津"号稳稳地向武汉驶近。从这以后，我一直站在船上眺望，渐渐地渐渐地看出那整整齐齐的一排像横串起来的珍珠，在熠熠闪亮。我看着，我觉得在这辽阔无边的大江之上，这正是我们献给我们母亲河流的一顶珍珠冠呀！……再前进，江上无数蓝的、白的、红的、绿的灯光，拖着长长倒影在浮动，那是无数船只在航行，而那由一颗颗珍珠画出的大桥的轮廓，完全像升在云端里一样，高耸空中，而桥那面，灯光稠密的简直像是灿烂的金河，那是什么？仔细分辨，原来是武汉两岸的亿万灯光。当我们的"江津"号，嘹亮地向武汉市发出致敬欢呼的声音时，我心中升起一种庄严的情感，看一看！我们创造的新世界有多么灿烂吧！……

美/文/赏/析

20世纪60年代的中国，文学界进入了一个宏大叙事的"抒情时期"，即古老的借景抒情手法所抒发的不再是个人的感触，而是借自然界的秀美与崇高来隐喻时代的美好与崇高。传统的艺术技巧也带上了新的意识形态色彩。《长江三日》对三峡景物的描写，不论是瞿塘峡的险峻、巫峡的秀美还是西陵峡的凶恶，都有出色的描绘。长江"开阔—狭窄—开阔"的旅程，使刘白羽产生"战斗—航进—穿过黑夜走向黎明"的想象，于是他的旅程也就带上了意识形态的象征色彩：《长江三日》写于大跃进失败之后，作者不断强调战胜阻碍、向前航行的意义。文章中不断出现这类象征性的意象，"我"最后已不是个人，而是"历史""现实""时代"的化身，当个人毫无保留地参与到时代共鸣的宣传之中，个人事实上已经不再是个人了。

澜沧江边的蝴蝶会

/ 冯牧

入选理由……………………………
一篇关于云南的游记佳作
热带风光和民族风情引人入胜
渐入佳境的行文方式

　　我在西双版纳的美妙如画的土地上，幸运地遇到了一次真正的蝴蝶会。

　　很多人都听说过云南大理的蝴蝶泉和蝴蝶会的故事，也读过不少关于蝴蝶会的奇妙景象的文字记载。据我所知道的，第一个细致而准确地描绘了蝴蝶会的奇景的，恐怕要算是明朝末年的徐霞客了。在三百多年前，这位卓越的旅行家就不但为我们真实地描写了蝴蝶群集的奇特景象，并且还详尽地描写了蝴蝶泉周围的自然环境。他这样写着：……山麓有树大合抱，倚崖而耸立，下有泉，东向漱根窍而出，清冽可鉴。稍东，其下又有一小树，仍有一小泉，亦漱根而出，二泉汇为方丈之沼，即所溯之上流也。泉上大树，当四月初，即发花如蛱蝶，须翅栩然，与生蝶无异；又有真蝶千万，连须钩足，自树巅倒悬而下，及于泉面，缤纷络绎，五色焕然。

164

作者简介

　　冯牧（1919—1995），原名冯先植，1919 年 3 月 1 日生于北京。1936 年参加"一二·九"学生运动。1938 年到冀中根据地工作，1939 年到延安抗大学习，1940—1941 年到延安鲁艺文学系学习，后留校在文艺理论研究室工作，1944—1946 年在延安《解放日报》任文艺编辑，1947—1949 年在陈谢纵队和四兵团任新华社记者和科长，1950—1952 年在中国人民解放军 13 军任文化部长，1952 年后任云南军区文化部副部长，后任《新观察》主编、《文艺报》副主编、作协党组成员、文化部党组成员、文化部文艺研究院院长、作协书记处书记等。

　　这是一幅多么令人目眩神迷奇丽的景象！无怪乎许多来到大理的旅客都要设法去观赏一下这个人间奇观了。但可惜的是，胜景难逢，由于某种我们至今还不清楚的自然规律，每年蝴蝶会的时间总是十分短促并且是时有变化的；而交通的阻隔，又使得有机会到大理去游览的人，总是难于恰巧在那个时间准确无误的来到蝴蝶泉边。就是徐霞客也没有亲眼看到真正的蝴蝶会的盛况；他晚去了几天，花朵已经凋谢，使他只能折下一枝蝴蝶树的标本，惆怅而去。他的关于蝴蝶会的描写，大半是根据一些亲历者的转述而记载下来的。

　　其实所谓蝴蝶会，并不是大理蝴蝶泉所独有的自然风光，而是在云南的其他的地方也曾经出现过的一种自然现象。比如，在清人张泓所写的一本笔记《滇南新语》中，就记载了昆明城里的圆通山（就是现在的圆通公园）的蝴蝶会，书中这样写道：每岁孟夏，蛱蝶千百万会飞此山，屋树岩壑皆满，有大如轮、小于钱者，翩翻随风，缤纷五彩，锦色烂然，集必三日始去，究不知其去来之何从也。余目睹其呈奇不爽者盖两载。

　　今年春天，由于一种可遇而不可求的机会，我看到了一次真正的蝴蝶会，一次完全可以和徐霞客所描述的蝴蝶泉相媲美的蝴蝶会。

　　西双版纳的气候是四季常春的。在那里你永远看不到植物凋敝的景象。但是，即使如此，春天在那里也仍然是最美好的季节。就在这样的季节里，在傣族的泼水节的前夕，我们来到了被称为西双版纳的一颗"绿宝石"的橄榄坝。在这以前，人们曾经对我说：谁要是没有到过橄榄坝，谁就等于没有看到真正的西双版纳。当我们刚刚踏上这片土地时，我马上就深深地感觉到，这些话是丝毫也不夸张的。我们好像来到了一个天然的巨大的热带花园里。到处都是一片浓荫匝地，繁花似锦，到处都是一片蓬勃的生气：鸟类在永不休止地鸣啭；在棕褐色的沃土上，各种植物好像是在拥挤着、争抢着向上生长。行走在村寨之间的小径上，就好像是行走在精心培植起来的公园林阴路上一样，只有从浓密的叶隙中间，才能偶尔看到烈日的点点金光。我们沿着澜沧江边的一连串村寨进行了一次远足旅行。

我们的访问终点，是背倚着江岸、紧密接连的两个村寨——曼厅和曼扎。当我们刚刚走上江边的密林小径时，我就发现，这里的每一块土地，每一段路程，每一片丛林，都是那样地充满了秾丽的热带风光，都足以构成一幅色彩斑斓的绝妙风景画面。我们经过了好几个隐藏在密林深处的村寨，只有在注意寻找时，才能从树丛中发现那些美丽而精巧的傣族竹楼。这里的村寨分布得很特别，不是许多人家聚成一片，而是稀疏地分散在一片林海中间。每一幢竹楼周围都是一片丰饶富庶的果树园；家家户户的庭前窗后，都生长着枝叶挺拔的椰子树和槟榔树，绿荫盖地的芒果树和荔枝树。在这里，人们用垂实累累的香蕉树作篱笆，用清香馥郁的夜来香树作围墙。被果实压弯了的柚子树用枝叶敲打着竹楼的屋檐，密生在枝丫间的菠萝蜜散发着醉人的浓香。

我们在花园般的曼厅和曼扎度过了一个愉快的下午。我们参观了曼扎的办得很出色的托儿所；在那里的整洁而漂亮的食堂里，按照傣族的习惯，和社员们一起吃了一餐富有民族特色的午饭，分享了社员们的富裕生活的欢快。我们在曼厅旁听了为布置甘蔗和双季稻生产而召开的社长联席会，然后怀着一种满意的心情走上了归途。

我们走的仍然是来时的路程，仍然是那条浓荫遮天的林中小路，数不清的奇花异卉仍然到处散发着沁人心脾的清香，在路边的密林里，响彻着一片鸟鸣和蝉叫声。透过树林枝干的空隙，时时可以看到大片的平整的田地，早稻和许多别的热带经济作物的秧苗正在夕照中随风荡漾。在村寨的边沿，可以看到榖叶林和菩提林的巨人似的身姿，在它们的荫蔽下，佛寺的高大的金塔和庙顶在闪着耀眼的金光。

一切都和我们来时一样。可是，我们又似乎觉得，我们周围的自然环境和来时有些异样。终于，我们发现了一种来时所没有的新景象：我们多了一群新的旅伴——成群的蝴蝶。在花丛上，在枝叶间，在我们的周围，到处都有三五成群的彩色蝴蝶在迎风飞舞；它们有的在树丛中盘旋逗留，有的却随着我们一同前进。开始，我们对于这种景象也并不以为奇。我们知道，这里的蝴蝶的美丽和繁多是别处无与伦比的；我们在森林中经常可以遇到彩色斑斓的蝴蝶和人们一同行进，甚至连续飞行几里路。我们早已养成了这样的习惯：习于把成群的蝴蝶看作是西双版纳的美妙自然景色的一个不可缺少的组成部分了。

但是，我们越来越感到，我们所遇到的景象实在是超过了我们的习惯和经验了。蝴蝶越聚越多，一群群、一堆堆从林中飞到路径上，并且成群结队地在向着我们要去的方向前进着。它们在上下翻飞，左右盘旋；它们在花丛树影中飞快地扇动着彩色的翅膀，闪得人眼花缭乱。有时，千百个蝴蝶拥塞了我们前进的道路，使我们不得不用树枝把它们赶开，才能继续前进。

就这样，在我们和蝴蝶群的搏斗中走了大约五里路之后，我们看到了一个奇异的景色。我们走到了一片茂密的枫树林边。在一块草坪上面，有一株硕大的菩提树，它的向四面伸张的枝丫和浓茂的树叶，好像是一把巨大的阳伞似的遮盖着整个草坪。在草坪中央的几方丈的地面上，仿佛是密密地丛生着一片奇怪的植物似的，好像是一座美丽的花坛一样。它们互相拥挤着，攀附着，重叠着，面积和体积在不断地扩大。从四面八方飞来的新的蝶群正在不断地加入进来。这些蝴蝶大多数是属于一个种族的，它们的翅膀的背面是嫩绿色的，这使它们在停仃不动时就像是绿色的小草一样，它们翅膀的正面却又是金黄色的，上面还有着美丽的花纹，这使它们在扑动翅翼时又像是朵朵金色的小花。在它们的密集着的队伍中间，仿佛是有意来作为一种点缀，有时也飞舞着少数的巨大的黑底红花身带飘带的大木蝶。在一刹那间，我们好像是进入了一个童话世界；在我们的眼前，在我们四周，在一片令人心旷神怡的美妙的自然景色中间，到处都是密密匝匝、层层叠叠的蝴蝶；蝴蝶密集到这种程度，使我们随便伸出手去便可以捉到几只。天空中好像是雪花似的飞散着密密的花粉，它和从森林中飘来的野花和菩提的气味，混合成一股刺鼻的浓香。

面对着这种自然界的奇景，我们每个人几乎都目瞪口呆了。站在千万只翩然飞舞的蝴蝶当中，我们觉得自己好像是有些多余的了。而蝴蝶却一点也不怕我们；我们向它们的密集的队伍投掷着树枝，它们立刻轰地涌向天空，闪动着彩色缤纷的翅翼，但不到一分钟之后，它们又飞到草地上集合了。我们简直是无法干扰它们的参与盛会的兴致。

我们在这些群集成阵的蝴蝶前长久地观赏着，赞叹着，简直是流连忘返了。在我的思想里，突然闪过了一个念头：难道这不正是过去我们从传说中听到的蝴蝶会么？我完全被这片童话般的自然景象所陶醉了；在我的心里，仅仅是充溢着一种激动而欢乐的情感，并且深深地为了能在我们祖国边疆看到这样奇丽的风光而感到自豪。我们所生活、所劳动、所建设着的土地，是一片多么丰富，多么美丽，多么奇妙的土地啊！

美/文/赏/析

　　冯牧这篇优美的游记散文带我们领略了梦幻般的西双版纳风光和传说中的蝴蝶会，在作者朴实淡然的文笔下，西双版纳自然的风光无限明媚，美不胜收。四季长春的热带森林、傣族的风情、竹楼、鸟鸣声、村寨之间的小路、透过林子的点点金光、江边住着傣族的居民、门前长着的椰子树和槟榔树，这明亮艳丽的热带风光已经使人陶醉，但是这仅是蝴蝶盛会的序幕或者引子。作者正像时而在抖包袱，时而在柳暗花明地行舟，这样一步步把我们带进了澜沧江蝴蝶会的盛景中，正如一场盛会的高潮，当万千蝴蝶翩翩起舞的时候，我们感到作者的文字似乎也飞动起来了。这篇看似朴实的文字里，作者的构思其实是独具匠心的，文字徐徐展开，像一幅不断打开的画作，或者一幕正在进行的演出，在作者热情洋溢的绚丽明媚的文字里，循着作者的流水般的语言，我们领略到了云南春天无限美好的风光，更神会了五彩缤纷的蝴蝶盛会奇观。

大理蝴蝶泉
蝴蝶泉为一圆形泉池，泉水清澈，泉底铺着鹅卵石，水从白沙中涌出，不时冒着气泡。泉池周围有大理石栏板，西部泉壁上方的 3 块大理石上，有郭沫若手书"蝴蝶泉" 3 个大字。

桂林山水

/ 方纪

入选理由……………………
书写桂林山水的游记佳作
纵横捭阖的运笔章法
行云流水般的语言艺术

　　到了桂林，每日面对着这胜甲天下的桂林山水，看着它在朝雾夕辉、阴晴风雨中的变化，实在是一种很大的享受。于是从心里羡慕起住在桂林的人们来了。虽然早在二十三年前，抗日战争时期，我在桂林的八路军办事处工作过半年多；但那时候，一来年轻，二来也没有看风景的心情，除了觉得这些山水果真奇异，七星岩里还可以躲躲空袭之外，于它的胜美之处，实在是很少领略的。一九五九年夏天——刚好过了二十年，李可染同志由桂林写生回到北京，寄了一幅画给我看，标题是《桂林画山侧影》。一下子，我就被画幅吸引了，画面把我带到了一种可以说是幸福的回忆中——不仅是桂林的山水，连同和这相关联的那一段生活，都在我记忆里复活起来。那些先前不曾领会的，如今领会了；先前不曾认识的，如今认识了。桂林山水，是这样逼真地又出现在我面前。这时，我惊叹于艺术的力量之大，感人之深。并且惊叹之余，还诌了这样四句不成样子的旧诗寄他：

作者简介

　　方纪（1919—1998），原名冯骥，中国现代作家。1919年生于河北省束鹿县（今辛集市）。参加过"一二·九"爱国学生运动。1936年参加中国共产党，并参加"左联"。抗战爆发后随军南下武汉、长沙、桂林等地，做政治宣传工作。1939年从重庆到延安，在《解放日报》等单位从事编辑和写作。抗战胜利后曾任热河省文联主席。解放战争时，在前线做随军记者。中华人民共和国成立后，任《天津日报》文艺部主任、天津市文化局长、天津市文联党组书记、天津市委宣传部副部长、作协天津分会主席等职。

皴法似此并世无，墨犹剥漆笔犹斧；

画山九峰兀然立，语意新出是功夫。

这次重到桂林，置身桂林山水之间，使我又想到了可染同志的这幅画。于是就记忆、印证了画与山的关系，艺术与真实的关系；明白了它们是怎样地从自然存在，经过画家的劳动，变为有生命的、可以打动人心灵的艺术作品。

桂林山水的宜于入画，古人早已注意到了。宋代诗人黄庭坚就写道："桂岭环城如雁荡，平地苍玉忽嵯峨。李成不生郭熙死，奈此千峰百嶂何。"诗人的意思，恐怕不止是说当时画家画桂林山水的少，还在说，即使李成、郭熙在，也还没有画出如桂林山水的这般秀丽来吧？后来元明人多画黄山，到清初的石涛，由于他的出生桂林，才把他幼年的印象，带入山水画中，形成了独特的风格。到了近代，山水画大师黄宾虹，便以能"遍写桂林山水"为生平得意，齐白石更说"自有心胸甲天下，老夫看惯桂林山"了。所以看起来，桂林山水的入画，对于丰富中国山水画的技法，该是不无关系的。

至于在文学上，为桂林山水塑造出一种形象，为人所公认，并能传之千古的，恐怕至今还要推韩愈的"江作青罗带，山如碧玉簪"两句。他把桂林山水拟人化，比喻为一个素朴而秀美的女子，确是有独到的观察。虽然这种形象，在我们时代的生活里已经看不见了，但透过对于古代生活的理解，人们还是可以想象出桂林山水的面貌和性格来的。这次到桂林，登叠彩山，攀明月峰，凌空一望，果然，漓江澄碧，自西北方向款款而来，直逼明月峰下，然后向东一转，穿桂林市，绕伏波山、象鼻山，向东南而去，正像一条青丝罗带，随风飘动，而周围的山峰，在阳光和雾霭的照映中，绿的碧绿，蓝的翠蓝，灰的银灰，各各浓淡有致，层次分明；正像是美人头上的装饰，清秀淡雅。

　　概括一带自然面貌，塑造出鲜明的形象来，在文字上是不容易的，往往不是过分刻画，就是失之抽象。难怪后来的诗人，包括那些知名的如黄庭坚、范成大、刘后村，等等，虽都到了桂林，写了诗，但却没有一个形象如韩愈的这般概括而生动。范成大写《桂海虞衡志》，极力状写桂林山水的奇异，结果是人家不相信，只好画了图附去。可见用语言文字，表现一些人所不经见的东西，是需要一点艺术手段的。

　　古人于描写山水中创造意境，不独描写自然的面貌，是早有体会的。所以山水画、风景诗，才成为作者思想与人格的表现。柳宗元的遭贬柳州为"僇人"，终日"施施而行，漫漫而游"，结果是写出了那些意境清新、韵味隽永的散文来。试读从《桂州訾家洲亭记》以下，至《至小丘西小石潭记》的十来篇，在描写桂林一带的山水上，真是精美无匹。这些散文虽只记述一次出游，或描写一丘一壑，一水一石，长不逾千，短的不到二百字，但那观察之细微，体会之深入，描绘之精确，文字之简洁，在古代描写风景的散文里，可以说是少见的。柳宗元在这些文章里创造了一系列前人所无的境界，到最后，却自己写道："坐潭上，四面竹树环合，寂寥无人，凄神寒骨，悄怆幽邃。以其境过清，不可久居，乃记之而去。"（《至小丘西小石潭记》）他对这样的山水得出一个"清"字的境界来，这于他那个时代的桂林的自然面貌，并自身遭遇的感受，是非常确切的。但当他概括地写到桂林的山，便也只有"发地峭竖，林立四野"八个字了。

　　在散文里面，描写桂林山水的真实性、具体性上，倒要推徐宏祖的《徐霞客游记》。他的散文很少概括和比拟，但却忠实而详尽。读起来你不免要为他的游兴所动，为他的辛勤所感，为他的具体而生动的记游所心向往之。不过你要想从他的记述里去想象桂林山水到底是什么样子，却也不易。他自己就说："然予所欲睹者，正不在种种规拟也。"他是什么另一种游法，另一种写法的。他记述自然面貌，道路里程，水之所出，出之所向。他的游记，不独是好的文学作品，而且留下许多有用的科学资料。所以看起来，徐宏祖倒是古今第一个最会游历的人。他的不辞辛苦地游，倾家荡产地游，走遍天下，所到之处，如实记载，即兴发抒，不拘一格，不做规拟，倒成了他的散文的最能引人入胜的特色。

所以从古以来，山水怎么看，恐怕是各人各有心胸的。但一切既反映了自然真实面貌，又创造了崇高意境的，则无论是绘画、诗、散文，都成为了我国人民的精神财富，为我们伟大祖国的富丽山河，赋予了种种美好的形象和性格，启示了和发展着人们的爱国主义思想情感。

桂林山水，毕竟是美的。早晨起来，打开窗子，便有一片灰得发蓝的山色扑进房子里来，照得房间里的墙壁、书桌，连同桌上的稿纸，都仿佛有一层透明的岚光在浮动。而窗前的树，案头的花，也因为这山岚的照耀，绿得更深，红得更艳了。

当然，这是太阳的作用。太阳这时还在山那面，云里边。由于重重山峰的曲折反映，层层云雾的回环照耀，阳光在远近的山峰、高低的云层上，涂上浓淡不等的光彩。这时，桂林的山最是丰富多彩了：近处的蓝得透明；远一点的灰得发黑；再过去，便挨次地由深灰、浅灰，而至于只剩下一抹淡淡的青色的影子。但是，还不止此。有时候，在这层次分明、重叠掩映的峰峦里，忽然现出一座树木葱茏、岩石崚嶒的山峰来。在那涂着各种美丽色彩的山峰中间，它像是一个不礼貌的汉子，赤条条地站在你面前——那是因为太阳穿过云层，直接照在了它身上。

接着，便可以看到，漓江在远处慢慢的泛着微光，一闪一闪地亮起来了。太阳把漓江染成了一条透明的青丝罗带，轻轻地抛落在桂林周围的山峰中间。

这时，你可以出去了。无论走到什么地方，有时是转过一幢房子，忽然一座高倚天表的山峰，矗立在你面前。有时是坐在树下，透过茂密的枝叶，又看到它清秀的影子。或者在公园的亭子里，你刚探出身，一片翠幕般的青峰，就张挂在亭子的飞檐上。如果站在湖边，它那粼粼波动的倒影，常常能引起你好一阵的遐思。

这样，桂林山水，总是无时无处不在你的身边，不在你眼里，不在你心里，不在你的感受和思维中留下它的影响。

但是，如果住在阳朔，那感觉不知会是怎样的？就去过一次的印象说，只好用"仙境"二字来形容，那山比起桂林来，要密得多，青得多，幽得多，也静得多了。一座座的山峰，从地面上直拔了起来，陡升上去，却又互相接连，互相掩映，互相衬托着。由于阳光的照射，云彩的流动，雾霭的聚散和升降，不断变换着深浅浓淡的颜色。而且，阳朔的山，不像桂林的那样裸露着岩石，而是长满了茂密的丛林，把它遮盖得像穿上了绿色天鹅绒的裙子。这还不算，最妙的是在春天，清明前后，在那翠绿的丛林中，漫山遍野开满了血红的杜鹃。就像在绿色天鹅绒的裙子上，绣满了鲜艳的花朵。这使得人在一片幽静的气氛中，能生发出一种热烈的情感。

到阳朔去，最好是坐了木船在漓江里走。单是那江里的倒影，就别有一番境界。那水里的山，比岸上的山更为清晰；而且因为水的流动，山也仿佛流动起来。山的姿态，也随着船的位置，不断变化。漓江的水，是出奇的清的，恐怕没有一条河流的水能有这样清。清到不管多么深，都可以看到底；看到河底的卵石，石上的花纹，沙的闪光，沙上小虫爬过的爪痕。河底的水草，十分茂密。长长的、像蒲草一样的叶子，闪着碧绿的光，顺着水的方向向前流动。

从桂林到阳朔，有人比喻为一幅天然的画卷。但比起画卷来，那山光水色的变化，在清晨，在中午，在黄昏，却是各有面目，变化万千，要生动得多的。尤其是在春雨迷濛的早晨，江面上浮动着一层轻纱般的白濛濛的雨丝，远近的山峰完全被云和雨遮住了。这时只有细细的雨声，打着船篷，打着江面，打着岸边的草和树。于是，一种令人感觉不到的轻微的声响，把整个漓江衬托得静极了。这时，忽然一声欸乃，一只小小的渔舟，从岸边溪流里驶入江来。顺着溪流望去，在细雨之中，一片烟霞般的桃花，沿小溪两岸一直伸向峡谷深处，然后被一片看不清的或者是山，或者是云，或者是雾，遮断了。

这时，我想起了可染同志的《杏花春雨江南》……

但是，接着，"画山"在望了。陡峭的石壁，直立在岸边，由于千百万年风雨的剥蚀，岩石轮廓分明地现出许多层次，就像是无数山峰重叠起来压在一起。这些轮廓的线条，层次的明暗，色彩的变化，使人们把它想象成为九匹骏马，所以画山又称"画山九马图"。九匹骏马，矗立在漓江岸边的石壁上，或立或卧，或仰或俯，或奔腾跳跃，或临江漫饮，看上去确是极为生动的。但是，可染同志的那幅《桂林画山侧影》，同时在我记忆里复活起来，而且是更为生动地在我面前出现了。

画的篇幅不大，而且是全不着色的白描。整个画面，几乎全被兀立的山岩占满了，只在画面下部不到五分之一的位置，有一排树木葱茏的村舍，村前田塍上，有一个牵牛的人走来。但这些都不是画的主体，也不引起观者的特别注意。而一下子就吸引了观者的，正是那满纸兀立的山岩。山岩像挨次腾起的海上惊涛，一浪高过一浪，层层叠叠，前呼后拥，陡直地升高上去，升高上去，直到顶部接近天空的地方，才分出画山九峰的峰峦来。而山岩石壁，直如斧劈刀斩一样，峻嶒峻峭，粗涩的石灰岩质，仿佛伸手就能触到。于是整个画山，现出一种雄奇峻拔、咄咄逼人的气势。这时，在我面前，画山仿佛脱离开周围的山而凸现出来，活动起来，变成了一个有生命，有血肉，有思想和情感的物体。自然存在的山，和艺术创作的山，竟分不出界限，融为一体。

但是，这只是一刹那间的事。等到画山过去，印象消逝，在我记忆里，便只剩下一种雄奇的意境，奋发的情思了。

坐在船头，我木然地沉思着，并且像是有所领悟地想到：人的劳动，人的精神的创造，是这样神奇！它像是在人和自然之间，搭起了一座神话中的桥梁；又像是一把神话中的金钥匙，打开了神仙洞府的门。人们通过这桥梁，走进这洞门，才看清了自然的底蕴，自然的灵魂。

桂林山水，从地质学的观点看来，不过是一种喀斯特现象：石灰岩的碳酸钙质，长期为水溶解，而形成的溶洞地区。除桂林外，云南的石林，也是地质学上所谓的"喀斯特最发育"的地区。作为一种自然现象，它们本身原无所谓美丑。这些山水的美，和有些山水的不美，或不够美，原是人在社会生活中，长期观察和比较的结果。而这美丑的观念，正是人对自然界施加劳动和意识作用的产物。人对自然的这种劳动和意识作用，已经是历史地形成了，自然美也就成为了一种独立的客观存在。并且在不同的时代和阶级，不断地改变着人对自然美的观点，而使得人对自然的认识，日益深刻和丰富起来。

山水画作为一种艺术，从古以来就成为了帮助人们认识自然，欣赏自然美，进而帮助人们"按照美的法则"，改造自然的一种手段。和所有的艺术一样，它的力量是建筑在对自然的深刻观察和具体描写上。可染同志的画，就具有这样的特点——不只观察深刻，而且描写具体；因而看起来真实而且有力。结果，就使你从对山水的具体感受中，不知不觉进入了画家所创造的精神境界。无论是雄伟，无论是壮丽，无论是种种可以使你对祖国山河油然而生的爱恋情绪。这时，你会感觉到，你的爱国主义是具体的，有力量的，是饱和着自己的经验和感受在内的激昂奋发的情绪。于是，画家的劳动，也就在这时得到了报偿。

可染同志近年来画了不少写生作品，他把自己这种创作方法叫做"对景创作"。在这些作品中，当然没有凭空虚构，但也没有临摹自然。他总是描写一个具体对象，并且把所描写的对象放在一个具体的环境中。然后，他的概括也是大胆的；他总是在一笔不苟的具体刻画中，去表现对象的精神世界。这样，就在这些叫做"写生"的作品中，产生了那种人人可以看得见，感觉到的祖国河山具体而又普遍的典型性格。

也许正是在这一点上吧，《桂林画山侧影》成功了。它透过对桂林山的石灰岩质的真实而大胆的刻画，表现了桂林山水的精神面貌。因而对观众，对我，产生了一种能以根据自身经验去进一步认识生活的艺术的力量。

美/文/赏/析

著名作家方纪以散文见长，对于方纪的文学成就，我国著名评论家冯牧有评论："这位作家涉足很广。最为著称于世的，并为我所心仪的是他的散文。我以为最能反映他的独具风范的思想和文采，最能表现他对于祖国和人民的发自胸臆的深情，也最能显示他的有如行云流水般舒畅流利……其中有许多篇，已经成为我国新文学的传世之作。比如《挥手之间》《石林风雨》等。"《桂林山水》是一篇大开大合、挥洒自如的游记作品，写桂林，作者将桂林如诗如画的景致刻画得十分到位，令人读后深感身在其中，但作者并没有像一般游记一样，只是一味从单一的角度描摹眼前的实景，而是多角度地给我们关于桂林的信息，使桂林在我们面前多层次地丰富和立体起来，与历史和现实高度合一。

紫藤萝瀑布

/ 宗璞

入选理由·······························
隽永含蓄中传达深远的意境
结构玲珑剔透

我不由得停住了脚步。

从未见过开得这样盛的藤萝，只见一片辉煌的淡紫色，像一条瀑布，从空中垂下，不见其发端，也不见其终极，只是深深浅浅的紫，仿佛在流动，在欢笑，在不停地生长。紫色的大条幅上，泛着点点银光，就像迸溅的水花。仔细看时，才知那是每一朵紫花中最浅淡的部分，在和阳光互相挑逗。

这里春红已谢，没有赏花的人群，也没有蜂围蝶阵，有的就是这一树闪光的、盛开的藤萝。花朵儿一串挨着一串，一朵接着一朵，彼此推着挤着，好不活泼热闹！

"我在开花！"它们在笑。

"我在开花！"它们嚷嚷。

每一穗花都是上面的盛开、下面的待放。颜色便上浅下深，好像那紫色沉淀下来了，沉淀在最嫩最小的花苞里。每一朵盛开的花像是一个张满了的小小的帆，帆下带着尖底的舱。船舱鼓鼓的，又像一个忍俊不禁的笑容，就要绽开似的。那里装的是什么仙露琼浆？我凑上去，想摘一朵。

作者简介

宗璞（1928— ），原名冯钟璞，祖籍河南唐河，生于北京。她是著名哲学家冯友兰先生之女，幼承家学。1938年，随家南迁到昆明，在西南联大度过8年时光。抗战胜利次年入南开大学外文系，后曾就职于中国文联及编辑部工作。多年从事外国文学研究，吸取了中国传统文化与西方文化之精粹，学养深厚，气韵独特。

但是我没有摘。我没有摘花的习惯。我只是伫立凝望，觉得这一条紫藤萝瀑布不只在我眼前，也在我心上缓缓流过。流着流着，它带走了这些时一直压在我心上的焦虑和痛楚，那是关于生死谜、手足情的。我浸在这繁密的花朵的光辉中，别的一切暂时都不存在，有的只是精神的宁静和生的喜悦。

这里除了光彩，还有淡淡的芳香，香气似乎也是浅紫色的，梦幻一般轻轻地笼罩着我。忽然记起十多年前家门外也曾有过一大株紫藤萝，它依傍一株枯槐爬得很高，但花朵从来都稀落，东一穗西一串伶仃地挂在树梢，好像在察颜观色，试探什么。后来索性连那稀零的花串也没有了。园中别的紫藤花架也都拆掉，改种了果树。那时的说法是，花和生活腐化有什么必然关系。我曾遗憾地想：这里再看不见藤萝花了。

过了这么多年，藤萝又开花了，而且开得这样盛，这样密，紫色的瀑布遮住了粗壮的盘虬卧龙般的枝干，不断地流着，流着，流向人的心底。

花和人都会遇到各种各样的不幸，但是生命的长河是无止境的。我抚摸了一下那小小的紫色的花舱，那里满装生命的酒酿，它张满了帆，在这闪光的花的河流上航行。它是万花中的一朵，也正是由每一个一朵，组成了万花灿烂的流动的瀑布。

在这浅紫色的光辉和浅紫色的芳香中，我不觉加快了脚步。

美/文/赏/析

宗璞的小说独特而又深刻，多为人称道。她的散文细腻优美、意境深远，具有独特的艺术魅力和审美价值。《紫藤萝瀑布》就是这样一篇佳作，其独特的文学价值和审美效果，主要通过以下三个方面体现出来。

题旨宏远，立意深刻。文章借对紫藤萝的描写，抒发了作者对美好未来的追求，传达了作者对生命意义的拷问，同时表达了她对历史长河迂回曲折，而终将前进的无限感慨。作者对紫藤萝的高度礼赞，其实是作者心灵之光对自然景象的烛照与感应，是她对生命活力的深情呼唤和憧憬，是历经沧桑后对生命的深刻感悟。

结构玲珑剔透，描写细腻多姿。文章写景细腻且颇具层次感，同时，作者又将细致的景物描写，融入前后呼应、严密衔接的结构中，使读者在浑然天成的整体中，领受每一部分的精致美。

语言清新隽雅，含蓄深远。文章善于将抒情、议论性语言，融入形象逼真的描写语言中，宛如画面配诗，既点化了描写性语言的内核，又给读者带来无穷的审美趣味。

听听那冷雨

/ 余光中

入选理由……………………………………………

余光中的散文代表作

中国当代诗化散文的典范作品

开拓了中国散文的新领域

惊蛰一过，春寒加剧。先是料料峭峭，继而雨季开始，时而淋淋漓漓，时而淅淅沥沥，天潮潮地湿湿，即使在梦里，也似乎把伞撑着。而就凭一把伞，躲过一阵潇潇的冷雨，也躲不过整个雨季。连思想也都是潮润润的。每天回家，曲折穿过金门街到厦门街迷宫式的长巷短巷，雨里风里，走入霏霏令人更想入非非。想这样子的台北凄凄切切完全是黑白片的味道，想整个中国整部中国的历史无非是一张黑白片子，片头到片尾，一直是这样下着雨的。这种感觉，不知道是不是从安东尼奥尼那里来的。不过那一块土地是久违了，二十五年，四分之一的世纪，即使有雨，也隔着千山万水，千伞万伞。二十五年，一切都断了，只有气候，只

作者简介

　　余光中（1928—2017），祖籍福建永春，生于南京。1947年后，就读于金陵大学、厦门大学。1949年后在台湾大学求学。1956年到东吴大学、台湾师范大学兼课，并主编《蓝星》诗刊。之后赴美进修，获硕士学位。返台后相继任台湾师范大学副教授、教授，台湾政治大学西语系主任。1974年任香港中文大学教授，后兼任中文大学联合书院中文系主任。余光中一直从事诗歌、散文、评论、翻译创作，自称为自己写作的"四度空间"。他的散文具有汪洋恣肆、突兀峥嵘的想象力和排山倒海、阅兵方阵般驾驭文字的能力，既雄健豪放，又不乏柔丽之情。主要著作有诗集《舟子的悲歌》《五陵少年》《天国的夜市》《敲打案》《在冷战的年代》等，散文集《左手的缪斯》《逍遥游》《焚鹤人》《青青边稔》等，评论集有《掌上雨》《分水岭上》等。

有气象报告还牵连在一起。大寒流从那块土地上弥天卷来，这种酷冷吾与古大陆分担。不能扑进她怀里，被她的裙边扫一扫吧，也算是安慰孺慕之情。

这样想时，严寒里竟有一点温暖的感觉了。这样想时，他希望这些狭长的巷子永远延伸下去，他的思路也可以延伸下去，不是金门街到厦门街，而是金门到厦门。他是厦门人，至少是广义的厦门人，二十年来，不住在厦门，住在厦门街，算是嘲弄吧，也算是安慰。不过说到广义，他同样也是广义的江南人，常州人，南京人，川娃儿，五陵少年。杏花春雨江南，那是他的少年时代了。再过半个月就是清明。安东尼奥尼的镜头摇过去，摇过去又摇过来。残山剩水犹如是。皇天后土犹如是。纭纭黔首纷纷黎民从北到南犹如是。那里面是中国吗？那里面当然还是中国永远是中国。只是杏花春雨已不再，牧童遥指已不再，剑门细雨渭城轻尘也都已不再。然则他日思夜梦的那片土地，究竟在哪里呢？

在报纸的头条标题里吗？还是香港的谣言里？还是傅聪的黑键白键、马思聪的跳弓拨弦？还是安东尼奥尼的镜底勒马洲的望中？还是呢，故宫博物院的壁头和玻璃橱内，京戏的锣鼓声中，太白和东坡的韵里？

杏花。春雨。江南。六个方块字，或许那片土就在那里面。而无论赤县也好神州也好中国也好，变来变去，只要仓颉的灵感不灭、美丽的中文不老，那形象，那磁石一般的向心力当必然长在。因为一个方块字是一个天地。太初有字，于是汉族的心灵、祖先的回忆和希望便有了寄托。譬如凭空写一个"雨"字，点点滴滴，滂滂沱沱，淅沥淅沥淅沥，一切云情雨意，就宛然其中了。视觉上的这种美感，岂是什么 rain 也好 pluie 也好所能满足？翻开一部《辞源》或《辞海》，金木水火土，各成世界，而一入"雨"部，古神州的天颜千变万化，便悉在望中，美丽的霜雪云霞，骇人的雷电霹雹，展露的无非是神的好脾气与坏脾气，气象台百读不厌、门外汉百思不解的百科全书。

听听，那冷雨。看看，那冷雨。嗅嗅闻闻，那冷雨。舔舔吧，那冷雨。雨在他的伞上、这城市百万人的伞上、雨衣上、屋上、天线上。雨下在基隆港、在防波堤、在海峡的船上，清明这季雨。雨是女性，应该最富于感性。雨气空濛而迷幻，细细嗅嗅，清清爽爽新新，有一点点薄荷的香味，浓的时候，竟发出草和树沐发后特有的淡淡土腥气，也许那竟是蚯蚓和蜗牛的腥气吧，毕竟是惊蛰了啊。也许地上的地下的生命、也许古中国层层叠叠的记忆皆蠢蠢而蠕，也许是植物的潜意识和梦吧，那腥气。

第三次去美国，在高高的丹佛他山居了两年。美国的西部，多山多沙漠，千里干旱。天，蓝似安格罗·萨克逊人的眼睛；地，红如印地安人的肌肤；云，却是罕见的白鸟。落基山簇簇耀目的雪峰上，很少飘云牵雾。一来高，二来干，三来森林线以上，杉柏也止步，中国诗词里"荡胸生层云"，或是"商略黄昏雨"的意趣，是落基山上难睹的景象。落基山岭之胜，在石，在雪。那些奇岩怪石，相叠互倚，砌一场惊心动魄的雕塑展览，给太阳和千里的风看。那雪，白得虚虚幻幻，冷得清清醒醒，那股皑皑不绝一仰难尽的气势，压得人呼吸困难，心寒眸酸。不过要领略"白云回望合，青霭入看无"的境界，仍须回来中国。台湾湿度很高，最饶云气氤氲雨意迷离的情调。两度夜宿溪头，树香沁鼻，宵寒袭肘，枕着润碧湿翠、苍苍交叠的山影和万籁都歇的岑寂，仙人一样睡去。山中一夜饱雨，次晨醒来，在旭日未升的原始幽静中，冲着隔夜的寒气，踏着满地的断柯折枝和仍在流泻的细股雨水，一径探入森林的秘密，曲曲弯弯，步上山去。溪头的山，树密雾浓，蓊郁的水气从谷底冉冉升起，时稠时稀，蒸腾多姿，幻化无定，只能从雾破云开的空处，窥见乍现即隐的一峰半壑，要纵览全貌，几乎是不可能的。至少入山两次，只能在白茫茫里和溪头诸峰玩捉迷藏的游戏，回到台北，世人问起，除了笑而不答心自闲，故作神秘之外，实际的印象，也无非山在虚无之间罢了。云缭烟绕，山隐水迢的中国风景，由来予人宋画的韵味。那天下也许是赵家的天下，那山水却是米家的山水。而究竟，是米氏父子下笔像中国的山水，还是中国的山水上纸像宋画。恐怕是谁也说不清楚了吧？

雨不但可嗅，可观，更可以听。听听那冷雨。听雨，只要不是石破天惊的台风暴雨，在听觉上总是一种美感，大陆上的秋天，无论是疏雨滴梧桐，或是骤雨打荷叶，听去总有一点凄凉，凄清，凄楚。于今在岛上回味，则在凄楚之外，更笼上一层凄迷了。饶你多少豪情侠气，怕也经不起三番五次的风吹雨打。一打少年听雨，红烛昏沉。二打中年听雨，客舟中，江阔云低。三打白头听雨在僧庐下，这便是亡宋之痛，一颗敏感心灵的一生：楼上，江上，庙里，用冷冷的雨珠子串成。十年前，他曾在一场摧心折骨的鬼雨中迷失了自己。雨，该是一滴湿漓漓的灵魂，在窗外喊谁。

雨打在树上和瓦上，韵律都清脆可听。尤其是铿铿敲在屋瓦上，那古老的音乐，属于中国。王禹偁在黄冈，破如椽的大竹为屋瓦。据说住在竹楼上面，急雨声如瀑布，密雪声比碎玉。而无论鼓琴，咏诗，下棋，投壶，共鸣的效果都特别好。这样岂不像住在竹筒里面，任何细脆的声响，怕都会加倍夸大，反而令人耳朵过敏吧。

雨天的屋瓦，浮漾湿湿的流光，灰而温柔，迎光则微明，背光则幽黯，对于视觉，是一种低觉的安慰。至于雨敲在鳞鳞千瓣的瓦上，由远而近，轻轻重重轻轻，夹着一股股的细流沿瓦槽与屋檐潺潺泻下，各种敲击音与滑音密织成网，谁的千指百指在按摩耳轮。"下雨了"，温柔的灰美人来了，她冰冰的纤手在屋顶拂弄着无数的黑键啊灰键，把响午一下子奏成了黄昏。

在古老的大陆上，千屋万户是如此。二十多年前，初来这岛上，日式的瓦屋亦是如此。先是天黯了下来，城市像罩在一块巨幅的毛玻璃里，阴影在户内延长复加深。然后凉凉的水意弥漫在空间，风自每一个角落里旋起，感觉得到，每一个屋顶上呼吸沉重都覆着灰云。雨来了，最轻的敲打乐敲打这城市，苍茫的屋顶，远远近近，一张张敲过去，古老的琴，那细细密密的节奏，单调里自有一种柔婉与亲切，滴滴点点滴滴，似幻似真，若孩时在摇篮里，一曲耳熟的童谣摇摇欲睡，母亲吟哦鼻音与喉音。或是在江南的泽国水乡，一大筐绿油油的桑叶被啮于千百头蚕，细细琐琐屑屑，口器与口器咀咀嚼嚼。雨来了，雨来的时候瓦这么说，一片瓦说千亿片瓦说，说轻轻地奏吧沉沉地弹，徐徐地叩吧挞挞地打，间间歇歇敲一个雨季，即兴演奏从惊蛰到清明，在零落的坟上冷冷奏挽歌，一片瓦吟千亿片瓦吟。

在日式的古屋里听雨，听四月，霏霏不绝的黄梅雨，朝夕不断，旬月绵延，湿粘粘的苔藓从石阶下一直侵到他舌底，心底。到七月，听台风台雨在古屋顶上一夜盲奏，千寻海底的热浪沸沸被狂风挟来，掀翻整个太平洋只为向他的矮屋檐重重压下，整个海在他的蜗壳上哗哗泻过。不然便是雷雨夜，白烟一般的纱帐里听羯鼓一通又一通，滔天的暴雨滂滂沛沛扑来，强劲的电琵琶忐忐忑忑忐忑忑，弹动屋瓦的惊悸腾腾欲掀起。不然便是斜斜的西北雨斜斜，刷在窗玻璃上，鞭在墙上打在阔大的芭蕉叶上，一阵寒濑泻过，秋意便弥漫日式的庭院了。

在日式的古屋里听雨，春雨绵绵听到秋雨潇潇，从少年听到中年，听听那冷雨。雨是一种单调而耐听的音乐是室内乐是室外乐，户内听听，户外听听，冷冷，那音乐。雨是一种回忆的音乐，听听那冷雨，回忆江南的雨下得满地是江湖，下在桥上和船上，也下在四川在秧田和蛙塘，下肥了嘉陵江下湿布谷咕咕的啼声。雨是潮潮润润的音乐下在渴望的唇上舐舐那冷雨。

因为雨是最最原始的敲打乐从记忆的彼端敲起。瓦是最最低沉的乐器灰蒙蒙的温柔覆盖着听雨的人，瓦是音乐的雨伞撑起。但不久公寓的时代来临，台北，你怎么一下子长高了，瓦的音乐竟成了绝响。千片万片的瓦翻翻，美丽的灰蝴蝶纷纷飞走，飞入历史的记忆。现在雨下下来，下在水泥的屋顶和墙上，没有音韵的雨季。树也砍光了，那月桂，那枫树，柳树和擎天的巨椰，雨来的时候不再有从叶嘈嘈切切，闪动湿湿的绿光迎接。鸟声减了啾啾，蛙声沉了阁阁，秋天的虫吟也减了唧唧。七十年代的台北不需要这些，一个乐队接一个乐队便遣散尽了。要听鸡叫，只有去《诗经》的韵里寻找。现在只剩下一张黑白片，黑白的默片。

正如马车的时代去后，三轮车的时代也去了。曾经在雨夜，三轮车的油布篷挂起，送她回家的途中，篷里的世界小得多可爱，而且躲在警察的辖区以外。雨衣的口袋越大越好，盛得下他的一只手里握一只纤纤的手。台湾的雨季这么长，该有人发明一种宽宽的双人雨衣，一人分穿一只袖子，此外的部分就不必分得太苛。而无论工业如何发达，一时似乎还废不了雨伞。只要雨不倾盆，风不横吹，撑一把伞在雨中仍不失古典的韵味。任雨点敲在黑布伞或是透明的塑胶伞上，将骨柄一旋，雨珠向四方喷溅，伞缘便旋成了一圈飞檐。跟女友共一把雨伞，该是一种美丽的合作吧。最好是初恋，有点兴奋，更有点不好意思，若即若离之间，雨不妨下大一点。真正初恋，恐怕是兴奋得不需要伞的，手牵手在雨中狂奔而去，把年轻的长发和肌肤交给漫天的淋淋漓漓，然后向对方的唇上颊上尝凉凉甜甜的雨水。不过那要非常年轻且激情，同时，也只能发生在法国的新潮片里吧。

大多数的雨伞想不会为约会张开。上班下班，上学放学，菜市来回的途中，现实的伞，灰色的星期三。握着雨伞，他听那冷雨打在伞上。索性更冷一些就好了，他想。索性把湿湿的灰雨冻成干干爽爽的白雨，六角形的结晶体在无风的空中回回旋旋地降下来，等须眉和肩头白尽时，伸手一拂就落了。二十五年，没有受故乡白雨的祝福，或许发上下一点白霜是一种变相的自我补偿吧。一位英雄，经得起多少次雨季？他的额头是水成岩削成还是火成岩？他的心底究竟有多厚的苔藓？厦门街的雨巷走了二十年与记忆等长，一座无瓦的公寓在巷底等他，一盏灯在楼上的雨窗子里，等他回去，向晚餐后的沉思冥想去整理青苔深深的记忆。前尘隔海。古屋不再。听听那冷雨。

美／文／赏／析

　　在文中，作者出色地运用了移步换景的手法，不断变换视角，描摹了从大陆到香港到"台湾"到美国又到台湾不同地点听冷雨的意境、情趣、感受，并创造性地展示了丰富而又奇特的感觉，将雨描绘成糅合了听觉、触觉、嗅觉、视觉、味觉的一种全方位的感性存在，这种感性存在蕴含了人物交互感应所产生的全部情感类型——乡情、友情、爱情、亲情，从而给读者带来了多维的审美体验。

世界卷

要生活得写意

/ 蒙田

入选理由……………………………………

蒙田的散文代表作之一

阐释了一种智慧达观的生命态度

行文自如，文笔简朴自然

跳舞的时候我便跳舞，睡觉的时候我就睡觉。即便我一人在幽美的花园中散步，倘若我的思绪一时转到与散步无关的事物上去，我也会很快将思绪收回，令其想想花园，寻味独处的愉悦，思量一下我自己。天性促使我们为保证自身需要而进行活动，这种活动也就给我们带来愉快。慈母般的天性是顾及这一点的。它推动我们去满足理性与欲望的需要。打破它的规矩就违背情理了。

我知道恺撒与亚历山大就在活动最繁忙的时候，仍然充分享受自然的，也就是必需的、正当的生活乐趣。我想指出，这不是要使精神松懈，而是使之增强，因为要让激烈的活动、艰苦的思索服从于日常生活习惯，那是需要有极大的勇气的。他们认为，享受生活乐趣是自己正常的活动，而战事才是非常的活动。他们持这种看法是明智的。我们倒是些大傻瓜。我们说："他一辈子一事无成。"或者说："我今天什么事也没有做……"怎么！您不是生活过来了吗？

作者简介

蒙田（1533—1592），欧洲文艺复兴时期法国著名的思想家、散文家。出身贵族家庭。早年学习拉丁文，在波尔多市念中学。后在相当长的时期内深居简出，闭门读书思考。之后担任过法院顾问、波尔多市市长等职，曾游历瑞士、意大利等地。主要作品有《随笔集》3卷。他是西方开先河式的散文大家，其散文风格对弗兰西斯·培根及17世纪、18世纪欧洲一些思想家、文学家影响很大。

这不仅是最基本的活动，而且也是我们的诸活动中最有光彩的。"如果我能够处理重大的事情，我本可以表现出我的才能。"您懂得考虑自己的生活，懂得去安排它吗？那您就做了最重要的事情了。天性的表露与发挥作用，无需异常的境遇。它在各个方面

乃至在暗中也都表现出来，无异于在不设幕的舞台上一样。

我们的责任是调整我们的生活习惯，而不是去编书；是使我们的举止井然有致，而不是去打仗，去扩张领地。我们最豪迈、最光荣的事业乃是生活得写意，一切其他事情，执政、致富、建造产业，充其量也只不过是这一事业的点缀和从属品。

美/文/赏/析

《要生活得写意》是蒙田的散文集《随笔集》中的名篇之一。文章表达了作者对生活及求知的见解和态度。文章开宗明义，直抒胸臆，使读者明确感受到作者写作此文的意图。接着作者以恺撒和亚历山大为例，指出享受生活乐趣是自己正常的活动，并以人们对生活的偏见作比衬，得出结论："我们最豪迈、最光荣的事业乃是生活得写意，一切其他事情，执政、致富、建造产业，充其量也只不过是这一事业的点缀和从属品。"作者由此生发开去，旁征博引，点明对求知应采取的正确态度。文章行文自如，文笔简朴自然，读来朗朗上口，既给人以轻松的愉悦享受，又给人以深刻的哲理启示。

热爱生命

/ 蒙田

入选理由……………………………………
蒙田的散文代表作之一
对生命价值和意义的独特思考
一种超越死亡的达观精神

　　我对某些词语赋予特殊的含义，拿"度日"来说吧，天色不佳，令人不快的时候，我将"度日"看做是"消磨光阴"；而风和日丽的时候，我却不愿意去"度"，这时我是在慢慢赏玩、领略美好的时光。坏日子，要飞快去"度"；好日子，要停下来细细品尝。"度日"、"消磨时光"的常用语令人想起那些"哲人"的习气。他们以为生命的利用不外乎在于将它打发、消磨，并且尽量回避它，无视它的存在，仿佛这是一件苦事、一件贱物似的。至于我，我却认为生命不是这个样的，我觉得它值得称颂，富有乐趣，即便我自己到了垂暮之年也还是如此。我们的生命受到自然的厚赐，它是优越无比的，如果我们觉得不堪生之重压或是白白虚度此生，那也只能怪我们自己。

"糊涂人的一生枯燥无味，躁动不安，却将全部希望寄托于来世。"

不过，我却随时准备告别人生，毫不惋惜。这倒不是因生之艰辛或苦恼所致，而是由于生之本质在于死。因此只有乐于生的人才能真正不感到死之苦恼。享受生活要讲究方法。我比别人多享受到一倍的生活，因为生活乐趣的大小是随我们对生活的关心程度而定的。尤其在此刻，我眼看生命的时光无多，我就愈想增加生命的分量。我想靠迅速抓紧时间，去留住稍纵即逝的日子；我想凭时间的有效利用去弥补狡猾流逝的光阴。剩下的生命愈是短暂，我愈要使之过得丰盈饱满。

美/文/赏/析

　　《热爱生命》是一篇短小精悍的散文，文章表达了作者对生命价值和意义的独特思考。文章开首从截然相反的两种"度日"方式写起，接着以"哲人"对待生命的消极方法为反衬，指出人的生命是大自然的厚赐，具有无与伦比的优越性，因此人们应当珍惜生命，不能虚度光阴。文章虽仅500余字，却将一种极其智慧和达观的生命态度，表达得淋漓透彻。

西敏寺漫游

/ 约瑟夫·艾迪生

入选理由·····························

智慧而深沉的思考

简洁而庄重的语言和修辞

显示着对生命超乎一般的理解

  每当我要作严肃的沉思时，我就经常独自到西敏寺去散步。那里的阴暗、教堂中一切用物、巍峨庄严的建筑和长眠在那里的人们，种种情景，都易使人心中充满悲戚，但也会勾起令人愉快的遐思。昨天，我在教堂的庭院里，在那些修道院和礼拜堂中，消磨了整个下午。在几个墓葬区，看看那些墓碑和墓志铭，倒也是一种消遣。墓志铭大多除了记载死者生年忌日之外，并没有别的内容，其实这已经就是死者的平生，为人类所共有的。我只能把这些人生的记载，无论是刻在铜牌上或是大理石上，都看做是对于这些作古的人们的一种讽刺；他们没有留下什么纪念物，留下的仅是他们的生与死。他们令我想起英雄史诗中征战的勇士来，他们之所以被歌颂，也许只因为他们被杀戮；他们之所以被人纪念，也许是因为他们被杀戮；此外别无其他原因。

作者简介

  约瑟夫·艾迪生(1672—1719)，英国散文家、诗人、剧作家以及政治家，出生于英国西南部的威尔特郡，父亲是立斯菲尔德的教长。他在著名的私立学校歌得明切特豪斯学校接受教育，之后又进入牛津大学女王学院就读，毕业后在牛津大学莫德林学院教书。1705年，他在哈利法克斯的政府中工作，出任副国务秘书，1708年，当选国会议员，1711年，艾迪生成为一名非常成功的剧作家。1716年，艾迪生与沃里克伯爵夫人结婚，1717年至1718年，他担任国务秘书，后因健康原因被迫辞职。1719年6月艾迪生去世，被埋葬在西敏寺。

格荡卡斯、梅通塔克、塞西洛恰克等人的一生，在《圣经》中，足与圣贤同受尊重，这些英雄如今又安在哉?!

我一走进教堂，就十分欣赏掘墓时的情景，在每一锹的抛撒中，我都看见成型的新泥混合着骸骨和颅盖的碎片。这种碎片，曾几何时，还是人类躯壳的一部分。我由此想到，躺在教堂铺石下面的人何止千万，男人和女人，朋友和仇敌，牧师和士兵，僧侣与传教士都已成为齑粉，混合成一块。无论何人，优秀的、有权势的、年轻的、年老的、衰弱的、畸形的都将毫无区别地躺在乱糟糟的泥堆中。

我曾经阅读过几本谈人类问题的大杂志，我特别注意调查矗立在那古老建筑角落里的纪念碑，有些刻着揄扬过分的墓志铭。假如死者有知，一定会因他的朋友对他的奉承而感到羞愧；也有一些又嫌谦卑过分，它们用无法理解的文字，去讲述死人的品质，死者因此长年不为人知。在有些富于诗意的地方，我发现有长眠地下的人却没有纪念碑；有纪念碑的又不是诗人。我观察到，现代战争使许多纪念碑充斥教堂，这些耸立着的石碑，都是为纪念葬身在布冷亨平原上或海洋里的人们而立的。碑下只有空穴。

当我感到我的心情处于一种严肃的欣赏中时，我就离开了我们英王的教堂，以便来日能够回味。我知道这类消遣，容易在胆怯的心灵上浮起灰暗而沮丧的思潮和幻想，我虽然常常是严肃的，但还不知道，悲哀是什么，因此，在教堂庄严而深沉的场景中，我却能有在最愉快活泼的情景里那样欢愉的心情。依靠这种方法，我就能够用那些别人害怕考虑的事物来改善自己的心境。当我看到伟大人物的墓碑时，我的羡慕情绪就一扫而光；当我读到优美的墓志铭时，我的奔放感情就骤然消失；当我在墓碑上发现父母的忧愁时，我的内心就要产生无限惋惜；而

西敏寺内盛大活动场面

"西敏寺"一名源自970年，一群圣本笃教会的修士在当时伦敦市修建修道院教堂，从此留名至今。历代国王的加冕仪式、婚丧喜宴及国家大典等活动都是在这里举行，甚至连王室的坟墓也几乎都设在这里。此外，历史上著名人物的墓碑或纪念碑也多设在教堂内。图为1820年乔治四世的加冕仪式在这里举行。

当我瞧见他们的墓穴时，我就思忖，哀伤何益？其实，我们很快也要随他们而去。当我看见那些国君卧在推翻他们的敌人旁边时，当我看见敌对的谋士们肩并肩地躺在墓穴里时，或者想到那些用竞争和辩论把世界分割开来的神圣的人们时，我就悲哀而惊愕地回忆起人类渺小的竞赛、派系的争吵。我读着这些墓穴不同的立碑日期，有些人是昨天才死，有些在六百年前就已归天了，由此我就想到，我们这些同时代的人，最终都是要一起走到这里来的。

美/文/赏/析

　　这篇文章并不是寻常的游记，它足以使很多篇章黯然失色。作者在开篇说："每当我要作严肃的沉思时，我就经常独自到西敏寺去散步。"选择教堂作为自己散步和沉思的所在，本身就意味着生命和思索的沉重，而作者的这些沉重的冥思使我们顿时愧觉自己的轻浮可笑。作者看到墓碑，冥想生与死，对死亡的思考总使我们感到虚妄和无助，于是作者说："当我看见那些国君卧在推翻他们的敌人旁边时，当我看见敌对的谋士们肩并肩地躺在墓穴里时，或者想到那些用竞争和辩论把世界分割开来的神圣的人们时，我就悲哀而惊愕地回忆起人类渺小的竞赛、派系的争吵。"读到这里，可以感觉到，说什么都是多余的。

圣皮埃尔岛上的欢乐

/ 卢梭

入选理由……………………………………

伟大思想家不同凡响的旅行记录

在华丽的语言中呈现作者完美缜密的思考

对人与世界的关系的整体回顾

在我曾经羁留过的居住地中（我曾有过一些迷人的住地），没有一个像位于比安湖心的圣皮埃尔岛那样使我那么真切地感到幸福、给我留下那么温馨的怀念的了。这个被沙纳泰尔居民称为土块岛的小岛，几乎不为世人所知，就是在瑞士本土也是未足挂齿的。据我所知，没有一个游客曾经提到过它。然而，对于一个

作者简介

卢梭（1712—1778），出生于日内瓦一个钟表匠家庭，幼时家境贫寒，但通过自学掌握了丰富的知识。1749 年，他在一篇名为《科学与艺术的复兴是否有助于淳化风俗》的征文中获一等奖，并一举成名。但他决心放弃对财产和声誉的奢望，永远保持贫困和独立。1754 年，他回到日内瓦，受到热烈欢迎，并成为日内瓦公民。次年，他发表了《论人类不平等的起源和基础》，并完成了《论政治经济学》。1758 年，由于同狄德罗在宗教等观点上的不同，与百科全书派决裂。1761 年，

卢梭像

小说《新爱洛绮丝》发表，猛烈地冲击了封建专制制度，这部小说给卢梭带来了巨大的声誉。1762 年，《社会契约论》和《爱弥儿》出版，这两部书既引起了百科全书派的尖锐批评，更激起了新旧教会的极大愤怒和政府当局的谴责，两本书在许多地方被教会当众焚烧。瑞士当局下令逮捕他，他只好逃往普鲁士管辖下的讷沙泰尔，宣布放弃日内瓦的公民身份。卢梭一度到英国居住，不久又回到法国。卢梭晚年时最有名的著作是《忏悔录》。他于 1778 年去世。

喜欢限制自己活动范围的人的幸福来说，它可就称心极了，此处的位置也十分独特。因为，虽然我是唯一的一个迫于命运而来到这里的人，但我并不认为只有我才有那么纯朴的兴趣，尽管迄今我还不曾在别人那里找到这种兴趣。

比起日内瓦湖畔，比安湖畔则更加荒僻、更加富于浪漫色彩。因为这里的峭壁和树林更靠近湖水，是那么明媚秀丽。这儿的作物和葡萄没那么多，城镇和住家没那么密，但一样的郁郁葱葱，还可以见到有草地和浓荫遮蔽的幽静处。这儿有更加鲜明的色彩变化，更加明显的地形起伏。那些令人心境旷达的湖畔，由于缺少便于马车行走的大道，所以很少有游人涉足。但是，对于那些耽于冥思的孤独者，它可就趣味盎然了。他们喜欢悠然陶醉在大自然的妩媚之中，喜欢在一片寂静中沉思默想，只有鹰的尖叫、鸟的啼啭和山间飞泻而下的激流的哗啦声偶尔打破这片寂静。这个几乎是圆形的美丽水域，把两个小岛揽在怀中，一个住着人，种了庄稼，周长大约半里；另一个较小，也更偏僻、荒芜。后来它被人平掉了，因为大岛常受波涛和风暴的侵蚀，人们不得不从小岛取土去修补。弱者之躯常常就是这样为强者所利用了。

岛上只有一所孤零零的房子。但它宽敞、舒适、实用，跟小岛一样隶属伯尔尼的收税所，一个税务员偕家室和仆人住在这里。他在岛上有一个规模不小的家禽饲养场，一个马棚和几个鱼塘。这个岛小巧玲珑，地形、地貌是那样复杂，给这儿提供了千姿百态的景致，培育了许多品种的作物。那儿有耕地、葡萄园、树林、果园和小树林遮荫的肥美牧场。牧场边长满各种小灌木丛，湖岸因此清凉常驻。一个长形的平台，栽着两行树木，依傍着小岛。平台中央有一个漂亮的大厅，葡萄收获的季节，每逢星期天，湖畔附近的居民便聚在这儿，载歌载舞。

在莫蒂埃遭到围攻之后，我就逃到了这个岛上。我觉得在这儿的逗留太吸引人了，在这儿过的生活太合乎我的性格，于是我打定主意，在此地终我余生。我无忧无虑，唯恐人们不让我实现这一愿望。这个计划和我前往英国时的计划不同，我一开始就有不祥之感。怀着这种惴惴不安的预感，我巴不得人们把这个避难处变成牢狱，将我终生囚禁，使我失去离岛他去的能力和希望，使我断绝与陆地的来往，以至对世上发生的事一无所知，这正好使我忘掉这个世界的存在，也让别人忘掉我的存在。

人们只让我在岛上羁留了两个月。就我而言，能在这儿住上两年、两个世纪、乃至来生来世，我都不会有片刻厌烦。虽然我那时只有税务员、他的太太和仆人相伴，没有任何别的交往。他们的确是一些非常善良的人，这恰好是我求之不得的。我把这两个月视为我一生中最幸福的时辰。如果我不让内心产生对另一种状态的片刻希求，这个时辰将足以叫我终生感到满足。

这种幸福究竟是什么呢？这种幸福的享受包含着什么呢？我要让世人根据我对这儿的生活所作的描写去猜测。那种难能可贵的悠闲生活便是我最基本的，也是主要的享受。我渴望体味的是它全部的温馨。我在逗留中所做的一切，不过是一个恣情于悠闲生活的人所需要的其乐无穷的消遣而已。

在我自己刻意追求的这个与世隔绝的地方，不靠任何人帮助，又不会被任何人发觉，我根本不能出去。若没有周围人的帮助，我简直不能越雷池一步。人们倒是巴不得将我孤单单地撇在这里。我心想，他们的希望倒给我引起了另一种希望。我要更加恬静地度过余生，要比我先前过的日子更加恬静。想到我还有时候安顿自己，所以开始我便有意不作任何安顿。我匆匆迁居于此，只身一人，两手空空。尔后才相继弄来我的女管家、书籍和小家当。但我乐得什么都不取出来。我没有开启我的箱箱柜柜，让它们原封不动地放在那儿，就像它们刚运到时那样。我住在这所我打算打发余生的房子里，却好像住在一家第二天又要去上路的客栈一样。所有的行囊都不打开，倒是十分便当，要把它们整理整理反倒要坏事的。我感到最开心的事就是让我的藏书永远封在箱子里，也不用文房四宝。当一些倒霉的来信迫使我提笔作答时，我就嘟哝着去向税务员借文房四宝，用完就立即还给他，一心指望有一不再，有再不三。然而，这种指望总是落空。我摆满房间的是花花草草，而不是那些讨厌的废稿什和破旧书籍，因为我那时刚刚迷上植物学。伊韦努瓦博士使我对植物学产生了兴趣，这

巴黎国民公会下令将卢梭的遗骸迁入先贤祠

1794 年 4 月 14 日，国民公会在巴黎颁布一项法令，将卢梭的遗骸迁入先贤祠。大队的送葬行列护送卢梭的遗骨，在卢梭生前创作的《乡村卜师》的乐曲声中送进了先贤祠。

种兴趣很快发展成了一种嗜好。我再也不想做那些劳心费力的文字活计了。我应该做一种有趣味的事情，它既能使我感到快乐，又只需慵懒人肯费的那一点气力就行了。为了消磨残生，我动手写起《圣皮埃尔岛植物志》。我详详细细地、一样不漏地去描写岛上的各种植物，这

就足以打发我的光阴。据说有个德国人写了一本关于柠檬皮的书。我原来也打算写一本关于草地的每一种种籽，森林的每一类苔藓，岩石上每一种地衣的书。总之，我不愿意漏掉一根草、一棵植物，而且要详详尽尽。按此绝妙的计划，每天上午，和大伙儿进过早餐后，我便手拿放大镜，挟着我那本《自然的体系》出发去岛上的某块地段考察。为此，我曾将小岛划分成若干方块，以便按不同季节逐片把这些方块走完。我观察植物的组织、结构和开花结果。那时，我对植物开花结果的各种方式还颇感新鲜哩。每一次观察，我都感到阵阵心醉神迷，没有比这种感觉更为特别的了。我似痴如醉，在相同品种中验证区分植物的属性，希望认出更为珍奇的品种来。过去我对此一窍不通。我有生以来第一次观察到开花结果的各个微妙的过程：夏枯草两支长长的雄蕊是如何分叉的；荨麻和墙草的雄蕊是怎样具有弹性的；凤仙花和黄杨的蒴果又是怎样炸开的……不禁心头一喜。我真想问问别人是否见过夏枯草的角，就像拉封丹总是问别人曾否读过《哈巴谷书》一样。两三个钟头过后，我便满载而归。要是碰上雨天，午后我就待在家里，摆弄这些东西聊以消遣。我利用下午剩下的时间，同税务员、他太太和我妻子戴莱丝访问他们的工人，参观他们的收成，常常还会同他们一块干起来。前来看望我的伯尔尼人经常看见我爬在大树的高端，腰带上束着一只袋子，我好往里面装果子，然后用绳子将它吊到地面。我在上午的活动以及由此而获得的良好心境，使我午餐后的小憩惬意极了。不过，倘若午餐的时间拖得太长，而这时天气又很迷人，我就坐不住了。于是，趁大伙儿还在餐桌上

时，我就悄悄地溜出来，独自一人跳上船，把船摇到湖心。这时湖水一平如镜。
我直挺挺地躺在船上，眼睛仰望着天空，任湖水缓缓地摇，有时长达几个钟头。
我沉入千百种遐想之中。这些既模糊又甜美的遐想，没有任何明确或固定的对象，
但依我看来，却比我在人们所谓的各种乐趣中找到的最甜美的乐趣还强似百倍。
当夕阳西垂，提醒我该回去了时，我常常还在离岛很远的地方。为了在天色完
全黑下来之前赶到岛上，我不得不竭尽全力把船划回来。有时候，我没有泛舟
湖心，而是沿着葱绿的岛岸游弋，那清澈的湖水常常诱我跳进湖水。不过，我
走得最多的水线是从大岛到小岛。在小岛上岸，在那儿度过午后的时光。时而
在柳树、泻鼠李、春蓼与灌木丛中作举步维艰的散步；时而仁立于某个小沙丘上，
那上面覆盖着细草和欧百里香，甚至还有岩黄芪和三叶草，好像从前曾有人把
种籽撒在那儿似的。这里特别适宜兔子栖息，它们可以在那儿平平安安地繁衍，
既不必担惊受怕，又不会伤害什么。我把这个想法告诉了税务员。他便从沙纳
泰尔弄来了一群公兔和母兔。他的太太、他的姐姐、戴莱丝还有我，我们一起
煞有介事地把兔子安置到了那个岛上。在我离岛之前，它们开始生育后代了。
倘若能够耐得住数九隆冬的严寒，那它们一定子孙成群了。建立这个小小"殖
民点"，就成了一个大好日子。当我神气十足地率领着同伴们把兔子从大岛迁
往小岛时，就连阿耳戈英雄们的舵手也不会有我那么自豪。我十分得意地注意到，
那位对水过分恐惧、往往见水就昏的税务员太太，那天在我的带领下满有信心
地上了船，在整个航程中没有半点惊慌神色。

当湖水激荡，不能泛舟时，我就在岛上度过我的下午，到处溜达，采集植物

标本。有时坐在最招人喜爱而又最僻静的角落纵情幻想，有时坐在土台或山丘上，骋目全湖和沿岸旖旎迷人的风光。湖的一侧有近山环绕；另一侧则伸展着一片富饶而肥沃的平原。极目远眺，一直可以望见远处摭挡住视线的淡淡的青山。

黄昏将近时，我从岛的高处下来，信步来到湖边，坐在某个隐蔽处的沙滩上；涛声阵阵，湖水翻腾，吸引住我的情思，驱除了我心头因别的事引起的激动，使我整个心思沉浸在柔美的遐想之中。这时间，夜晚常常悄然而至，而我还没有察觉。湖水在我眼前时涨时落，喧哗不止，时强时弱的涛波声，不停地在我耳边喧腾。它们取代了我那因幻想而停止了的内心活动，不费心神就足以使我愉快地感到自己的存在。我时不时泛泛而短暂地思考世界上各种事物的不稳定性，水面恰好给我提供了这种不稳定的图景。但是，这些浅淡的印象很快就消失在这种单调的持续运动中了，那持续运动安抚着我，用不着我的心主动配合，就不停地把我吸引住了。到了钟点和事先约好的信号把我召唤时，我得很费些劲儿才能从这状态中脱身出来。

晚饭后，每当夜空晴朗，我们还要一块儿到土台上散散步，呼吸湖上的气息和清新的空气。我们到凉亭歇脚、嬉笑、聊天，哼一支古老的歌曲，它比那扭扭捏捏的现代歌曲可就强多了。末了，各自带着对这一天的满足心情回去就寝，一心巴望明天还要这么度过。

撇开那些令人厌烦的不速之客不谈，我在圣皮埃尔岛上勾留，就是这样打发日子的。简直可以这样说，那儿的东西太有吸引力，足以唤起我心中如此强烈、如此柔美、如此持久的怀念。15年后，每当我想起这个可爱的地方，仍因热烈的向往而恍如身在其中。

我在漫长岁月中历尽沧桑，我发现，具有最甜蜜的享受和最强烈的快感的时期，并非那些常引起回忆或最使我感动的时期。那些一时的狂热和心血来潮的时刻，无论多么热烈，却恰恰因为本身的热烈程度而仅仅成了生命线上一些稀稀落落的点。这些点为数太少、稍纵即逝，不能形成一种状态。可我心所怀念的幸福，断然不是由一些瞬息即逝的时刻，而是由一些平凡而持久的状态构成的。这些状态本身并不强烈，但它们的魅力却随着岁月的流逝而骤增，最终能够从中找到无与伦比的快乐。

世间万事万物都在连续在波动中，没有一样东西能够保持它的一种固定而永久的形式。因此，与外界事物相因而生的情感，必然与它们的变迁而一起变异。我们的情感常常在我们之前或在我们之后，在追忆那不可再得的过去，或去预想那也许永远不会有的未来。总之，没有一件坚实的东西可以作为心灵的依托。由此可见，世间有的只是逝去的欢乐，而所谓持续的欢乐，我很怀疑它是否存在过。我们难得有享受十分强烈的那么一刹那，而足以使我们的心真正能够说出："我愿这一刹那长此下去。"既然如此，我们怎能把这样一种瞬息状态——它只给心中留下不安和空虚，只留下对过往某些事物的悔恨和对今后某些事物的希求——称为快乐呢？

但是假设有这么一种状态，在那里，心灵能够找到一个坚实的位置，整个儿地静息在那里，并在那里聚集它整个的存在，既不必追怀过去，亦不必思考未来；在那里，时间对于它是虚无的，"现时"一直延伸着，但又不显出它的连续性，不显出它那相继接续的印迹；在那里，除了唯一感觉到我们的存在以外，再无贫乏或享受，快乐或痛苦的感觉，更无希冀或恐惧的感觉。我们自身的存在这唯一的感觉就能够把我们的心灵完全充实。只要这种状态持续一天，凡是处于这种状态中的人就都可以称自己是幸福的人。这种幸福并非来自那种不完全的、贫乏的、相对的幸福，就像我们在人生乐趣中所感到的那样。而是源于一种丰盈的、完备的、充实的幸福，它不给心灵留下半点空虚之感，使它需要填补。我在圣皮埃尔岛上，有时躺在船中随水漂移，有时坐在汹涌的湖水边，要么坐在景色秀丽的江边，或是水流穿经砾石潺潺作响的溪边独自遐想，常常处于这种状态中。

在这种境界中享受到的是什么呢？这绝不是自己身外的东西，除了我自己和自己的存在以外再没有别的东西了，只要这种状态持之以恒，人就和上帝一样心得意满。排除异念而感到自身的存在，这本身就是一种满足和宁静的珍贵情感。它足以使每个善于排除世俗的和肉欲的杂念的人感到自身存在的珍贵和甜美。因为世俗的和肉欲的杂念总是不断地分散和扰乱我们对生活在人间的甜美感觉。但是，人类的绝大部分，由于不断受到各种情欲的纠缠，他们很少能够感受到这一境界，或者只有片刻的尝试，因而对此只有一种含糊不清和混乱的观念，不足以感到那其中的韵味。按照现在的事物结构，他们若是渴望这些甜蜜的沉醉而讨厌积极的生活，那甚至是没有益处的，因为对生活不断产生的需要给他们规定了义务。然而，一个不幸者，断绝了和人类的交往，再不能做点于他人、于自己有用或有益的事情了，在这种状态中，他却能找到人生的至乐极福，作为补偿，这才是命运和人所无法从他那儿夺去的。

诚然，并不是任何人，在任何境况中能体会到这些补偿，那就需要心地平和，不能有任何情欲来打扰这种平静，需要有感而发的内心情境，需要把内心情境与四周的客观事物相融合。绝对的安息和过分的激动都是不需要的。但必须有一种均匀而适度的内心活动，没有波动和空隙，没有内心活动，生命就不过是麻木的东西；它若是不平衡或过于激烈，它就会惊醒。当它使我们意识到了四周的事物，它就会败坏我们遐想的魅力，把我们从自身中分裂出来，使我们重新回到财物和人类的束缚中，再度感到我们的诸般不福。过于沉静会令人生悲，出现死亡的阴影，因此就需要借助于一种令人快乐的想象力。上天曾赋予他们以想象力的人们自然会得到这种援助。这时，不是来自外部的内在情感便在我们内心产生了。静下来的时候比较少，但是当一些泛泛的、愉快的思考只是轻轻掠过心灵的表面而不激动它的深处时，沉静也同样是令人惬意的。只需要足够的思考就能回忆起自己，而把痛苦忘却。无论在哪里，只要能够静下心来，就可以去幻想。我常常想，若是把我囚在巴士底狱或一间伸手不见五指的暗室里，我也仍然可以悠然幻想。

但是，还得承认，在这个富饶而僻静、受着大自然的限制、与世隔绝的小岛上，悠然遐想，可就更加自由、更加惬意了。在这儿，一切都给我提供了令人愉快的景象，没有任何东西勾起我对痛苦的往事的回忆。与少数居民的交往，亲切而温柔，并不十分有趣，不会没完没了地占用我的时间。在那儿，我可以无拘无束地成天恣情于令我感兴趣的事物和最懒散的悠闲生活中。一个幻想家，他若能从令人生厌的事物中提炼出令人快慰的幻想，借助于所有感动他五官的一切，若能陶醉其中，其乐融融，那么，这个机会对他无疑就是绝妙的了。当我从长久和甜蜜的遐想中觉醒过来时，发现周围是绿茵和花岛，当我骋目于远方那环绕一汪清澈晶莹的宽宽水域、富于浪漫色彩的堤岸时，我把每一件可爱的东西都融化在我的想象中了。最后，当我逐渐清醒，意识到周围的一切时，我简直分辨不出想象和现实之间的分界线。因为，在那逗留的愉快时光中，所有一切都使我这种沉思与幽静的生活变得亲切可爱了。我为什么不在这岛上度过余年，永远不出岛，见不着一个陆上居民？他们总是令我回想起这些年来那伙人对我的加害。我很快会把他们忘掉，但他们不会忘掉我的。但只要他们再不能打搅我的平安，我也就不计其他了。当我把社交界的纷扰所引起的尘世的欲念摆脱掉了之后，我的灵魂就常常超越了这个氛围，去与天使们提前交往了——它还希望尽快有更多的天使。我明白，人们不会还给我这么一个温柔的避难处了，他们原先也是不愿意让我到那儿去的。但他们阻挡不了我展开想象的翅膀，飞向那儿，领略几个钟头的快乐，好像我还住在那里一样。我在那儿能够做的最甜蜜的事也许就是纵情幻想，当我把自己想象成在那儿时，岂不与真的在那儿没有两样吗？有时想象比真的还真哩，因为我把那些迷人的图景融进深奥而单调的幻想之中了。当我心驰神往，这些景物往往超脱了我的感官意识。现在，我幻想得越深入，幻想中的景物就越清晰，与当初我真的待在那儿时相比，如今我似乎更加身临其境，更加其乐融融。不幸的是，随着想象力的衰竭，我的幻想越来越困难，而且不能持续多久了。唉，人行将脱离自己的躯壳时，却被它裹得最紧。

美/文/赏/析

作为思想家的卢梭，使思想成为他的基本品质，这一品质在他的众多篇章里都完全表现出来了，甚至一篇游记。在《圣皮埃尔岛上的欢乐》中，我们可以看到，卢梭面对这样一个充满魅力的小岛，也没有停止他的思考。一般来说，在优美的大自然面前进行冗长的思考和演说是一种使人郁闷的大煞风景的事。但是，事实表明即使令人陶醉的自然也不能阻止作为思想家的卢梭停止思考。卢梭热爱圣皮埃尔岛是显然的，但是如果要他来表达或者描述他的热爱，除了部分生动感性描述之外，卢梭是非要给出长篇大论而不能。在卢梭看来，也许感性和理性必须结合到使人生厌，才能讲出一个使人完全信服的理由。卢梭说："在莫蒂埃遭到围攻之后，我就逃到了这个岛上。"但是在岛上居住，他感到幸福，他思考他所看到的岛上生活者的幸福究竟是什么，这种思考引发了他对万事万物的思索。"这种幸福究竟是什么呢？这种幸福的享受包含着什么呢？"卢梭实际是要讲述对他而言隐居的必要和隐居的好处，这种孩子气的说明使我们卷入了卢梭关于人和世界的恰当关系以及人生最具价值的享受的长篇大论中，姑且看作是卢梭对人之于世界的整体回顾。当然，这些并没有影响到他笔下的美丽的圣皮埃尔岛上的绚丽风光、多彩的生活和他所感到的欢乐。

生活在大自然的怀抱里

/卢梭

入选理由……………………………

卢梭的散文代表作之一

体现了人类心灵深处摆脱尘世干扰、追求自然　纯净境界的永恒意念

　　为了到花园里看日出，我比太阳起得更早；如果这是一个晴天，我最殷切的期望是不要有信件或来访扰乱这一天的清宁。我用上午的时间做各种杂事。每件事都是我乐意完成的，因为这都不是非立即处理不可的急事，然后我匆忙用膳，为的是躲避那些不受欢迎的来访者，并且使自己有一个充裕的下午。即使最炎热的日子，在中午一时前我就顶着烈日带着芳夏特出发了。由于担心不速之客会使我不能脱身，我加紧了步伐。可是，一旦绕过一个拐角，我觉得自

己得救了，就激动而愉快地松了口气，自言自语说："今天下午我是自己的主宰了！"从此，我迈着平静的步伐，到树林中去寻觅一个荒野的角落，一个人迹不至因而没有任何奴役和统治印记的荒野的角落，一个我相信在我之前从未有人到过的幽静的角落，那儿不会有令人厌恶的第三者跑来横隔在大自然和我之间。那儿，大自然在我眼前展开一幅永远清新的华丽的图景。金色的燃料木、紫红的欧石南非常繁茂，给我深刻的印象，使我欣悦；我头上树木的宏伟、我四周灌木的纤丽、我脚下花草的惊人的纷繁使我目不暇给，不知道应该观赏还是赞叹；这么多美好的东西争相吸引我的注意力，使我眼花缭

乱，使我在每件东西面前留连，从而助长我懒惰和爱空想的习气，使我常常想："不，全身辉煌的所罗门也无法同它们当中任何一个相比。"

我的想象不会让如此美好的土地长久渺无人烟。我按自己的意愿在那儿立即安排了居民，我把舆论、偏见和所有虚假的感情远远驱走，使那些配享受如此佳境的人迁进这大自然的乐园。我将把他们组成一个亲切的社会，而我相信自己并非其中不相称的成员。我按照自己的喜好建造一个黄金的世纪，并用那些我经历过的给我留下甜美记忆的情景和我的心灵还在憧憬的情境充实这美好的生活，我多么神往人类真正的快乐，如此甜美、如此纯洁，但如今已经远离人类的快乐。甚至每当念及此，我的眼泪就夺眶而出！啊！这个时刻，如果有关巴黎、我的世纪、我这个作家的卑微的虚荣心的念头来扰乱我的遐想，我就怀着无比的轻蔑立即将它们赶走，使我能够专心陶醉于这些充溢我心灵的美妙的感情！（然而，在遐想中，我承认，我幻想的虚无有时会突然使我的心灵感到痛苦。甚至即使我所有的梦想变成现实，我也不会感到满足：我还会有新的梦想、新的期望、新的憧憬。我觉得我身上有一种没有什么东西能够填满的无法解释的空虚，有一种虽然我无法阐明，但我感到需要的对某种其他快乐的向往。然而，先生，甚至这种向往也是一种快乐，因为我从而充满一种强烈的感情和一种迷人的感伤——而这都是我不愿意舍弃的东西。）

我立即将我的思想从低处升高，转向自然界所有的生命，转向事物普遍的体系，转向主宰一切的不可思议的上帝。此刻我的心灵迷失在大千世界里，我停止思维，我停止冥想，我停止哲学的推理；我怀着快感，感到肩负着宇宙的重压，我陶醉于这些伟大观念的混杂，我喜欢任由我的想象在空间驰骋；我禁锢在生命的疆界内的心灵感到这儿过分狭窄，我在天地间感到窒息，我希望投身到一个无限的世界中去。我相信，如果我能够洞悉大自然所有的奥秘，我也许不会体会这种令人惊异的心醉神迷，而处在一种没有那么甜美的状态里；我的心灵所沉湎的这种出神入化的佳境使我在亢奋激动中有时高声呼唤："啊，伟大的上帝呀！啊，伟大的上帝呀！"但除此之外，我不能讲出也不能思考任何别的东西。遗忘，但他们肯定不会把我忘却；不过，这又有什么关系？反正他们没有任何办法来搅乱我的安宁。摆脱了纷繁的社会生活所形成的种种尘世的情欲，我的灵魂就经常神游于这一氛围之上，提前跟天使们亲切交谈，并希望不久就将进入这一行列。我知道，人们将竭力避免把这样一处甘美的退隐之所交还给我，他们早就不愿让我呆在那里。但是他们却阻止不了我每天振想象之翼飞到那里，一连几个小时重尝我住在那里时的喜悦。我还可以做一件更美妙的事，那就是我可以尽情想象。假如我设想我现在就在岛上，我不是同样可以遐想吗？我甚至还可以更进一步，在抽象的、单调的遐想的魅力之外，再添上一些可爱的形象，使得这一遐想更为生动活泼。在我心醉神迷时这些形象所代表的究竟是什么，连我的感官也时常是不甚清楚的；现在遐想越来越深入，它们也就被勾画得越来越清晰了。跟我当年真在那里时相比，我现在时常是更融洽地生活在这些形象之中，心情也更加舒畅。不幸的是，随着想象力的衰退，这些形象也就越来越难以映上脑际，而且也不能长时间地停留。唉！正在一个人开始摆脱他的躯壳时，他的视线却被他的躯壳阻挡得最厉害！

美/文/赏/析

　　《生活在大自然的怀抱里》是一篇意境优美的散文。文章表达了作者热爱自然、崇尚个性、蔑视世俗观念的思想。文章一开始用简洁的笔调表述了自己在一天里如何摆脱来访者，接着又饱含激情地描述了他所看到的自然极其清新华丽、生机无限。置身于自然这个甜美、纯洁的世外桃源，卢梭陶醉了，忘却了尘世的纷繁、虚荣、伪善、偏见，充满了梦想、憧憬。

　　文章采用内心独白式的表述方式，亲切自然，感情真挚，全文流畅隽永，情景交融，充满诗情画意，融人文精神与理性精神于一炉，给读者以深刻的艺术享受。

西西里

/ 歌德

入选理由…………………………………
一次对意大利文明的深度考察
与自然和文明的深情对话
如大海般深沉而激荡的天才语言

海上航行，3 月 29 日

这次不像上次，行李船离岸时有清新的东北风送行，而是很遗憾地从相反方向刮来温和的西南风，阻力极大。我们怎么都知道，航海的人靠天气和风向吃饭。我们时而在岸上，时而在咖啡馆里不耐烦地度过了一早晨。中午我们终于上船，大好天气，和享受这大自然的美景。离莫洛不远，帆船抛了锚。在明媚的阳光下，空中有一层蒙蒙薄雾，因此，未照到阳光的索伦特石壁显出最好看的鲜蓝色。那不勒斯在阳光照耀下，更是生气活现，色彩缤纷。日落时分船才启航，但是航速很慢。从这里刮起逆风，将我们朝波西利波及其尖角方向推过去。帆船通宵静静地续航。这艘船系在美洲制造，张帆轻快

作者简介

歌德（1749—1832），18 世纪后期 19 世纪初德国著名诗人、欧洲启蒙运动后期最伟大的作家、德国狂飙突进运动的主将。生于法兰克福一个富裕市民家庭。先后在莱比锡大学、斯特拉斯堡大学学法律。1775 年后到魏玛做官。1786 年到意大利专心研究自然科学，从事绘画和文学创作。1788 年回魏玛任剧院监督。主要作品有书信体小说《少年维特之烦恼》、长篇小说《威廉·迈斯特》、诗剧《浮士德》、长篇叙事诗《赫尔曼与窦绿台》等。

歌德像

无比，船内有舒适的小舱房和单人卧铺，社交活动文雅活泼：看歌剧和跳舞。到巴勒莫后再写信。

3月30日

拂晓，我们处在伊沙和卡普里岛之间，离后者大约10海里处。太阳从卡普里山和米内瓦山头后面升起。克尼普勤劳地画出海岸和岛屿及其各种景观的轮廓，船速慢有益于他写生。一路上风弱，或者船帆有一半受风。我们继续前进。维苏威火山在将近4点钟时从我们的视线中消失，米内瓦山头和伊沙岛仍能望得见，傍晚时它们也看不见了。夕阳坠入海中，这时天空多云，有一条1海里宽的长长的云带，紫色的云霞光芒四射。克尼普也将这个景象入画。现在再也见不到陆地了，四周的视界一片汪洋。夜间有月亮，月光皎洁。

我只能享受到片刻的美景。不久我晕船了。我走进舱里，平躺下，除白面包和红葡萄酒外，其他各种饮料和青菜均不用，感到也很愉快。我同外界隔绝，内心世界就起作用。由于预见到船行很慢，为了娱乐，我立即限定自己每天写多少字数。《塔索》的两个第一幕是用诗体写的，是我从全部稿子中仅仅拿了这一叠稿子带过海来的。这两幕的计划和进度大概类似现在的，但是在10年前写的稿子，有一类软弱的、模糊的东西。我根据新的见解注重形式和韵律的时候，这些东西便消失了。

巴勒莫，4月2日

我们历尽艰辛，终于在下午3时到达港口，在这里我们见到令人极为高兴的景象。我完全恢复了精神，感到极大的愉快。城市朝北，再转回来，坐落在高山脚下。根据白天某一段时间来说，太阳当空照射过来，一切建筑物被反光照射，显出明显的阴暗面。右边是帕勒格里诺山，它那秀丽的形态完全沐浴在阳光里；左边是向远处伸展的海岸、海湾、地岬和山麓小丘。刚发绿的小树和树梢在背后的阳光照射之下，在阴暗的大楼前面来回晃动，活像一大群萤火虫来回飞舞。阴处都有一层蓝色透明的薄雾。

我们并非急不可耐地要赶紧上岸，而是留在甲板上，直到有人赶我们走为止。否则，我们到哪里能找到这样一个地点，希望再待一会儿，能享受这幸福的时刻！

有人带我们进城。城门由两根大柱子构成，顶部不可以关闭，以便神圣的罗莎莉亚有塔那么高的车子在著名节日时能够通过。我们通过这个奇妙的城门后，立即被带入左边的一家大饭店。店主是一位愉快的老人，对接待各国客人习以为常。他领我们去一个大房间。从房间的阳台我们可以俯瞰大海和停泊场、罗莎莉亚山和海岸，也能望见我们的船只和评断我们上岸的第一立足点。我们对房间的位置极为满意，几乎未注意到底层门帘后面还藏有一个抬高了的套间，里面摆了一张最宽的床，丝制的顶罩闪闪发光，与其他过时的华丽的家具完全协调一致。这样一个金碧辉煌的房间使我们有点发窘。我们要求以传统方式订约。这个老人说，不需要订约。他希望住在他这里大概能使我们满意。我们也可以使用前厅，那里通风、清凉，有几个阳台，并且紧挨我们的房间。

我们对视野开阔、能见到无限的各种各样的景色感到愉快。我们试图将景物一幅幅地画下来，因为在这里我们能一览无余，这对艺术家是一大收获。

皎洁的月光吸引我们晚上还去停泊场，回来后我们在阳台上还待了长时间。室内照明奇特，显得非常宁静和优美。

巴勒莫，4 月 3 日

我们首先要更进一步观察城市。浏览城市很容易，深入了解却很难。说容易，因为一条几里路长的街道从下城门至上城门，从大海到山边纵贯全城，这条街道大约在路中间又被另一条街道切断。在这两条线上的东西很容易找到。城内却使外地人迷失方向。外地人只有靠导游才能在这迷宫里不迷路。

傍晚我们注意看上层人士的车水马龙，那一辆辆马车出城驶向停泊场，以便呼吸新鲜空气，消遣和从事交际活动。

入夜前两小时，一轮明月东升，照得夜晚如同白昼。巴勒莫朝北的位置使得城市和海岸很奇怪地对着这很亮的月光，月光的反光却在海涛上从未见到。因此，即使在今天这个万里无云的晴天，也觉得大海呈深蓝色、严肃和看不透。而在那不勒斯，从中午时刻起，大海却越来越开朗，越来越快乐，闪光越来越远。

克尼普今天曾让我单独一人走了许多路，做了许多观察，以便给帕勒格里诺山画出详细的轮廓。它可是世界上一切山麓小丘中最美丽的山丘了。

巴勒莫，4 月 13 日

意大利若没有西西里，在人们的心灵里就不会产生观念。这里才是解决一切问题的关键。

必须说，气候非常好。现在是雨季，但雨时断时续。今天闪电交加，老天爷

206

将大地的一切变成绿色。亚麻已经一部分长了结，另一部分开了花。有人自以为在地上看见了小水塘，其实是下边的亚麻田里呈现出好看的嫩绿色。迷人的东西多得数也数不清！我的帮手是一个杰出的人，真正的霍夫古特，正如我真像一个忠实朋友一样。他已画出了相当好的巴勒莫城的缩影，并还将画出最好的画来。将来带着我的宝贝，高高兴兴地回家去，那是多么美好的希望！

我还没有谈这里的饮食呢，说起来可写一篇不小的文章。园中水果好极了，特别是生菜，柔嫩好吃像牛奶。我们了解到为什么老人们称生菜为拉克图卡了。油、葡萄酒，一切都很好，如果多花点时间精心准备，可能还更好些。鱼最鲜嫩。我们至今也吃过很好的牛肉，虽然我们还不想称赞它好。

现在我们正靠着窗子吃午餐！上街！有人要求给一个罪犯减刑，这种事情在庆祝复活节时是经常发生的。一帮教友带着他站到虚设的绞架之下，他在那里必须在梯子前祈祷，吻梯子，然后又被带走。这是一个长得英俊的中等阶层的人，头发经过修饰，穿着白色燕尾服，戴着白帽子，一切皆白。他手里拿着帽子。要是到处都给他系上彩带就好了，他就能够作为绵羊参加化装舞会了。

巴勒莫，4 月 16 日

由于我们扬言即将离开这个天堂，因此我希望今天在公园里找到一种完全有效的清凉饮料。读《奥德赛》我规定自己读的定额，在去罗莎莉亚山山脚旁的山谷散步时进一步思考"瑙西卡"的计划，试图从这个故事里看能否找到戏剧性来。这一切都发生在没有大喜事却有很大愉快的地方。我写下计划，不能放弃草拟几段特别吸引我的稿子并完稿。

巴勒莫，4 月 17 日

如果一个人被许多精灵追踪和诱惑，那是真正的不幸！今天清晨我打定主意，继续做我的创作梦，去公园，转瞬之间，这些天一直悄悄跟踪我的另一精灵抓着我了。以前我只是见到栽在桶和钵里的许多植物，并且习惯于在玻璃窗后面一年四季观察很多时间，现在它们却快快活活地长在露天地里。由于它们完全完成自己的使命，所以我们看得更清楚。面对这各种各样的新的和改良的品种，我又顿生昔日的奇想：在这些植物中我是否能发现原始植物。一定有这样的植物的！如果它们不全是按一个模式形成的，我怎能辨明这种还是那种生命是一种植物呢？

207

我力图研究这许多形态各异的植物相互不同的地方究竟在哪里。我总发现同多于异，想提出我自己的植物术语。我这样做了，但是未成功。这使我不安，但是无济于事。我下定搞创作的好主意被扰乱了。阿尔喀诺俄斯的花园不见了，一个世俗的花园找到了。为什么我们对新东西那么高兴，为什么总引诱我们去做那些我们既做不到也不能完成的事呢？

吉尔根蒂，4 月 25 日

日出时我们正朝下走，可以说，一步一景。这个小导游员意识到使我们如愿以偿，就带领我们顺利地走过有千种植物、呈现千种田园诗情的地方。土质不同对此起了很大的作用。这里地形像波浪般起伏，下面是隐藏着的废墟，上面是一层沃土，所以如此，是因为当年的楼房是用蚌壳灰造成的。我们到达了城的东端，朱诺庙的废墟每年都在坍塌，因为质地疏松的石头被风化了。今天大概只能粗略地看上一眼了，但是克尼普已选了他明天想画画的地点。

朱诺庙目前处在风化的巨崖上。城墙从这里正向东伸展，建在石灰岩层上。石灰岩层垂直于浅海滩。在大海造成这些巨崖并冲刷崖脚之后，慢慢离开了浅滩。一方面掘崖，一方面用岩缝建造城墙，许多庙就在城墙后面拔地而起。不足为奇，吉尔根蒂的下部，上坡和最高部分合在一起，从大海这边看，蔚为壮观。

太和庙（康科尔迪亚）经受了许多世纪的考验。它那纤细的建筑艺术使它接近我们的审美标准。太和庙同帕斯图姆之比正如诸神像同巨神像之比。我不想抱怨这值得称赞的、保留这个文物的新主意由于用发光的白石膏补缺填洞而搞得倒了胃口。因此一来，这个文物在人们的心目中受到了一定程度破坏。使石膏具有风化石的颜色谈何容易！当然，如果人们那么容易地看出柱子和城墙正在碎裂的蚌壳灰，那么就会对文物还保存这么长时间感到惊讶。但是寄希望于类似的子孙后代的建造者因此采取了防护措施：在柱子上还找得到粉刷的痕迹，粉刷也是为了美观，保证延长寿命。

下一站是去看朱庇特庙的废墟。这个庙占地很宽，犹如一个庞大的骨架有许多块骨头，它的内部和下部都有若干小的庄园，被篱栅切割开来。篱栅上长满了高高低低的植物。一切东西都从这废墟堆中消失了，只有一个庞大的陶立克柱式三陇板和一块同样比例的半个柱子例外。我张开双臂测量它们，不能把三陇板堆成堆，相反，从柱子刻的凹槽可以了解到，我站在里面，双肩能碰着边，把这个凹槽可以当成壁龛。22个男人并排站成圆圈，大约相当于这样的柱子的圆周长。我们快快不乐地离开这里，因为画家在这里无事可做。

但是海格立斯庙却使人发现当时对称的遗迹。庙的两边有两排柱子，都立在同一方向，好像一下子一起放置在那里的，都取南北走向。一排柱子顺小山向上，另一排顺山势向下。这个小山也许是由坍塌的房间造成的。由柱顶盘连在一起的柱子突然倒塌，也许由于风暴逞威，一下将它击倒在地，柱子躺在地上还很有规则，照原来拼成的结构裂成许多块。克尼普已经想到把这一古怪现象详细画了下来。

厄斯库拉普庙由最好看的角豆树遮荫，几乎被围进小农家的院墙里。它显出亲切的图景。

现在我们走下山去找特龙的墓碑。我们高兴的是，这个经常见到的被复制的文物还存在，特别是使我们把前面部分变成奇妙的景观，因为人们是从西向东在巨岩上看过去的。在巨岩上可以见到有缺口的城墙，并从缺口和城墙上面可以见到庙的残余部分。在哈克特的画笔下，这一景观变成了令人愉快的画。克尼普也将在这里画下它的轮廓。

墨西拿，5月10日

我们就这样到达墨西拿，因为没有别的可能，只好勉强同意在韦图林的住宅度过第一夜，明天早晨转到好一些的住处。这个决定在我们进来时就对这个遭到破坏的城市产生了最可怕的概念。因为我们骑马一刻钟之久，经过了一块一块的废墟，然后到达小旅舍。这家旅舍是全区唯一重建的，从楼上的窗子就可以看到是锯齿状的废墟。除了这家旅舍所在的区，既见不到人，也碰不到动物，夜间万籁俱寂。房门未关闭也未锁。这里给旅客安排的客房还不如马住的房子。但我们躺在垫子上安然入睡了。殷勤的服务员离开店主，悄悄地闲聊去了。

5月14日

下午过去了，我们没有根据自己的意愿去那不勒斯湾，而总是被驱逐到西边。由于船接近卡普里岛，便离米内瓦山头越来越远。每个人都讨厌和不耐烦，但我俩用画家的眼睛观察世界，对此感到满意，因为在日落时分我们享受了整个旅行给我们最美的景观。米内瓦山头与紧密相邻的群山层林尽染，光辉夺目。向南倾斜的巨岩这时也显出浅蓝色调。整个被阳光照耀的海岸从山头一直延伸到索伦特。

维苏威火山我们明显可见。山上升腾起一大片蒸汽云，向东飘移，形成一条长长的云带。因此，我们可以推测刚出现过最大的火山爆发。左边是卡普里岛，高矗云端，透过透明的浅蓝色薄雾，我们完全能区别石壁的各种形状。在清澈明净、万里无云的天空下，平静的、几乎纹丝不动的大海浮银泛金，终于风平浪静，大海像一个小池塘横卧在我们眼前。我们面对这景色，如醉如痴。克尼普忧伤地说，任何彩色艺术都不足以再现这种和谐的场景。最细的英国铅笔、最熟练的老手也不能描绘出这些线条。我则相反，确信任何一件纪念物，即使远比这个灵巧的艺术家可能保存的价值小得多，在将来也会是极其可取的。我鼓励他尽其所能地运用手和眼睛。他听取了我的意见，提供了一幅最详细的画。然后他去着色，留下了一个例证，说明形象表达的不可能变成了可能。我们用同样好奇的眼光密切注视了从傍晚到黑夜的过程。卡普里岛黑森森地横卧在我们眼前，令我们惊异的是，维苏威火山爆发产生的云和云带，越长，越多，我们最后看到在我们的视界底部有一道壮观的闪电照亮了空中，真像听不见雷声的远方闪电。

我们未让人注意到受我们欢迎的这些场面，结果，一场大灾祸将威胁着我们。但是旅客的活动使我们不再去从事毫无把握的冒险。比我们更了解大海的旅客向船主和舵手提出了强烈的指责：由于他们笨手笨脚，不仅海峡过不去，而且托付给他们的乘客、货物等一切全有葬身鱼腹的危险。我们打听这种不平静的原因，而我们不了解，在风平浪静时，也会担心某种灾祸。但是正是这种风平浪静使那些男人得不到安慰。他们说："我们已处在激流中，激流在围着海岛转，通过浪涛的特别冲击，慢慢地、不可抗拒地向悬崖绝壁冲去，在那里我们也就没有任何优势地位，也没有港湾可以避险求救了。"

我们仔细听了这番话，现在观察自己的命运，不免恐惧不安。因为夜间虽然看不出越来越大的危险，但是我们注意到，这艘船正在摇摇摆摆地向巨崖靠近，巨崖在我们面前越来越暗，而这时还有一星半点傍晚的微光在海上扩展。在空中未能看到丝毫的运动，手帕和飘带被每个人举到空中，但是没有显示预期有的微风。实际上风越来越响，越来越狂。女人和她们的孩子们跪在甲板上，不是祈祷，而是因为空间太狭小，伸不开手脚，只能挤在一起，并排躺着。她们比男人还多。男人们想求助和求救，发现船长，向他吼叫，现在人们谴责船长，说出了在整个旅途中人们默默想到的一切：花高价买坏船舱，食物少，虽然并非不友好，但是保持沉默。船长没有向任何人为自己的行为辩解，甚至最近他观察了一晚上，对自己的手腕顽固地闭口不谈。他和舵手被跑过来的小商贩指做唯利是图，只知设法拥有船，而对驾船技术一窍不通，由于他们无能和笨拙，信任他们的人都会遭灭顶之灾。船长沉默不语，似乎仍然在思考拯救之法。但我从年轻时起就对无政府主义比死亡本身更深恶痛绝。我可沉不住气了。我挺身而出，同他们理论，其心情之平静大致像马尔塞辛的鸟儿一样多。我对他们说，正是在这时刻，他们向船长和舵手大吵大闹，希望这两个人还想出什么拯救办法，闹得头昏耳聋，闹得他们既不能思考，也不能相互了解。

"至于你们，"我大声地说，"转过身来，真诚地向圣母祈祷吧。唯一的关键是圣母，要看她是否给她儿子面子，她儿子将为你们做他当时为自己的使徒做过的事。在风暴咆哮的梯伯里亚大海上海涛已打进船里的时候，主啊，却睡着了。但是当没有安慰、孤立无援的人唤醒他时，便立即要求风平浪静，正如现在他能命令风止一样。如果上帝的神圣意志不是这样，就会下雨。"

这席话发生了最好的效力。妇女中有一人，我早先同她谈过道德和精神问题。她大声喊道："老天爷，祈祷吧，老天爷！"他们本来已经跪着，现在真的开始以非同寻常的热情热烈地进行祈祷。他们可以心情更加平静地作祈祷，因为船夫放下一只小船，当然这只小船只能装载6至8人。他们用一根长绳子，把小船拴在大船上，水手用力划桨，向自己划去。人们以为片刻之间他们在激流中能划得动，希望不久看到船能从激流中脱身。但是这种努力是否增加了激流的反作用力，怎样才能获得拯救？于是小船用长绳拴住，全体船员把长绳朝后向大船投掷过去，好像车夫赶车挥鞭子打一样。但是，终于这种希望也被放弃了！祈祷和责难互相交替着，这种状况越来越令人胆寒，因为像在巨岩之上的牧童，人们早已看见牧童在玩火，船在巨岩之下停着，这些牧童在低声呼叫着！他们彼此呼唤的声音就更不易听懂了。有些熟悉语言的人以为听到的是：他们希望有一天早晨能抓到好些大鱼。有人甚至令人不安地怀疑，这艘大船究竟是否会有接近巨岩的危险。可惜提出这个疑问之时，全体船员正抓着大粗杆，以便在发生危险时船撞到巨岩，免得粉身碎骨，完全葬身海底。船越来越摇晃，激浪似乎越来越汹涌澎湃。加上我的晕船病逼着我下定决心到下面的船舱去，我昏昏沉沉地躺在垫子上。但是这时我有某种愉快的感觉，这种感觉似乎来自梯伯里亚海，因为我眼前十分清楚地浮现出梅兰的铜刻圣经中的画。每当人完全返回自身的时候，精神和道德的种种印象的力量证明是最强大的。我迷迷糊糊地睡了多久，我说不上来，不过一阵狂风怒吼将我唤醒。我能清楚地听到，正是那根粗绳子在甲板上来回拖得响，这给我使用帆的希望。过一会儿克尼普跳了下来，告诉我得救了，已刮起了最微小的风，目前已动手张帆。他自己也不失时机地动手工作。人们已经明显地离开了巨岩，虽然未完全脱离激流，但是希望能战胜它。船上边一片寂静，接着有几个乘客走动，宣告一场风波顺利结束，人们躺了下来。

美/文/赏/析

1786 年，37 岁的歌德背起行囊，独自搭上一辆邮车，开始向南方远行，本文就是他南行的收获《意大利游记》的一部分。文章以日记的形式写成，歌德带着充沛的精力和旺盛的激情书写意大利，在他的文字里不断地交织着天才的感性和智慧的理性。作者踏上被风和海水拥抱的岛屿，即开始了对西西里的解说，一段详尽冗长然而绚丽的风光之后，作者指出："意大利若没有西西里，在人们的心灵里就不会产生观念。这里才是解决一切问题的关键。"所以，对城市的观察转入了对植物的研究和对历史的考据和回顾，作者精心临摹了这些人类文明的杰作，庙宇是歌德考察的重点，包括朱诺庙、太和庙以及朱庇特庙和它们的神像、柱石。那不勒斯湾展开了其恢宏的画卷，但是同时也带来了令人恐怖的灾难，平静的游历在这里突然刮起狂暴的飓风，它正如一贯的戏剧，在这里达到了整篇文字的高潮。在这里，作者运用大量的笔墨描述灾难来临所造成的空前恐慌以及整个惊险最终化解的过程，似乎展示了一种神秘不可知的神性的威力。在异乡人歌德的笔下，西西里美丽的风光、古老的奇迹，以及生活着的人们所呈现的远不止是一幅幅绝美的风景画，它包含了意大利古老文明的一切。

美洲之夜

/ 夏多布里昂

入选理由······

让人沉醉的美丽原始气息

哲思和文笔并举

写景散文中的大手笔

一天傍晚，我在离尼亚加拉瀑布不远的森林中迷了路；转瞬间，太阳在我周围熄灭，我欣赏了新大陆荒原美丽的夜景。

日落后一小时，月亮在对面天空出现。夜空皇后从东方带来的馥郁的微风好像她清新的气息率先来到林中。孤独的星辰冉冉升起：她时而宁静地继续她蔚蓝的驰骋，时而在好像皑皑白雪笼罩山巅的云彩上憩息。云彩揭开或戴上它们的面

作者简介

夏多布里昂（1768—1848），法国19世纪初早期浪漫主义的代表作家。出生在圣马洛，父亲是个没落贵族，靠做生意发财而购置了贡堡的地产。夏多布里昂的青少年时代基本上是在这里度过的。中学毕业后，他乘船去美洲探险。回国后由于参加了孔德亲王的侨民团而逃亡到布鲁塞尔和伦敦，在近八年的流亡中写出了《革命论》等著作。1800年回到法国。1801年发表《基督教真谛》中的一章《阿达拉》。1802年，包括《阿达拉》和《勒内》在内的《基督教真谛》全文发表，大获成功。并为此受到拿破仑的赏识，出任驻罗马使馆秘书，后因对处死昂吉安公爵感到愤慨，辞职去东方旅行。1814年波旁王朝复辟后，发表《论波拿巴和波旁王室》，受到波旁王朝的重用，成为贵族院议员，先后担任驻瑞典和德国的外交官，以致当上世人瞩目的驻英国大使，并于1823年出任外交大臣。对西班牙的侵略战争是由他一手策划的。直至1830年七月革命后才结束政治生涯，自此闭门写作，先后发表了《历史研究》《论英国文学》和《墓外回忆录》等。1848年7月4日死于巴黎病榻之上。

纱，蔓延开去成为洁白的烟雾，散落成一团团轻盈的泡沫，或者在天空形成絮状的耀眼的长滩，看上去是那么轻盈、那么柔软和富于弹性，仿佛可以触摸似的。

地上的情景也同样令人陶醉：天鹅绒般的淡蓝的月光照进树林，把一束束光芒投射到最深的黑暗之中。我脚下流淌的小河有时消失在树木间，有时重新出现，河水辉映着夜空的群星。对岸是一片草原，草原上沉睡着如洗的月光；几棵稀疏的白桦在微风中摇曳，在这纹丝不动的光海里形成几处漂浮的影子的岛屿。如果没有树叶的坠落、乍起的阵风、灰林鸮的哀鸣，周围本来是一个万籁俱寂的世界；远处不时传来尼亚加拉瀑布低沉的咆哮，那咆哮声在寂静的夜空越过重重荒原，最后湮灭在遥远的森林之中。

这幅图画的宏伟和令人惊悸的凄清是人类语言所不能表达的；与此相比，欧洲最美的夜景毫无共同之点。试图在耕耘过的田野上扩展我们的想象是徒劳的；它不能超越四面的村庄；但在这蛮荒的原野，我们的灵魂乐于进入林海的深处，在瀑布深渊的上空翱翔，在湖畔和河边沉思，并且可以说独自站立在上帝面前。

美/文/赏/析

夏多布里昂是 19 世纪法国浪漫主义文学的先驱人物，集政治家、思想家和作家于一身。《美洲之夜》是他的散文集《美洲游记》中的一篇难得的写景佳作。

文章写的是作者在美洲游历的过程中，一次夜晚迷路，见到的尼亚加拉大瀑布附近的原始森林中美丽的夜景，抒发了作者对大自然的热爱之情。文中作者笔下的美洲夜景，宁静而充满野性，原始但却富有人性。他把美洲夜晚的天空说成是"夜空皇后"，把孤星的"冉冉升起"写成是一个少女在漫步，写草原上的月光是"沉睡"，写微风中的白桦是"摇曳"，独特的比拟技巧，体现了作者特有的浪漫主义风格。

作者在文章末尾说"试图在耕耘过的田野上扩展我们的想象是徒劳的"，"但在这蛮荒的原野，我们的灵魂乐于进入林海的深处"，正是作者厌倦争斗的社会生活，乐于亲近大自然这种内心情感的集中体现。作者善于将没有灵性的景物，写得灵动而富有情感，这正是作者内在情感的流露。作者童年就流亡国外，一生又看尽政治的风云变幻和世态的炎凉，厌倦了纷乱的社会生活，反而对静谧的、原始的大自然有了特别的亲近感。在这远离世俗的宁静美洲之夜，作者对大自然的热爱之情溢于言表。

莱茵河

/ 雨果

入选理由·····························

才华、激情和智慧的全面奔涌
对一条河流的史诗般的书写
政治家的热情和外交家的风度

您知道，我常对您说，我喜爱江河。江河既可载运货物，也能传播思想。在天地万物中，任何东西都自有其神奇妙用。江河，就像是巨大的喇叭，向着海洋唱颂着大地的美景、田野的耕耘、城市的壮丽以及人类的光荣。

我也曾对您说过，在所有的江河中，我最喜爱莱茵河。我第一次见到这条河，是在一年前，在凯尔经过浮桥的时候。夜幕降临，车子缓缓地移动。当我通过这条古老河流的时候，我感受到了某种敬仰之情。这，我至今不曾忘怀。很久以来，我一直想看看这条河。每当我与这些大自然中的伟物相接触——我几乎要说是与其心心相印时，我都被深深地感动。这些大自然中的伟物在

雨果像

作者简介

雨果（1802—1885），生于法国东部贝藏松，幼年时曾随父亲行军到意大利等地，11岁时随母亲返回巴黎。他热情支持法国大革命，在法国复辟王朝时期被迫流亡19年。1827年发表诗剧《克伦威尔》，在序言中提出浪漫主义的文学，主张美丑对比等原则，从此成为法国浪漫主义文学运动的领袖。1830年剧本《欧那尼》上演成功，标志着浪漫主义对古典主义的胜利。他的小说主要有长篇小说《巴黎圣母院》《悲惨世界》《海上劳工》《笑面人》和《九三年》等，还著有《新颂歌集》《东方吟》《秋叶集》《心声集》《凶年集》《惩罚集》等，剧本有《城堡里的公爵》《逍遥王》《昂杰罗》等。

历史上也起着重大作用。我不知道为什么，那些极不协调的东西，在我眼中往往显示出一种奇特的相似与和谐。我的朋友，您还记得瓦尔斯里纳城的罗纳河吗？1825年，在那次愉快的瑞士旅行中，我们曾共同观赏过它。那次瑞士之行是我一生中印象最为深刻的一次。那时我们都还只有20岁！当时，罗纳河是以怎样的狂啸，怎样的怒吼，卷入旋涡的啊！而那柔弱的木桥却在我们的脚下颤栗发抖，摇摇欲坠。这一切您还记得吗？记得吗？从那时起，罗纳河在我的脑海中便是一只老虎，而莱茵河却是一只狮子。

那天晚上，当我第一次看到莱茵河时，我觉得它确实是一只狮子。我长久地注视着这骄傲而高贵的河流：凶猛而不疯狂，原始中却显出威严。当我过河时，正值它水涨河满，极为壮观。它那浅黄褐色的浪花如同雄狮的浓发——布瓦洛称之为"黄泥色的胡须"——拍打着桥面。它的两岸隐没在黄昏中：它的声音是一种有力而沉着的咆哮，在它身上，我感受到了大海的力量。

是的，我的朋友，这是一条高贵的河流。它目睹了封建社会、共和体制和皇家帝国。它当之无愧，既是法国的骄傲，也是德国的自豪；既是战争者，也是思想家的见证，因为它概括了整个欧洲历史的这两大面貌。在那使法国前进的壮丽波涛中，在那使德国思索的深沉的潺潺水流中，我们都能找到历史的痕迹。

莱茵河集中了河流的万般面貌于一身。它像罗纳河一样迅速敏捷，像卢瓦尔河一样雄浑宽阔，像缪斯河一样峭壁夹岸，像塞纳河一样迂回曲折，像索姆河一样绿水莹莹，像台伯河一样历史悠久，像多瑙河一样庄严高贵，像尼罗河一样神秘莫测，像美洲的河流一样金光闪闪，像亚洲的河流一样蕴涵着寓言与幽灵……

在史前，也许在人类存在之前，在今日莱茵河的地域上，曾有两条火山山脉在冒烟，在燃烧；火山熄灭了，在大地上留下了两大堆熔岩和玄武岩，像两座长城一样平行排列。同样，巨大的结晶凝聚了，形成了今日的原始山脉；大量的冲击层干涸了，成了今日的从属山脉。那慢慢冷却下来的巨大熔岩堆，就是我们今日所称的阿尔卑斯山。山顶上堆积了厚厚的雪，这雪化成水后形成两条大河流淌在大地上：一条顺北坡流去，穿过平原，流经死火山的两条沟壑，再从这里投入大西洋；另一条沿西坡而流，从座座高山上直落而下，沿着火山的另一堆熔岩——我们今日称作阿尔代什山——流入地中海。这第一条河流就是莱茵河，第二条是罗纳河。

据历史记载，最早出现在莱茵河岸边的人类是被称作凯尔特人的半开化民族，罗马称他们为高卢人。恺撒曾说过："在他们的语言中，称作凯尔特人，而在我们的语言中，叫做高卢人。"侯哈克人定居在靠近源头的地方，而阿尔让多哈克人和毛坎田人定居在靠近河口的地方。随后，时机来临，罗马出现了。恺撒征战了莱茵河，德律絮斯建立了五十个城堡，执政官米纳蒂乌斯·布朗古斯在汝拉山的北山顶上开始建立城市，马尔蒂斯·维萨缪斯·阿格里巴在莱茵河疏水口建了一座堡垒，然后，他又在与杜蒂奥姆城相望的地方建了一个殖民地。在内隆统治时期，参议员安托瓦在靠巴达维海的地方创建了一个自治市，此时，整个莱茵河都落入了罗马人的手中。古罗马的第 22 军团曾扎营在耶稣受难时的橄榄树下，当这个军团从耶路撒冷驻地撤回时，蒂杜斯便把它派到了莱茵河畔。罗马军团继续着马尔蒂斯·阿格里巴的事业，征服者们认为有必要建立一座城市将莫利波库斯和托纽斯连接在一起，于是，由马尔蒂斯设计的莫干蒂阿库姆城便由军团士兵们建起来了。然后，特拉让又将其扩大，阿德里安将其美化。还有一件惊人的事情，必须顺带提一下。这个第 22 军团带回了克雷桑蒂斯，他是莱茵河畔的第一个耶稣代言人，并在这里建立了新的宗教。上帝的意愿，要这些拆毁了约旦河流域庙宇最后一块石头的有眼无珠的人们，在莱茵河流域铺下庙宇的第一块基石。在特拉让和阿德里安之后，又来了于连，他在莱茵河与摩泽尔河的汇合处建立了一座要塞；在于连之后，又出现了瓦朗蒂尼安，他在我们叫做洛旺堡和斯特洪堡的两座火山上建了一些城堡。就这样，在短短的几个世纪中，这条长而牢固的罗马殖民线便如同链条一样连结、加固在河流上。这条罗马殖民线包括：维尼塞拉、阿尔达维拉、洛尔加、特拉维尼·加斯特奥姆、韦尔萨利、莫拉·罗马诺鲁姆、杜利·阿尔巴、维多利亚、波多布里加、安托尼亚库姆、桑蒂亚库姆、里科洛姆、里科马圭姆、杜尔波杜姆、布鲁瓦洛姆；它从科尔尼·罗马诺卢姆直到康斯坦茨湖，从莱茵河顺流而下，沿途还以一些重点城市为基础。奥古斯塔，即今日的马塞尔；阿尔让蒂纳，即今日的斯特拉斯堡；莫干蒂阿库姆，即今日的美因兹；孔弗卢昂蒂阿，即今日的科布伦茨；科隆尼加·阿格里比纳，即今日的科隆；并在靠近大西洋的地方，同特拉泽克杜姆·莫桑，即马爱斯特里茨，特拉泽克杜姆·雷努姆，即乌德勒支相连。

从此，莱茵河便非罗马莫属了。这时，它只是一条灌溉日后的瑞士省份和两个日耳曼尼亚及比利时和巴达维省份的河流，仅此而已。北部的长发高卢人曾英勇善战，使得米兰的穿长袍高卢人和里昂的穿长裤高卢人都好奇地跑去观看。而这时，他们都被征服了。左岸的罗马城堡使右岸敬畏，古罗马军团的士兵穿着特里尔呢军服，拿着东格尔的桨，只需站在悬崖上监视日耳曼人那古老的战车——一种庞大的活动塔楼。这种战车的轮子上装备着镰枪，车辕上竖着梭镖，由牛拉着移动，上面筑有可供十个弓箭手使用的雉堞。有时，这种战车会在莱茵河的另一侧冒险来到德律絮斯的要害弩炮射程之下。

北方种族向南方地区的可怕涌入，在民族生活的某些灾难时期不可避免地往复重演，人们将它称作蛮族入侵。它吞没了整个罗马，正值罗马帝国改革的时期，莱茵河上城堡的花岗岩军事屏障被这股浪潮所摧毁。而在 6 世纪左右，曾出现过这样的时刻：莱茵河的浪峰冲击着罗马废墟，就像今天冲击着封建遗址一样。

查理大帝修复了这些瓦砾，重建了堡垒，用来对抗以其他名字再生的古老的日耳曼游牧部落，同波艾曼人对抗，同阿波德里特人对抗，同维尔巴特人对抗，同萨哈伯人对抗。他还在他妻子法斯特拉达长眠着的美因兹建了一座石头墩桥。据说，人们今天仍能在水下看到遗迹。他重建了波恩的引水渠；修复了维多利亚，即今日的纽维艾得罗马大道；巴克希尔拉，即今日的巴查拉克大道；维尼塞拉，即今日的温凯尔大道；特洛努斯·巴克希，即今日的特拉尔巴克大道；并在尼艾德·安日莱姆，用于连的一个大浴室的断砖残瓦为自己建了一座宫殿——萨阿尔宫。但是，尽管查理大帝才华横溢，毅力超群，他的所作所为也仅仅是刺激了一下残骸枯骨。古老的罗马帝国早已寿终正寝。莱茵河的面貌已今非昔比了。

正如我上面已提到的，在罗马统治下，一根看不见的胚芽已经播种在莱茵河地区。基督教，这只刚刚展翅的神鹰在这些峭壁上产下了一只蛋，蛋中包含着一个世界。克雷桑蒂斯在公元 70 年就已为托纽斯传过教。以他为榜样，圣阿波利奈尔观光了里科马圭姆；圣高阿尔在巴克希尔拉布道；土尔的主教圣马尔丁在孔弗卢昂蒂阿讲授教理；圣马代尔纳在去东格尔之前，曾在科隆居住过。圣厄沙利尤斯在特里尔附近的树林中为自己建造了一座隐修院。而在这同一片树林中，圣热泽兰曾在一根柱子上站立了三年，同狄安娜女神雕像短兵相接，最后他终于用盯视的方法使雕像崩溃了。在特里尔，甚至许多无名基督徒在高卢省府大院里做了殉教者，人们将他们的骨灰扬洒在风中。这些骨灰是飘扬各地的种子。

种子已播在犁沟中，但只要蛮族过渡期持续，便不会生根发芽。

相反地，这个时期出现了深刻的崩溃，文明似乎瓦解了，牢固的传统之链断开了，历史好像变得没有痕迹。这一灰暗时期的人类与事件像幽灵一样通过了莱茵河。给河流留下的仅仅是一种幻象，刚一闪现马上就无影无踪了。

由此，莱茵河在经过了一个历史时期之后，进入了一个神奇的阶段。

人的想象力同大自然一样，不接受空白的存在。在没有人烟的地方，大自然便使鸟儿们啁啾不休，使树叶沙沙做响，使成千上万的声音窃窃私语。而在历史朦胧的地方，想象力便使幽灵出现，使幻想和表象共存。寓言在消失的历史空白区生存、成长、结合、开花，就像英国山楂树和龙胆树生长在倒塌的宫殿裂缝中一样。

文明犹如太阳，有黑夜、有白昼，有圆满、有环食；时而落下，时而升起。

当文明复兴的曙光在托纽斯出现时，立即在莱茵河畔悦人地传诵着一些传奇与寓言。凡是被文明复兴的光明照亮的地方，便有上千个超自然而可爱迷人的形象闪耀着光辉。而在那些未被照到的阴暗角落，便会有一些丑陋的形象，骇人的鬼魂在张牙舞爪。

但阴影散去，传说消失，天色大亮，文明重现，历史恢复了形象。

这里有四个人，来自四个不同的方位，他们时常聚集在莱茵河左岸边的一块石头旁，在朗斯和喀贝朗之间，离一条林荫小道不远。这四个人坐在石头上，他们选举又废黜德国的皇帝们。这些人便是莱茵河的四个选帝侯。

他们所选择的地方——朗斯，几乎是在莱茵河谷的中间地带。朗斯属于科隆选帝侯。从这里，向西可以看到属于特里尔选帝侯的左岸的喀贝朗，向北可以眺到属于美因兹选帝侯的有岸的奥贝尔朗斯坦，还可以望到属于莱茵伯爵领地的布朗巴克。在一个小时以内，每个选帝侯都能从家中到达朗斯。

每年在圣灵降临节的第二天，科布伦茨和朗斯的显贵们便以节日为幌子在这里集中，一起商议某些疑难事情。这是公社与资产阶级的雏形，它在已完全建好的极壮观的日耳曼大厦的基础上秘密地挖着洞穴，在王宫附近大胆地进行着以小克大的有生气而不朽的谋反，甚至就在封建主义巨石王位的阴影之下进行着。

几乎是在同一个地方，斯托尔桑弗尔斯选举城堡俯视着小城喀贝朗，它今日已成为了绝妙的遗址。科隆的大主教威尔内 1380 年至 1418 年在城堡里居住并供养着炼金术士，他们并未炼出金子来，但却在通向点金石的路上发现了化学的好几种重要规律。因此，在一段不长的时间里，在我们今日几乎不注意的朗恩河口的对面，我们在莱茵河的同一位置上看到了德意志帝国的出现，以及民主和科学的诞生。

从此，莱茵河便有着军事与宗教的双重面貌。修道院与女修院成倍增长，半山腰的教堂使河畔村庄与山上的城堡发生了联系。这一惊人画面，在莱茵河的每个转弯处都重新出现，使得教士能够立足于人类社会。那些有神职的王侯们在莱茵河畔不断增加教堂的数量，就像1000年前罗马的省长们所做的那样。特里尔的大主教博杜安建了乌拜威塞尔大教堂，亨利·得威坦让在摩泽尔河上建了科布伦茨大桥。瓦尔拉姆·德于利埃用一个在石头上雕刻精美的十字架，使罗马遗址和哥德斯堡的火山巅神圣化了，这个火山巅被认为是有着魔法的丘陵废墟，就像教皇一样，神权与俗权都集中在这些有神职的王侯们身上。

但在莱茵河上，那些其结果在很多年后才具体呈现的无形的东西也开始成熟了。与商业同时发展，也可以说是同船而行的是异端邪说、研究精神与自由的信仰。

不过，这时已接近16世纪了。莱茵河在14世纪已看到大炮诞生于离它不远的纽伦堡城，而在15世纪，在它岸边的斯特拉斯堡又看到了印刷业的出现。1400年，科隆熔化了它那著名的有14法尺长的轻型号炮。1472年，万德兰·斯德庇尔印刷了他的《圣经》。一个新的世界将要诞生。

莱茵河，在欧洲的命运中，意味着天意。正是这条横向大河将南、北一分为二，神意将它作为一条边界河流，这条河成为城墙河流。莱茵河目睹了几乎所有的战争伟人的面貌，并体现了他们的魂灵。3个世纪以来，正是这些人用人们称作"剑"的犁铧耕耘了这片古老的大陆。恺撒曾通过莱茵河由南溯流而上；阿提拉由北顺流而下；克罗维靳在这里取得了托尔比阿克战役的胜利。查理大帝和拿破仑曾在这里统治，腓特烈·巴尔波卢斯皇帝、罗道尔夫·德哈伯斯贝尔皇帝和莱茵伯爵腓特烈一世曾在这里显示了其伟大、胜利而光辉的形象。居斯塔夫·阿道尔夫曾在科博城的哨所上指挥着他的军队，路易十世也曾到过莱茵河。昂甘和孔代也曾通过这条河，可惜的是，蒂雷纳也到过这条河。德律絮斯的墓碑在美因兹，马尔索的墓碑在科布伦茨，奥什的在安德纳克。对于那些重现历史的思想家们来说，有两只雄鹰长久地在莱茵河上空盘旋，一只是罗马军团之鹰，一只是法国军团之鹰。

莱茵河曾被罗马人称作Rhenussuperbus。它时而架住浮桥，桥上竖起梭镖、槊或刺刀，意大利军队、西班牙军队或法国军队从这里潮水般涌向德国，而那些始终结为一帮的古老的蛮族之众也从这里冲向在地理上一直不可分割的古罗马帝国，它时而又和平地运载着林格和圣加勒的枞树、巴塞尔的斑岩和蛇纹岩、班让城的钾碱、喀尔沙尔的食盐、斯特洪堡的皮革、朗斯堡的水银、约哈尼斯堡和巴什哈克的果酒、科博的板岩、奥博尔威塞尔的鲑鱼、萨尔齐

格的樱桃、鲍巴尔的木炭、科布
伦茨的白铁餐具、摩泽尔的玻璃
器皿、班多尔夫的锻铁、安代尔
纳克的凝灰岩和石磨、纽维德的
石板、安托尼乌斯坦的矿泉水、
瓦朗达尔的床单和陶器、阿尔的
红酒、林茨的铜和铅和科隆的羊
毛与丝绸。这条河按照上帝的意
愿，庄严地在欧洲完成了它的战
争之江与和平之江的双重职责。

对于荷马来说，莱茵河并不存在。在这里雨水连绵，太阳从不露脸。对于维吉尔来说，这不是一条不被人知的江河，而是一条冰河。对于莎士比亚来说，是美丽的莱茵河。对于我们来说，直到莱茵河成为欧洲一个问题的那一天，这是时髦的风景如画的旅游地，是埃姆斯、巴登和斯帕的无所事事者的散步圣地。

彼特拉克曾到过亚琛地区，但我不认为他曾谈论过莱茵河。

莱茵河的山坡、河谷和谷壁具有不屈不挠的意志，世界上所有人为的会议都不能长久地分割、阻挠它。地理上莱茵河的左岸属法国所有，神圣的天意曾三次将莱茵河的两岸都归属法国，这便是在矮子丕平时代、查理大帝时代和拿破仑时代。

矮子丕平的帝国曾横跨在莱茵河上。这个帝国当时包括除阿基坦地区和加斯科涅地区以外的法国本土，和除巴瓦洛地区以外的、直到巴瓦洛瓦地区的德国本土。

查理大帝的帝国是拿破仑帝国的两倍。

确实，应该注意的是，拿破仑曾统治着三个帝国，或换句话说，是三种方式的皇帝：直接统治的法帝国的皇帝；间接地由他的兄弟们掌管的西班牙、意大利、威斯特伐利亚和荷兰地区的皇帝，他将这些王国作为中央帝国的墙垛；他又从道义上通过霸权成为欧洲的皇帝。欧洲仅仅是一个基地，日复一日地被他的神奇建筑所侵吞。

以这种方式看待问题，拿破仑的帝国有着同样的中心和产生方式。

拿破仑从未梦想过建立一个莱茵河公国，而在法国王室和奥地利王室的长期战争中，某些平庸的政客们却为之奋斗过。他知道一个不是由岛屿构成的纵向长条形公国是不可能长久的，因为一遇到猛烈的打击，它便会立即屈服并一分为二。一个公国不应只是体现出一种单纯的秩序，国家要想维持并有抵抗能力，必须要一种安定。除了几个残缺不全的居民区外，拿破仑曾掌握着莱茵联邦，就像地理和历史所记载的那样，并满足于使这一联邦系统化。莱茵联邦必须同北方或南方相抗衡，并成为其障碍。这一联邦曾为反对法国而建，皇帝将它转了向。他的政治是一只巨手，用巨人的力量和棋手的精明远见将帝国放置或挪动。

由此，莱茵河经历了四个明显的阶段，四种截然不同的风貌。第一阶段为挪亚时代，也可能是亚当以前的时代；第二阶段为古代史阶段，日耳曼尼亚与罗马的斗争时代，恺撒在这一时代光彩照人；第三阶段是查理大帝出现的神奇时代；第四阶段为现代历史阶段，是拿破仑占统治地位的德法之战时代。因为不管作家们怎样千方百计以避免这些伟大业绩的单调性，当人们从欧洲历史的一端走向另一端时，恺撒、查理大帝和拿破仑都是三个巨大的里程碑，人们总能在道路上找到他们的痕迹。

最后要说的是，莱茵河，天意之江，似乎也是一个具有象征意义的江；在它的歧道上、流域中和它所通过的地方，可以说，它都是文明的象征。它为文明已做出了众多贡献，并将继续做出更多贡献。它从康斯坦茨湖流向鹿特丹；从雄鹰之乡流到鲑鱼之城；从教皇住地、主教住地及皇帝住地流到商人与资产者的发展地；从阿尔卑斯山流到大西洋；就像人类本身从高尚的、永恒的、无法达到的、宁静的、光辉的思想滑向广博的、变化不定的、暴风骤雨般的、忧郁的、有益的、可破浪远航的、危险的和深奥的思想。这些思想管理着一切，承受着一切，孕育着一切，淹没着一切。人类还从神权政治回到了民主政治，这便是从一个伟大之举过渡到了另一个伟大业绩。

美/文/赏/析

这是考古学家和幻想家的一次遥长而奇妙的漫游。这条充满了传说的大河，对雨果具有一种奇特的、几乎是魔法般的吸引力。或许，在这种想要理解并表达出来的德国的诗情画意的愿望中，他还掺入了要感动德国公主、奥尔良公爵夫人的愿望。特别是在法德关系上，他认为自己看到了一个作家可以发挥其作用并参与公众事务的途径。在此之前一年，已有迹象表明法国和普鲁士之间正酝酿着一场冲突。这篇文章以其广阔的历史视野、练达的文笔以及大胆的解决方法，看起来显得稳重、踏实。雨果所看到的莱茵河是一条惊心动魄的史诗般的河流，是"埃斯库罗斯式"的。他从莱茵河带回来的画很美，每一幅都被照射成一种悲剧性的、超自然而强烈的、如梦魇一般的光亮——这种光亮与其说来自莱茵河畔的风景，还不如说来自雨果本人的气质。

悼念乔治·桑

/ 雨果

入选理由……………………………

雨果的散文代表作之一
悼念乔治·桑的名篇佳作
文字凝练隽永，富于韵律美

我哀悼一位逝去的女性，向一位不朽的女子致敬。

我以往热爱她，赞赏她，尊敬她；今天，在死亡的宁静肃穆中，我瞻仰她。

我称赞她，因为她的创造是伟大的，而且我感谢她，因为她的创造是美好的。我记忆犹新，有一天，我曾经给她写信说："我感谢您心灵如此伟大。"

难道我们失去她了吗？

没有。

高大的形象不见了，但是并没有销声匿迹。远非如此；几乎可以说，这些形象发展了。它们变成了无形，却在另一种形式下变得清晰可见。这是崇高的变形。

人形有隐蔽作用，它遮住了真正神圣的面孔，这面孔就是思想。乔治·桑是一种思想；这思想如今离开了肉体，获得了自由；她辞世了，而思想却活着。

乔治·桑在我们的时代享有独一无二的位置。其他伟人都是男人，她却是伟大的女性。

本世纪以完成法国革命和开始人类革命为其法则；在这个世纪里，由于性别的平等属于人类平等的范围内，因此一个伟大的女性是必不可少的。妇女必须证明，她可以拥有我们男性的所有禀赋，而又不失去女性天使般的品质；强大有力而又始终温柔可爱。

乔治·桑就是这种证明。

既然有那么多的人给法国蒙上耻辱，就必须有人给它带来荣耀。乔治·桑将是我们的世纪和法国值得骄傲的人物之一。这个誉满全球的女性完美无缺。她像巴尔贝斯一样有一颗伟大的心灵，像巴尔扎克一样有伟大的头脑，像拉马丁一样有崇高的心胸。她身上有诗才。在加里波第创造了奇迹的时代，她写出了杰作。

用不着一一列举这些杰作。何必把大家记得的事再鹦鹉学舌一遍呢？标志这些杰作力量所在之特点的，是善良。乔治·桑是善良的。因此，她受到憎恨。受人赞美有个替身，就是遭人嫉恨，热情有一个反面，就是侮辱。嫉恨和侮辱既是表明赞成，又想表明反对。后人会将嘲骂看作得到荣耀的喧闹声。凡是戴上桂冠的人都要受到抨击。这是一个规律，侮辱的卑劣要以欢呼的大小作为测度。

像乔治·桑那样的人都是为公众谋福利的。他们进去了，他们一旦逝去，在他们本来那个显得空荡荡的位置上，便可以看到实现了新的进步。

每当这样一个杰出人物去世，我们便仿佛听到翅膀拍击的巨大响声；既有东西逝去，就有别的东西继续存在。

大地像天空一样，也有隐没的时候；但是，人间像上天一样，重新显现，跟随在消失之后：一个男人或者一个女人，就像火炬一样以这种形式熄灭了，却以

224

思想的形式重新放光。于是人们看到，原来以为熄灭的东西是无法熄灭的。这支火炬越发光芒四射；从此以后，它属于文明的一部分；它进入了人类广大的光明之中；它增加了光明；因为把假光熄灭了的神秘的气息，给真正的光提供了燃料。

劳动者离开了，可是他的劳动成果留了下来。

埃德加·基内去世了，但是从他的坟墓里冒出了至高无上的哲学，而他又从坟墓的上方给人们提出劝告。米什莱谢世了，但是在他身后耸立着一部历史，勾画出未来的历程。乔治·桑长辞了，但是她给我们留下妇女展露女性天才的权利。变化就是这样完成的。让我们哭悼死者吧，但是要看到接踵而至的现象；留存下来的是确定无疑的事实；由于有了这些令人自豪的思想先驱，一切真理和一切正义都迎我们而来，而这正是我们所听到的翅膀拍击的声音。

请接受我们逝去的名人在离开我们的时候，给予我们的东西吧。让我们面向未来，平静而充满沉思，向伟人的离去给我们预示的光辉前景的到来致敬吧。

美/文/赏/析

《悼念乔治·桑》是雨果为悼念法国著名的现实主义小说家乔治·桑而写的悼文。乔治·桑逝于 1876 年 6 月 8 日，10 日在法国诺昂举行的葬礼上，宣读了雨果撰写的这篇悼文。文章开篇点题，直抒胸臆，同时说明悼念乔治·桑的原因。接着作者不从正面去描写乔治·桑，而是采用比衬的方法，以男人、名人作比照，以对手的憎恨、攻击作反衬，以火炬作比喻，突出了乔治·桑的形象伟大、思想崇高、心灵善良。最后作者劝告人们要化悲痛为力量，"面向未来，去迎接光辉的前景"，使文章的主题得到了升华。综观全文，激情多于感伤，气势磅礴，热情洋溢，文字凝练隽永，铿锵有力，富于韵律美，充分展示了一代浪漫主义文豪雨果的语言风格。

烦扰的心灵

/ 霍桑

入选理由……………………

以纯意识的象征手法，暗喻生活中各种失望、希望和追求

营造捉摸不定的氛围比照现实生活中人的生存困境

看似晦涩的文字达到"余音绕梁"的艺术效果

当你第一个从午夜梦中惊起，在半梦半醒之间挣扎时，那是多么奇异的一刻呀！突然睁开双眼，你似乎惊奇于梦中的角色已全部汇集到你的床边，在其迅速变模糊之前，你放眼扫视过他们。或者，换一种比喻，一瞬间你发现自己在幻觉的王国里（睡眠是通往该王国的通行证）完全清醒着，看到了王国中幽灵般的居民和美丽的风景，感受着他们的奇妙，仿佛只要梦境被扰，你就永不会得到。遥远的教堂钟声在风中微弱地飘来。你半严肃地问自己，是否有人从某座伫立在你梦境里的灰塔中为你那只醒着的耳朵偷来这钟声。悬而未决中，越过沉睡的城镇，另一座钟又发出了巨大的鸣响，声音如此洪亮清晰，在周遭的空气中留下长长的、低沉而连续的回声，你确信它一定是发自最近角落的一座教堂尖塔。你数着钟鸣——一下——二下——然后它们停在那儿，伴随着一声沉重的回响，就如同这座钟拼尽全力又敲响了第三下。

如果你能从一整夜中选出清醒的一小时，那就是此刻。你有合理的入睡时间（十一点钟），所以你的休息已足以消除昨日疲惫的重压；一直到来自"遥远的中国"的阳光照亮你的窗口，你面前呈现的几乎是整个夏夜的空间；一个小时陷入沉思，将心门半掩，两个小时在快乐的梦中流连，再留两个小时沉浸在那些最奇妙的享受中，快乐和忧愁同样健忘。起床属于另一段时间，而且显得如此遥远，带着灰心沮

作者简介

霍桑（1804—1864），美国 19 世纪最杰出的浪漫主义小说家。出生于一个没落的世家，大学毕业后即从事写作。曾两度在海关任职。1853 年任美国驻英国利物浦领事。1857 年后侨居意大利。1860 年回国专事创作。

丧想从暖暖的被窝里爬出来置身于寒冷的空气中，简直是不可能的。昨天已经消失在过去的影子里；明天还未从未来中显现。你发现了一个中间地带，生活的琐事还未侵扰它的安宁；眼前的时刻在这里徘徊不去，真正地变成现实；时间老人发现在这儿无人注视他，便在路边坐下来喘口气。哈，他会沉沉睡去，让人们长生不老！

迄今你一直极安静地躺着，因为哪怕是最轻微的动作也会使人持续的睡眠消失无踪。现在，你感到一种无法回避的清醒，透过拉到一半的窗帘向外偷瞥，看到玻璃上装饰的满是冰霜的杰作，而每块窗玻璃都代表着一种类似于冻结的梦一样的东西。等待吃早饭的召唤时会有足够的时间找出其中的相似。透过玻璃上未结霜的部分看去，被冰雪覆盖的银白色的山峰并没有上升，最触目的东西是教堂的尖顶；白色的塔尖引你望向风雪交加的天空。你几乎可以辨别出刚刚报过时的那座钟上的数字。如此寒冷的天空，覆满皑皑白雪的屋顶，冰冻的街道那长长的远景，到处都是耀眼的白色，远处的水已凝成冰岩，尽管身上裹着四床毛毯和一条毛制盖被，这一切仍会使人不寒而栗。但是，你看那颗光彩夺目的星！它的光束不同于所有其他的星星，竟然用深于月光的一束光芒将窗影洒在床上，尽管轮廓如此的模糊。

你将身体缩进被窝，蒙住头，一直颤抖着，但来自体内的寒冷远逊于直接想到极地空气所带来的寒冷。实在是冷极了，连思想都不敢外出冒险。用尽了床上所有的御寒物，你思索着自己的奢华和舒适，如同一只壳中牡蛎，满足于一种无行动的懒散的沉迷，除了那诱人的温暖，就像你现在重新感觉到的一样，你昏昏沉沉地意识不到任何东西。啊！那个念头带来了可怕的后果。想到那些死人正躺在他们冰冷的裹尸布和狭窄的棺木中，想到墓地那阴郁窒闷的冬天，当雪花不断吹积在他们的墓丘上，刺骨的冷风在墓穴的门外怒号时，你无法说服自己不去想象他们正在恐缩发抖。这种阴郁的想法会越积越重，最终扰乱你清醒的那一小时。

每颗心灵的深处都有一座墓穴和地牢，尽管外界的光、音乐及狂欢可能使我们暂忘却它们和它们中所掩埋的死者及关押的囚犯。但有时，最经常的是在午夜，那些黑暗的藏身之所的大门会砰然大开。在像这样的一小时中，心灵会产生一种消极的敏感，但却没有任何活力了；想象就如同一面镜子，没有任何选择和控制的力量，而使思维变得栩栩如生；然后祈求你的悲伤睡去，祈求悔恨的兄弟不要打碎其锁链。太晚了！一辆灵车滑到你的床边，"激情"与"感情"以人形出现在车中，而心中的一切则在眼中幻化成模糊的幽灵。这里有你最早的"悲哀"，一个年轻的苍白的哀悼者，具有一个与初恋相似的姐妹，那是一种哀绝的美，忧郁的脸上现出一种神圣的甜蜜，黑貂皮外衣中流露着典雅。接着出现的是被毁坏了的可爱的幽灵，金发中带着尘土，鲜艳的衣服都已褪色且破烂不堪，她低垂着头不时地偷看你一眼，像是怕受责备；她就是你多情而虚妄的"希望"；现在人们叫她"失望"。然后又出现了一个更严厉的影子，他双眉紧锁，表情和姿态中显出铁样的权威；除了"灾难"再无其他名字更适合于他，他是控制你命运的不祥之兆；他是个魔鬼，在生活的开端你也许会因犯了某些错误受制于他，而一旦屈从于他，你就会永远受他奴役。看哪！那些刻在黑暗中的凶残的脸，那因轻蔑而扭歪的唇，那只活动的眼中流露出的嘲弄，那尖尖的手指，触痛着你心中的疮疤！还记得某件即使躲在地球上最偏僻的山洞里你也会为之脸红的大蠢事吗？那么承认你的"羞耻"。

走开，这帮讨厌的家伙！对一个清醒而又极悲惨的人来说，没有被一群更凶残的家伙围住就算不错了。那群家伙是藏在一颗负罪的心中的魔鬼，而地狱就筑在那颗心中。假如"悔恨"以一个被伤害的朋友的面目出现会怎样？假如魔鬼穿着女人的衣裙，在罪恶和孤寂中带着一种苍白凄恻之美慢慢躺在你身边，又会怎样？假如他像具僵尸一样站在你的床脚，裹尸布上带着血迹，那又会怎样？没有这样的罪行，心灵的梦魇也就足够了，这灵魂沉沉的堕落；这心中寒冬般的阴郁；这脑海里模糊的恐惧与室内的黑暗融合在一起。

通过绝望的努力，你终于坐直了身子，从一种神志清醒的睡眠中挣扎出来，疯狂地盯着床的四周，仿佛除了你烦扰的心灵外魔鬼们无处不在。同时，炉中昏昏欲睡的炉火发出一道光亮，把整个外间屋映得一片灰白，火光透过卧室的门摇曳不安，但却未能完全驱散室内的昏暗。你的双眼搜寻着任何能够提醒你有关这个活生生的世界的东西。你热切而细密地注意到炉旁的桌子，桌上的一本书，书页间一把象牙色的小刀，未折的书页，帽子及掉落的手套。很快，火焰就熄灭了，整个景象也随之消失，尽管当黑暗吞噬了现实时，其画面还片刻存留于你心灵的眼中。整个室内一如从前的模糊暗淡，但在你心中却已不再是相同的阴郁。当你的头又落回枕上的时候，你想（小声地说了出来），在这样的夜的孤寂中，感受一种比你的呼吸更轻柔的呼吸起落，一个更柔软的胸脯的轻轻触压，一颗更纯洁的心灵静静的跳动，并把它的和平宁静传给你那烦扰的心灵，就如同一位多情的睡美人正在将你拖入她的黑甜乡，那是怎样的一种至乐呀！

　　她感染了你，尽管她只存在于那幅转瞬即逝的画面中。在梦与醒的边界，你常常陷入一片繁花似锦的地方，这时你的思想便走马灯般以图画的形式出现在眼前，彼此毫无关联，但却被一种弥漫着的喜悦和美好全部同化了。那些美丽的回忆在阳光下闪闪发光，不停地旋转飞舞，伴着教室门旁、老树下隐约闪现的斑驳树影中及乡间小路的角落里孩子们的欢笑。你在太阳雨中伫立，那是一场夏季阵雨，你在一片秋天的森林中阳光辉映下的树木间漫步，抬头仰望那道最灿烂明亮的彩虹，如一道弯弓架在尼亚加拉大瀑布在美国境内的那片完整的雪被子上。一位年轻人刚刚娶了新娘，幸福的喜悦正在洞房中跳荡，春天里鸟儿们在为它们新筑的巢兴奋地飞来飞去，不停地在鸣啭歌唱，而你的心却在二者之间快乐地挣扎。封冻之前你感受到一只船欢快的跳动；灯火斑斓的舞厅中，当玫瑰花似的少女在她们最后的、最欢快的舞曲中旋转时，你发觉自己正盯视着她们极富韵律感的双脚；当大幕落下，遮住那优美活泼的一幕场景时，你发现自己正置身于一家拥挤不堪的剧院中灯火辉煌的二楼厅座。

　　你不情愿地开始抓住意识，通过在人的生活及现在已消逝的那一小时之间所做的模糊的比较，你证明自己处于半梦半醒之间。在这二者之中，你都是从神秘中出现，通过一种你能够产生却不能完全控制的变化，向上进入到另一神秘。现在远处的钟声又传了过来，声音越来越弱，而此时你却更深地陷入了梦中的旷野。这是为暂时的死亡而鸣响的丧钟。你的灵魂已经出发，像一个自由公民到处流浪，置身于朦胧世界的人群中，看到奇异的风景，却没有一丝惊异和沮丧。那最后的变化或许会如此平静，那灵魂通向永恒的家的入口处或许会如此毫无干扰，就像置身于熟识的事物之中！

光荣的荆棘路

/ 安徒生

入选理由…………………………

古老的氛围中蕴含沉重

疏散的结构，统一的主题

历史光辉人物的画廊

从前有个古老的故事："光荣的荆棘路：一个叫做布鲁德的猎人得到了无上的光荣和尊严，但是他却长时期遇到极大的困难和冒着生命的危险。"我们大多数的人在小时已经听到过这个故事，可能后来还谈到过它，并且也想起自己没有被人歌颂过的"荆棘路"和"极大的困难"。故事和真实没有什么很大的分界线。不过故事在我们这个世界里经常有一个愉快的结尾，而真实常常在今生没有结果，只好等到永恒的未来。

世界的历史像一个幻灯。它在现代的黑暗背景上，放映出明朗的片子，说明那些造福人类的善人和天才的殉道者在怎样走着荆棘路。

这些光耀的图片把各个时代、各个国家都反映给我们看。每张片子只映几秒钟，但是它却代表整个的一生——充满了斗争和胜利的一生。我们现在来看看这些殉道

作者简介

安徒生（1805—1875），丹麦童话作家。1805年出生在丹麦中部的小城奥登塞，父亲是一个穷苦的鞋匠。因家境贫寒，他幼年未进过正规学校。14岁时，他告别家乡到哥本哈根，在剧院里打杂。后来有些艺术家给他提供助学金，他才开始正式上学。安徒生酷爱文学，他阅读了大量文学名著，并学着创作诗篇与剧本。1827年，他创作的诗剧《阿尔芙索尔》在皇家艺术剧院演出时引起轰动。第二年，他被哥本哈根大学免试录取。1838年，他获得国家作家奖金。1867年，安徒生被故乡奥登塞选为荣誉市民。1875年8月4日，安徒生因肝癌逝世于朋友的乡间别墅。

者行列的人吧——除非这个世界本身遭到灭亡，这个行列是永远没有穷尽的。

我们现在来看看一个挤满观众的圆形剧场吧。讽刺和幽默的语言像潮水一般的从阿里斯托芬的"云"喷射出来。雅典最了不起的一个人物，在人身和精神方面，都受到了舞台上的嘲笑。他是保护人民反抗三十个暴君的战士。他名叫苏格拉底，他在混战中救援了阿尔西比亚得和生诺风，他的天才超过了古代的神仙。他本人就在场。他从观众的凳子上站起来，走到前面去，让那些正在哄堂大笑的人可以看看，他本人和戏台上嘲笑的那个对象究竟有什么相同之点。他站在他们面前。高高地站在他们面前。

你，多汁的、绿色的毒胡萝卜，雅典的阴影不是橄榄树而是你！

七个城市国家在彼此争辩，都说荷马是在自己城里出生的——这也就是说，在荷马死了以后！请看看他活着的时候吧！他在这些城市流浪，靠朗诵自己的诗篇过日子。他一想起明天的生活，他的头发就变得灰白起来。他，这个伟大的先知者，是一个孤独的瞎子。锐利的荆棘把这位诗中圣哲的衣服撕得稀烂。

但是他的歌仍然是活着的；通过这些歌，古代的英雄和神仙也获得了生命。

图画一幅接着一幅地从日出之国，从日落之国现出来。这些国家在空间和时间方面彼此的距离很远，然后它们却有着同样的光荣的荆棘路。生满了刺的蓟只有在它装饰着坟墓的时候，才开出第一朵花。

骆驼在棕榈树下面走过。它们满载着靛青和贵重的财宝。这些东西是这国家的君主送给一个人的礼物——这个人是人民的欢乐，是国家的光荣。嫉妒和毁谤逼得他不得不从这国家逃走，只有现在人们才发现他。这个骆驼队现在快要走到他避乱的那个小镇。人们抬出一具可怜的尸体走出城门，骆驼队停下来了。这个死人就正是他们所要寻找的那个人：费尔杜西——光荣的荆棘路在这儿告一结束！

在葡萄牙的京城里，在王宫的大理石台阶上，坐着一个圆面孔、厚嘴唇、黑头发的非洲黑人，他在向人求乞。他是加莫恩的忠实的奴隶。如果没有他和他求乞得到的许多铜板，他的主人——叙事诗《路西亚达》的作者——恐怕早就饿死了。

现在加莫恩的墓上立着一座贵重的纪念碑。

这是一幅国画！

铁栏杆后面站着一个人。他像死一样的惨白，长着一脸又长又乱的胡子。

"我发明了一件东西——一件许多世纪以来最伟大的发明，"他说，"但是人们却把我放在这里关了二十多年！"

"他是谁呢？"

"一个疯子!"疯人院的看守说,"这些疯子的怪想头才多呢!他相信人们可以用蒸汽推动东西!"

　　这人名字叫萨洛蒙·得·高斯,黎显留读不懂他的预言性的著作,因此他死在疯人院里。

　　现在哥伦布出现了。街上的野孩子常常跟在他后面讥笑他,因为他想发现一个新世界——而且他也就居然发现了。欢乐的钟声迎接着他的胜利的归来,但嫉妒的钟声敲得比这还要响亮。他,这个发现新大陆的人,这个把美洲黄金的土地从海里捞起来的人,这个一切贡献给他的国王的人,所得到的报酬是一条铁链。他希望把这条链子放在他的棺材上,让世人可以看到他的时代所给予他的评价。

　　图画一幅接着一幅地出现,光荣的荆棘路真是没有尽头。

　　在黑暗中坐着一个人,他要量出月亮里山岳的高度。他探索星球与行星之间的太空。他这个巨人懂得大自然的规律。他能感觉到地球在他的脚下转动。这人就是伽利略。老迈的他,又聋又瞎,坐在那儿,在尖锐的苦痛中和人间的轻视中挣扎。他几乎没有气力提起他的一双脚:当人们不相信真理的时候,他在灵魂的极度痛苦中曾经在地上跺着这双脚,高呼道:"但是地在转动呀!"

　　这儿有一个女子,她有一颗孩子的心,但是这颗心充满热情和信念。她在一个战斗的部队前面高举着旗帜;她为她的祖国带来胜利和解放。空中响起了一片狂乐的声音，于是柴堆烧起来了：大家在烧死一个巫婆——冉·达克。是的，在接着的一个世纪中人们唾弃这朵纯洁的百合花，但智慧的鬼才伏尔泰却歌颂"拉·比赛尔"。

在巍堡的宫殿里，丹麦的贵族烧毁了国王的法律。火焰升起来，把这个立法者和他的时代都照亮了，同时也向那个黑暗的囚楼送进一点彩霞。他的头发斑白，腰也弯了；他坐在那儿，用手指在石桌上刻出许多线条。他曾经统治过三个王国。他是一个民众爱戴的国王；他是市民和农民的朋友：克利斯仙二世。他是一个莽撞时代的一个有性格的莽撞人。敌人写下他的历史。我们一方面不忘记他的血腥的罪过，一方面也要记住：他被囚禁了二十七年。

一艘船从丹麦开出去了。船上有一个人倚着桅杆站着，向汶岛作最后的一瞥。他是杜却·布拉赫。他把丹麦的名字提升到星球上去，但他所得到的报酬是讥笑和伤害。他跑到国外去。他说："处处都有天，我还要求什么别的东西呢？"他走了；我们这位最有声望的人在国外得到了尊荣和自由。

"啊，解脱！只愿我身体中不可忍受的痛苦能够得到解脱！"好几个世纪以来我们就听到这个声音。这是一张什么画片呢？这是格里芬菲尔德——丹麦的普洛米修斯——被铁链锁在木克荷尔姆石岛上的一幅图画。

我们现在来到美洲，来到一条大河的旁边。有一大群人集拢来，据说有一艘船可以在坏天气中逆风行驶，因为它本身具有抗拒风雨的力量。那个相信能够做到这件事的人名叫罗伯特·富尔登。他的船开始航行，但是它忽然停下来了。观众大笑起来，并且还"嘘"起来——连他自己的父亲也跟大家一起"嘘"起来：

"自高自大！糊涂透顶！他现在得到了报应！应该把这个疯子关起来才对！"

一根小钉子摇断了——刚才机器不能动就是因为它的缘故。轮子转动起来了，轮翼在水中向前推进，船在开行。蒸汽机的杠杆把世界各国间的距离从钟头缩短成为分秒。

人类啊，当灵魂懂得了它的使命以后，你能体会到在这清醒的片刻中所感到的幸福吗？在这片刻中，你在光荣的荆棘路上所得的一切创伤——即使是你自己所造成的——也会痊愈，恢复健康、力量和愉快；噪音变成谐声；人们可以在一个人身上看到上帝的仁慈，而这仁慈通过一个人普及到大众。

光荣的荆棘路看起来像环绕着地球的一条灿烂的光带。只有幸运的人才被送到这条带上行走，才被指定为建筑那座连接上帝与人间的桥梁的、没有薪水的总工程师。

历史拍着它强大的翅膀，飞过许多世纪，同时光荣的荆棘路的这个黑暗背景上，映出许多明朗的图画，来鼓起我们的勇气，给予我们安慰，促进我们内心的平安。这条光荣的荆棘路，跟童话不同，并不在这个人世间走到一个辉煌和快乐的终点，但是它却超越时代，走向永恒。

美/文/赏/析

　　《光荣的荆棘路》以叙述故事的语言方式，为我们展现了伟大的先驱们为真理而披荆斩棘、顽强不屈、至死不渝的壮阔场面。安徒生在文中列举了十余个历史人物，用宏观叙事的手法将他们生前身后的遭遇饱含深情地讲述给读者。苏格拉底、荷马、费尔杜西、加莫恩、萨洛蒙·得·高斯、哥伦布、伽利略、冉·达克、克利斯仙二世、杜却·布拉赫、格里芬菲尔德、罗伯特·富尔登，这些曾经或将会影响人类历史的人，安徒生称他们为"天才的殉道者"。这些人在现行社会中被认为是伟大的人物或"造福人类的善人"，而他们生前却往往被看成是另类的、不合时宜的。他们为了探求真理或人类的幸福之路与时代所进行的抗争，在后人看来是"光荣"的壮举，但对于其个人而言却是一条充满血泪的荆棘路。科学的进步和历史的前行永远是艰难的，在通向真理的道路上，总会有惨重的代价和牺牲。这条路，安徒生称之为"光荣的荆棘路"，他说"这条光荣的荆棘路，跟童话不同，并不在这个人世间走到一个辉煌和快乐的终点，但是它却超越时代，走向永恒"。这是安徒生对于逝去者的告慰。

尼亚加拉大瀑布

/ 狄更斯

入选理由·····························
从不同角度描摹了壮观的尼亚加拉大瀑布
"横看成岭侧成峰，远近高低各不同"的审美效果
一首有声有色的心灵交响曲

那一天的天气寒冷潮湿，着实苦人；凄雾浓重，几欲成滴，树木在这个北国里还都枝柯赤裸，完全冬意。不论多会儿，只要车一停下来，我就侧耳静听，看是否能听到瀑布的吼声，同时还不断地往我认为一定是瀑布所在那方面死乞白赖地看；我所以知道瀑布就在那一方面，因为我看见河水滚滚朝着那儿流去；每一分钟都盼望会有飞溅的浪花出现。恰恰在我们停车以前几分钟内，我看见了两片嵯峨的白云，从地心深处巍巍而出，冉冉而上。当时所见，仅止于此。后来我们到底下了车了，于是我才头一回听到洪流的砰訇，同时觉得大地都在我脚下颤动。

崖岸陡峭，又因为有刚刚下过的雨和化了一半的冰，地上滑溜溜的，所以我自己也不知道我是怎么下去的，不过我却一会儿就站在山根那儿，

狄更斯像

作者简介

　　狄更斯（1812—1870），英国19世纪现实主义小说家。出生于英国朴次茅斯，5岁时，全家迁居占松。10岁时又搬到康登镇（今属伦敦）。小时候狄更斯曾经在一所私立学校接受过一段时间的教育。11岁的狄更斯就承担起繁重的家务劳动。12岁时，被送到皮鞋作坊当学徒。16岁时在律师事务所当缮写员，后担任报社采访记者。狄更斯并没有接受很多的正规教育，基本上是靠自学成才。

同两个英国军官（他们也正走过那儿，现在和我到了一块）攀登到一片嶙峋的乱石上了。那时澎渤大作，震耳欲聋，玉花飞溅，蒙目如眯，我全身濡湿，衣履俱透。原来我们正站在美国瀑布的下面。我只能看见巨浸滔天，劈空而下，但是对于这片巨浸的形状和地位，却毫无概念，只渺渺茫茫，感到泉飞水立，浩瀚汪洋而已。

我们坐在小渡船上，从紧在这两个大瀑布前面那条汹涌奔腾的河里过的时候，我才开始感到是怎么回事，不过我却有些目眩心摇，因而领会不到这副光景到底有多博大。直到我来到平顶岩上看去的时候——哎呀天哪，那样一片飞立倒悬的晶莹碧波——它的巍巍凛凛，浩瀚峻伟，才在我眼前整个呈现。

于是我感到，我站的地方和造物者多么近了，那时候，那幅宏伟的景象，一时之间所给我的印象，同时也就是永永无尽所给我的印象——一瞬的感觉，而又是永久的感觉——是一片和平之感：是心的宁静，是灵的恬适，是对于死者淡泊安详的回忆，是对于永久的安息和永久的幸福恢廓的展望，不掺杂一丁点暗淡之情，不掺杂一丁点恐怖之心。尼亚加拉一下就在我心里留下深刻的印象——留下了一副美丽的形象，这副形象一直永世不尽留在我的心头，永远不改变，永远不磨灭，一直到我的心房停止了搏动的时候。

我们在那个天魔帝力所创造出来的地方上待了十天，在那永久令人不忘的十天里，日常生活中的龃龉和烦恼，如何离我而去，越去越远啊！巨浸的砰訇对于我如何振聋发聩啊！绝迹于尘世之上而却出现于晶莹垂波之中的，是何等的面目啊！在变幻无常、横亘半空的灿烂虹霓四围上下，天使的泪如何玉圆珠明，异彩缤纷，纷飞乱洒，纵翻横出啊！在这种眼泪里，天心帝意，又如何透露而出啊！

我一起始，就跑到了加拿大那一边儿，在那十天里就一直在那儿没动。我从来没再过过河，因为我知道，河那边也有人，而在这种地方，当然不能和不相干的人搀和。整天往来徘徊，从一切角度，来看这个垂瀑；站在马蹄铁大瀑布的边缘上，看着奔腾的水，在快到崖头的时候，力充劲足，然而却又好像在驰下崖头、投入深渊前，先停顿一下似的；从河面上往上看巨涛下涌；攀上邻岭，从树梢间瞭望，看激湍盘旋而前，翻下万丈悬崖；站在下游三英里的巨石森岩下面，看着河水，波涌涡漩，砰訇应答，表面上看不出来它所以这样的原因，实在在河水深处，却受到巨瀑奔腾的骚扰；永远有尼亚加拉当前，看它受日光的蒸腾，受月华的迤逗，夕阳西下中一片红，暮色苍茫中一片灰；白天整天眼里看它，夜里枕上醒来耳里听它；这样的福就够我享的了。

我现在每天平静之时都要想：那片浩瀚汹涌的水，仍旧竟日横冲直滚，飞悬倒洒，砰訇澎渤，雷鸣山崩；那些虹霓仍旧在它下面一百英尺的空中弯亘横跨。太阳照在它上面的时候，它仍旧像玉液金波，晶莹明澈。天色暗淡的时候，它仍旧像玉霰琼雪，纷纷飞洒；像轻屑细末，从白垩质的悬崖峭壁上阵阵剥落；像如絮如绵的浓烟，从山腹幽岫里蒸腾喷涌。但是这个滔天的巨浸，在它要往下流去的时候，永远老像要先死去一番似的，从它那深不可测、以水为国的坟里，永远有浪花和迷雾的鬼魂，其大无物可与伦比，其强永远不受降伏，在宇宙还是一片混沌。黑暗还复掩渊面的时候，在匝地的巨浸——水——以前，另一个漫天的巨浸——光——还没经上帝吩咐而一下弥漫宇宙的时候，就在这儿森然庄严地呈异显灵。

美/文/赏/析

　　作者将其小说中常有的百转千回的震撼力，融于景物描写中，为我们描摹了一幅壮丽的风景画。作者从不同角度来描写尼亚加拉大瀑布。先是听觉上的渲染："洪流的砰訇""澎渤大作，震耳欲聋"，这样先声夺人的效果，为视觉上的表现做了铺垫。接下来是尼亚加拉大瀑布的闪亮登场，作者首先从整体上做了一个描绘，那是"一片飞立倒悬的晶莹碧波"，给人以视觉上的震撼力。而作者的高明之处在于他用小说家的敏锐眼光，为我们描绘了一个多角度、多层面的艺术效果图。置身于震耳欲聋、玉花飞溅的"浩瀚峻伟"中，作者感受到的却是心的宁静、灵的恬适。

冬日漫步

/ 梭罗

入选理由·······································
对大自然的全情倾听
一首绝妙的生命摇篮曲
倾听所有生灵自然的律动

风轻轻地低声吹着，吹过百叶窗，吹在窗上，轻软的好像羽毛一般；有时候数声叹息，几乎叫人想起夏季长夜漫漫和风吹动树叶的声音。田鼠已经舒舒服服地在地底下的楼房中睡着了，猫头鹰安坐在沼地深处一棵空心树里面，兔子、松鼠、狐狸都躲在家里安居不动。看家的狗在火炉旁边安静地躺着，牛羊在栏圈里一声不响地站着。大地也睡着了——这不是长眠，这似乎是它辛勤一年以来的第一次安然入睡。时虽半夜，大自然还是不断地忙着，只有街上商店招牌或是木屋的门轴上，偶然轻轻地发出叽咯的声音，给寂寥的大自然添一些慰藉。茫茫宇宙，在金星和火星之间，只有这些声音表示天地万物还没有全体入睡——我们想起了远处（就在心里头吧？）还有温暖，还有神圣的欢欣和友朋相聚之乐。可是这种境界是天神们互相往来时才能领略，凡人是不胜其荒凉的。天地现在是睡着了，可是空气中还是充满了生机，鹅毛片片，不断地落下，好像有一个北方的五谷女神，正在我们的田亩上撒下无数银色的谷种。

我们也睡着了，一觉醒来，正是冬天的早晨。万籁无声，雪厚厚地堆着，窗槛上像是铺了温暖的棉花；窗格子显得加宽了，玻璃上结了冰纹，光线暗淡而静，更加强了屋内的舒适愉快的感觉。早晨的安静，似乎静在骨子里，我们走到窗口，挑了一处没有冰霜封住的地方，眺望田野的景色。可是我们单是走这几步路，脚下的地板已经在吱吱地响。窗外一幢幢的房子都是白雪盖顶；屋檐下、篱笆上都累累地挂满了雪条；院子里像石笋似站了很多雪柱，雪里藏的是什么东西，我们却看不出来，大树小树四面八方地伸出白色的手臂，指向天空；本来是墙壁篱笆的地方，形状更是奇怪，在昏暗的大地上面，它们向左右延伸，如跳如跃，似乎大自然一夜之间，把田野风景重新设计过，好让人间的画师来临摹。

我们悄悄地拔去了门闩，雪花飘飘，立刻落到屋子里来；走出屋外，寒风迎面扑来，利如刀割。星光已经不这么闪烁光亮，地平线上面笼罩着一层昏昏的铅状的薄雾。东方露出一种奇幻的古铜色的光彩，表示天快要亮了。可是四面的景物，还是模模糊糊，一片幽暗，鬼影幢幢，疑非人间。耳边的声音也带一种鬼气——

鸡啼狗吠，木柴的砍劈声，牛群的低鸣声——这一切都好像是阴阳河彼岸冥王的农场里所发出的声音；声音本身并没有特别凄凉之处，只是天色未明，这种种活动显得太庄严了，太神秘了，不像是人间所有的。院子里雪地上，狐狸和水獭所留下的脚迹犹新，这使我们想起：即使在冬夜最静寂的时候，自然界生物没有一个钟头不在活动，它们还在雪上留下痕迹。把院子门打开，我们以轻快的脚步，跨上寂寞的乡村公路，雪干而脆，脚踏上去发出破碎的声音。早起的农夫，驾了雪橇，到远处的市场去赶早市。这辆雪橇一夏天都在农夫的门口闲放着，与木屑稻梗为伍，现在可有了用武之地，它的尖锐清晰刺耳的声音，对于早起赶路之人，也有提神醒脑的作用。农舍窗上虽然积雪很多，但是屋里的农夫已经早把蜡烛点起，烛光孤寂地照射出来，像一颗暗淡的星。树际和雪堆之间，炊烟也是一处一处地从烟囱里往上飞升。

大地冰冻，远处鸡啼狗吠。从各处农舍门口，也不时地传来丁丁劈柴的声音。空气稀薄干寒，只有比较美妙的声音才能传入我们的耳朵，这种声音听来都有一种简短的可是悦耳的颤动。凡是至清至轻的流体，波动总是稍发即止，因为里面粗粒硬块，早就沉到底下去了。声音从地平线的远处传来，都清越明亮，犹如钟声，冬天的空气清明，不像夏天那样的多杂质阻碍，因此声音听来也不像夏天那样的毛糙模糊。脚下的土地，铿锵有声，如叩坚硬的古木，一切乡村间平凡的声音，此刻听来都美妙悦耳。树上的冰条互相撞击，其声玲琤，如流水，如妙乐。大气里面一点水分都没有，水蒸气不是干化，就是凝结成冰霜的了；空气十分稀薄而似有弹性，人呼吸其中，自觉心旷神怡。天似乎是绷紧了的，往后收缩。人从下向上望，很像处身大教堂中，顶上是一块连一块弧状的屋顶；空气中闪光点点，好像有冰晶浮游其间。据在格陵兰住过的人告诉我们说，那边结冰的时候，"海就冒烟，像大火燎原一般，而且有一种雾气上升，名叫烟雾。这种烟雾有害健康，伤人皮肤，能使人手脸等处，生疮肿胀"。我们这里的寒气，虽然其冷入骨，然而，质地清纯可提神，可清肺。我们不能把它认为是冻结的雾，只能认为是仲夏的雾气的结晶，经过寒冬的洗涤，越发变得清纯了。

太阳最后总算从远处的林间上升，阳光照处，空中的冰霜都融化，隐隐之中似乎有铙钹伴奏，铙钹每响一次，阳光的威力逐渐增加；时间很快从黎明变成早晨，早晨也愈来愈老，很快地把西面远处的山头，镀上一层金色。我们匆匆地踏着粉状的干雪前进，因为思想感情更为激动，内心发出一种热力，天气也好像变得像十月小阳春似的温暖。假如我们能改造我们的生活，和大自然更能配合一致，我们也许就无需畏惧寒暑之侵，我们将同草木走兽一样，认大自然是我们的保姆和良友，她是永远照顾着我们的。

大自然在这个季节，特别显得纯洁，这是使我们觉得最为高兴的。残干枯木，苔痕斑斑的石头和栏杆，秋天的落叶，到现在被大雪掩没，像上面盖了一块干净的手巾。寒风一吹，无孔不入，一切乌烟瘴气都一扫而空，凡是不能坚贞自守的，都无法抵御。因此，凡是在寒冷荒僻的地方（例如在高山之顶），我们所能看得见的东西，都是值得我们尊敬的，因为它们有一种坚强的纯朴的性格——一种清教徒式的坚韧。别的东西都寻求隐蔽保护去了，凡是能卓然独立于寒风之中者，一定是天地灵气之所钟，是自然界骨气的表现。它们具有和天神一般的勇敢。空气经过洗涤，呼吸进去特别有劲。空气的清明纯洁，甚至用眼睛都能看得出来；我们宁可整天处在户外，不到天黑不回家，我们希望朔风吹过光秃秃的大树一般地吹澈我们的身体，使得我们更能适应寒冬的气候。我们希望借此能从大自然借来一点纯洁坚定的力量，这种力量对于我们是一年四季都有用的。

美/文/赏/析

《冬日漫步》完全体现了梭罗一贯的写作风格，在他的笔下，时光是缓慢的，美丽的自然在眼前或者说我们的生命中从容地展开，尽情地显示着它天然真实的美和价值。而作者与这些最美妙的事物同在。我们可以把这篇文章当作与天地同在的生命的摇篮曲，在这首表面寒冷但散发着母性的温暖的摇篮曲里，我们倾听到所有生灵在一年中最纯净的季节里自然的律动，它们是那样的细腻和生动，是生命的全部真意所在。在大地安静的沉睡中，梭罗睁大了诗人的眼睛和音乐家的耳朵，幸福地、热切地关注着大地上的动静。

树林和草原

/ 屠格涅夫

入选理由·····························
时代的缩影
作家自身思想的反照
文笔优美，意境独特

······于是开始渐渐地吸引他

归去：到乡村去，到深荫蔽日的花园里去，

那里菩提树巍峨参天，绿荫一片，

铃兰花散发出贞洁的芳香，

那里一行圆冠的杨柳，

从堤岸上覆盖着水面，

作者简介

　　屠格涅夫（1818—1883），19世纪俄国批判现实主义作家，出生于世袭贵族家庭。1833年进入莫斯科大学文学系，一年后转入圣彼得堡大学哲学系语文专业，毕业后到德国柏林大学攻读哲学、历史、希腊文和拉丁文。1843年发表叙事长诗《巴拉莎》，开始文学生涯。19世纪60年代后，大部分时间在西欧度过，曾参加巴黎"国际文学大会"，被选为副主席。

屠格涅夫像

242

那里茂密的橡树耸立在茂草丛生的田地上，

那里弥漫着大麻和荨麻的气味……

回到那里，回到广袤的原野，

那里的黑土柔软如绒，

无论您放眼何处，

那里的黑麦都荡漾着轻柔的波浪，

从那透明、洁白的云团里，

沉甸甸地射出金色的阳光；

那里多么美好……

（摘自待焚的诗篇）

　　也许，读者对我的笔记已经感到厌烦了。赶快告慰他，除了这里发表的几个片断外，我不再写什么了。但是，和他分别之际，我不能不说几句关于打猎的话。

　　扛着猎枪、带着狗去打猎，这件事单独本身，正像古时候说的 für sich，是很美妙的事情。即使您生来并不是个猎人，但您总会热爱大自然吧，所以您不可能不羡慕我们这些兄弟……请您听着吧。

　　比如说，您知道春天里黎明前乘车外出的乐趣吗？您走到台阶上……深灰色的天空里几处地方闪烁着星星，湿润的风儿时而像微波似的荡来，听得见压抑的、模糊的夜声，笼罩在浓荫里的树木的低声絮语。仆人把毛毯铺在马车上，把装着茶炊的箱子搁在脚边。拉车的马儿瑟缩着身子，打着响鼻，神气地捣动着蹄子；一对刚刚醒来的白鹅，默默地蹒跚着穿过道路。篱笆后的花园里，看守人安宁地打着鼾声。每一声仿佛都停留在凝滞的空气里，滞留不散。现在您坐到车子里，马儿一下子动身了，马车辚辚地碾过大地……您乘着车子，经过教堂，到山脚下向右一拐，驰过了堤岸……池塘刚刚开始蒸腾起雾气。您稍感寒冷，您翻起大衣领子遮住脸面，您打着瞌睡。马儿哗哗地蹚过水洼，车夫打着口哨。您大约走了四俄里……天边发红了。乌鸦在白桦林中醒来，笨拙地飞来飞去。麻雀在黑黢黢的草垛附近吱吱喳喳叫着。空气发亮了，道路明显了，天空明朗了，云彩泛白，田野翠绿。农舍里的松明燃烧着红色的火焰，听得见门后喃喃着睡眼惺忪的语声。这时候朝霞灿烂，金色的光带已经弥漫天际。峡谷里水气氤氲，云雀在嘹亮地歌唱，黎明前的风儿吹拂着——于是鲜红的太阳悄悄地升起。光明潮水般泻来。您的心儿像鸟儿似的扑腾着。新鲜，欢乐，美好！周围视野辽阔。瞧，丛林后面有个村子。再远处是建有白色教堂的另一个村子，山上有座小白桦林，林后就是您要去的沼泽地……快点吧，马儿，快点吧！迈开大步往前冲……至多只有三俄里①了。太阳迅速升起，天空澄碧无云……是个出色的天气。一群牲口从村子里向我们迎面走来。您登上了山顶……多美的景色！河流蜿蜒，绵延长达十俄里左右；穿越雾气，它呈现出暗蓝的色泽。河那边是水灵灵的绿色草地，草地那边耸起倾斜的丘陵。远处有几只凤头麦鸡啼叫着，盘旋在沼泽上空。穿越流泻于空中的湿润的光辉，远处的地平线清晰地呈现了出来……现在不像夏天那样。胸脯呼吸得多么自由，四肢活动得多么有朝气，感受着春天清新的气息。浑身觉得多么健壮……

夏天七月的早晨！除了猎人，谁能体验到黎明时分流连于灌木林中的乐趣？缀满白露的草地上，留下您一行绿色的足迹。您拨开潮湿的灌木，夜里蕴

蓄起来的一股暖气向您袭来。空气里充溢着艾蒿清新的苦味、荞麦和三叶草的甜味。橡树林像一座墙似的耸立在远方，在阳光下闪烁、发红。虽然清凉，但已感到热气的来临。浓郁的芳香，熏得脑袋懒洋洋地晕眩起来。灌木林没

---

① 俄里：俄制长度单位。1 俄里约等于 1.0668 千米。

有尽头……只是在远处几个地方，可以见到正在成熟的发黄的黑麦，一小畦一小畦发红的荞麦。马车轧轧作响。农夫缓步踱来，预先把马牵到树荫下……您跟他打了一声招呼，继续前进——在您身后响起了镰刀的铿锵声。太阳愈升愈高。草上的露水很快就被晒干了。已经感到炎热了。过了一小时，又一小时……天空的边沿开始发暗。凝然不动的空气里，喷射出刺人的闷热。

"兄弟，哪儿可以弄点水喝？"您问一个割草人。

"那边，山谷里，有眼井。"

越过杂生着野草的、密密的榛树林，您下到谷底。不错，紧挨在悬崖下，藏有一泓清泉。橡树林贪婪地伸展开它那茂密的树梢，覆盖着泉水。大颗大颗银白的水珠，晃动着，从铺着一层轻绒似的苍苔的水底冒上来。您趴到地上，您喝个够，但您懒得动弹了。您躺在荫凉里，您呼吸着芳香的湿气。您感到舒服，可是您对面的灌木林，在阳光下炙烤着，仿佛变黄了。这是什么？风儿突然吹来，猛刮过去。周围的空气振动了：这是雷声吧？您从山谷里走出来……天穹里为什么出现铅灰色的云带？天气是否更加郁闷了？乌云是否要涌来了……瞧，闪电微弱地亮了一下……哦，雷雨要来啦！周围还普照着阳光，还可以打猎。但是乌云膨胀起来了，它的前沿像只袖子似的伸展开来，又像穹隆似的弯垂下来。青草，丛林，一切都突然变暗……快走！瞧，前面仿佛是座草棚……快走……您奔跑着，走进去……多大的雨，多亮的闪！有几处雨水渗过草屋顶，滴落在香喷喷的干草上……现在太阳又照耀起来。雷雨过去了，您走出来。我的天啊，周围的一切闪出那么愉悦的光彩，空气多么清新澄澈，草莓和蘑菇多么芬芳……

但是，傍晚临近了。晚霞像大火似的烧燃着，弥漫了半个天空。夕阳快落山了。附近的空气显得特别透明，仿佛水晶一般。远处降下来轻柔的、显得暖和的雾气。红光和露水一齐降落到林中空地上，这里不久前还沐浴在熔金般的光焰之中。树木、丛林、高高的草堆，都投下了长长的影子……太阳完全隐没了。星星眨着眼睛，在落霞的火海里颤抖……天空的颜色淡了，青了。孤零零的影子消失了，空气里弥漫着雾气。是归去的时候了，回到村里，回到您夜宿的农舍。您把猎枪背到肩后，尽管疲惫不堪，还是快步走着……这时夜幕降临，已经看不清二十步外的景物，黑暗中猎狗依稀可见。在那黑黢黢的丛林上面，天边模模糊糊地明亮起来……这是什么？是火灾吗……不，这是月亮升起来了。瞧，下面右前方，已经亮起了村里的灯光……终于走到了您的农舍，透过小窗，您看见了铺着白桌布的餐桌，点亮的蜡烛和晚餐……

有时您吩咐套上轻便马车，到林子里去猎松鸡。驰过高高的黑麦田中间的小路，多么欢快。麦穗轻拂着您的脸，矢车菊绊住您的腿，周围的鹌鹑鸣叫着，马儿迈着懒洋洋的步子。树林子到了。荫凉，宁静。端庄匀称的白杨树，高耸在您的头上絮语；白桦树细长、纷披的枝梢，轻轻摇动；魁梧的橡树，像战士似的，挺立在秀美的菩提树旁边。您驰过绿影斑驳的小路，黄头大苍蝇停滞在金色的空气里，又倏地飞去；蛾子上上下下飞旋着，在树荫里显出白影，在阳光下显出黑影。鸟儿安闲地叫着。饶舌的鸲鸟的金嗓子，天真烂漫地欢叫着：这种鸟语，正好和铃兰花的芳香互相配合。继续前进，继续前进，深入到林子里去……林中万籁无声……一种不可言说的静谧，袭上心头。周围是如此充满睡意，一片寂静。吹来了一阵风，于是树梢喧哗起来，宛如涛声一般。拱开去年的黄叶，这里那里长出了茂草。各种蘑菇，分别顶着自己的小帽子。蓦地窜出一只雪兔，猎狗汪汪吠叫着，跟踪追去……

深秋，当山鹬鸟飞来的时候，这同一座林子变得多么迷人！山鹬并不栖息在密林深处，得沿着林边去寻找它们。没有风，也没有阳光，没有树荫，草木不动，无声无息。柔和的空气里，弥漫着秋天那种类似葡萄酒味的香气。远处黄澄澄的田野上，笼罩着薄雾。穿过脱尽叶子的、棕褐色的树枝，可见一片宁静的天空。这里那里，菩提树上挂着最后几片金色的树叶。潮湿的泥土踩下去富有弹性。高高的干草一动不动。在颜色变淡的草叶上，闪烁着长长的游丝。胸口呼吸自然，可心底袭来一种莫名的不安。您走在林边，眼睛盯着猎狗，同时回想起了心爱的形象，心爱的人物，死去的人和活着的人。早就淡忘的印象，突然清晰起来。想象似小鸟一般展翅飞翔，一切如此鲜明地呈现在眼前。心儿一会儿突然怦怦跳动，热切地向往着未来，一会儿又不可挽回地沉湎于回忆之中。整个一生像一卷手稿那样，轻易地迅速展开。此时人掌握了他的一切往事，全部感情、力量，整个自己的灵魂。周围没有什么东西妨碍他——既没有太阳，也没有风儿，没有声音……

而在晴朗的、稍稍有点寒冷的、早晨结有冰霜的秋日里，白桦树像神话中的树木那样，浑身金光闪闪，在蔚蓝色的天幕下，呈现出美丽的剪影；低低的太阳已不炎热，但却比夏天照得更明亮；不大的白杨林透明地闪耀着，仿佛它脱尽了叶子更觉得轻松愉快；霜花还在山谷底部银光熠熠，清新的风儿轻轻地吹赶着蜷缩的落叶；河上欢奔着蓝色的波涛，有节奏地托起散游在水面上的鹅、鸭；远处柳树掩映的磨坊轧轧作响，鸽群在明朗的天空中闪闪发光，迅速盘旋于磨坊之上……

夏天有雾的日子也很美妙，虽然猎人们并不喜欢它们。在这样的日子里不能打枪：鸟儿刚从您脚下飞起，立刻就消失在白茫茫的、凝然不动的雾霭之中。可是周围的一切多么宁静，一种不可言说的宁静！万物都已醒来，万物沉寂无声。您经过一棵树木，它一动不动，清闲自在。透过弥漫在空中的薄雾，在您面前呈现一长条黑乎乎的带子。您把它当做是附近的林子。您走过去，林子变成了田埂上一垄高高的蒿草。您的周围上下——到处是雾……可是吹来一阵风，一小块淡蓝的天空，穿越薄如烟云的雾气，模模糊糊地露了出来；一缕金黄色的阳光蓦地闯入进来，长长地流泻着，照耀着田野，照射着丛林——旋即一切又归于云苫雾罩。这一较量持久地进行着。但当光明终于取得胜利，最后一团团蒸热的雾气或像布幅似的铺展开来，或盘旋而上，消失在阳光和煦的高空里之后，天气变得无法形容地美好、晴朗……

现在您收拾行装，到远离庄园的旷野去，到草原上去。你在乡间土路上走了十来俄里，终于走上了大道。经过望不见头尾的大车队，经过大门洞开、门前有口井、檐下茶炊咝咝作响的小客农店，驰过无边无际的田野，沿着翠绿的大麻田，从一个村子到另一个村子，您长时间地乘车前进。喜鹊在柳丛里飞来飞去。手拿长耙子的农妇，在田野里蹒跚着步子。一个行路人穿着破烂的土布外套，肩上背着行囊，疲惫不堪地踯躅着。地主家笨重的马车，套上六匹疲乏的高头大马，向您迎面驶来。车窗里露出一角坐垫。身穿大衣的仆人，手拉着绳子，铺着蒲包，侧身坐在马车后面的脚蹬上，浑身溅满了泥浆。前面是一座小县城，倾斜的木板小屋，很长很长的栅栏，商人们空关着的石头房子，深谷上架起的古老的桥梁……向前，向前……进入了草原地带。从山上眺望，多美的景色。一座座低矮的丘陵，被农夫们耕种到顶部，像巨浪似的起伏着。灌木丛生的山谷蜿蜒其间。星散各处的小树林子，像一座座椭圆的绿岛。条条小径从村子通向村子。礼拜堂的白墙很醒目。小河在柳丛中闪闪发光，有四个地方筑上了堤坝。远处田野里鹤立着一行野鸟。在小池塘边，建有一所老式的贵族宅院，附有库房、果园和打谷场。但您继续前进。丘陵越来越小，树木几乎看不到了。终于，您来到了一望无际的草原！

而在冬日里，您可以跨越雪堆去追逐兔子，呼吸凛冽、刺骨的空气，软雪炫目的反光使您情不自禁地眯起眼睛，您可以欣赏有点儿发红的林子上面蓝色的天空……而在初春的日子里，周围的一切在闪烁，在溶化；透过融雪的重雾，已经蒸腾起大地的热气；在化雪的上空，斜射的阳光下，云雀安详地鸣啭着；春水在欢笑、在喧闹，从山谷向山谷奔流……

不过，现在应该结束了。我顺便提到了春天，春天容易离别，春天召唤着幸福者奔向远方……别了，读者。我祝您永久平安。

美/文/赏/析

  《树林和草原》是屠格涅夫的一篇优美的写景散文。通过阅读，我们可以体味屠格涅夫作品中淡淡的贵族气息和哀而不伤的格调。《树林和草原》中，我们看到的树林是薄雾霭霭的、草原是"茫无涯际"的，这样的描写，在视野的开阔中又给人在感觉上造成一种空茫。而置身其中的鸟儿和云雀却是天真烂漫的，阳光是金色的。作者在穿过丛林寻找草原的路途中，见到的农妇、行人和马匹都是疲倦而了无生气的。而草原则是令人温暖愉悦的，这种用现实手法写景的方式，使作品在带有作者主观感受的同时，又遵从了事物的客观性。他向读者展现的不仅是一派生机中夹带颓败的自然景观，而且是上升和变革时期的俄国社会现状图。

在海边的一个冬日

/ 惠特曼

入选理由……………………………………

歌颂大自然的美好诗篇

鼓舞人心的进取精神

粗犷豪放中不失文采

前不久，十二月的一天，天气晴朗，我坐上坎登至大西洋城这条老铁路线的火车，历时一个多钟头，就到了新泽西的海边，在那里过了一个中午。我出

作者简介

惠特曼像

惠特曼（1819—1892），19世纪美国著名诗人，生于美国长岛一个海滨小村庄。惠特曼5岁时全家迁至布鲁克林，惠特曼在那儿开始上小学。由于家庭贫困，惠特曼只读了5年小学。他当过信差、木匠，学过排字，后来当过乡村教师和编辑。1838年主编《长岛人》，传播民主思想，与此同时开始诗歌创作。1841年后到纽约，开始当印刷工人，不久改当记者。几年以后，他成了一家较有名望的报纸《鹭鹰报》的主笔，不断撰写反对奴隶制，反对雇主剥削的论文和短评。19世纪40年代末他加入了"自由土地党"，反对美国的蓄奴制度，主张土地改革。1855年出版《草叶集》，收诗383首。以"草叶"命名诗集体现了诗人的民主思想，因为它赋予最普通的遭人践踏的小东西以崇高的地位与尊严。"草叶"也是包括诗人在内的具有强大生命力的美国"新人"形象，它象征独特的美国精神和性格。其中著名的诗歌有《船长啊，我的船长！》《自己之歌》等。这部诗集的自由体，豪迈奔放而又不失其音乐美感，在英语诗歌中独树一帜，从根本上动摇了传统格律诗几个世纪以来的垄断地位，开了英诗自由体在20世纪迅猛发展的先河，并对中国"五四"运动以后的新诗创作产生了很大的影响。

发得很早，一杯美味的浓咖啡和一顿丰盛的早餐使我精力充沛（是我的好姐姐露亲手做的——食物可口至极，容易吸收，使人强壮，后来一整天都称心如意）。

最后一段旅途，大约有五六英里，火车开进了一片广阔的盐泽草地，那里咸水湖交错，小河道纵横，菖茅草的香味，迎面扑来，使我想起了"麦芽浆"和我家乡南部的海湾。我本可以到了晚上，再到这平展而芬芳的海边大草原尽情地游玩的，从十一点钟到下午两点钟我几乎都在海边，或是在望得见大海的地方，听大海的沙哑的低语，吸入凉爽、使人愉快的轻风。先是坐车，车轮在坚硬的沙地上匆匆驶了五英里，却没有什么进展。后来吃过饭（还有将近两个钟头的余暇），我朝着一个方向走去（见不到一个人），占有了一间小屋，看样子是海边浴场的客厅，周围的景色任我独览，离奇有趣，使人心旷神怡，无遮无挡。我前后左右，都是一片兼毛草和迟麻草，空旷，简朴而毫无装饰的空旷。船在远方，再望远处，只能看到一艘向这驶来的轮船，拖着一缕黑烟，海船，横帆双桅船和纵帆双桅船，更是清晰可见，其中大多乘着强劲的风，鼓扬着船帆。

海上，岸上，都充满了魅力，令人神往，他们的简朴甚至他们的空旷，多么令人思量不绝呀。

他们或间接或直接的在我心中唤起了什么呢？那伸延开去的海浪，白灰色的海滩，海盐，都单调而无知觉——全然没有艺术，没有歌词，没有话语，也不风雅，这冬日却是无法形容的令人鼓舞，冷酷然而看上去却是如此柔美，如此超乎世俗，比我读过的所有的诗、看过的所有的画、听过的所有的音乐，都更加深刻而难以捉摸地打动我的感情（但是，我要说句公道话，这也许正是因为我已经读过那些诗，也听过那种音乐吧）。

美/文/赏/析

　　惠特曼是美国著名诗人。他的诗歌为读者描绘了一幅广阔的现实主义画面，充满着浓厚的浪漫主义色彩，反映了一种健康的、具有时代意义的资本主义民主思想。从艺术风格上看，他的诗豪放粗犷，奔放不羁，完全不受传统诗法的限制。在他看来，"最好的诗就是具有最完善的美的东西——对耳朵的美，对大脑的美，对心灵的美，对时间与地点的美"。这种风格反映在惠特曼的散文创作上，也使其散文具有一派开阔、健康的新气象。《在海边的一个冬日》是惠特曼的一篇写景散文，他用生动的笔触为读者描摹了一幅海上冬日的壮观画面，反映了作者对大自然的喜爱之情以及积极进取的精神面貌。

　　作者眼中的大海景致是"单调而无知觉——全然没有艺术，没有歌词，没有话语，也不风雅"，但作者却觉得它比所看过的诗、画，听过的音乐等艺术形式，更加打动他的感情，因为它是"如此超乎世俗"的，没有经过修饰的、改造的景象。作者喜欢的正是它的这种空旷、简朴和毫无装饰。但作者并没有将钟情的美景，放在安静的、田园风光式的氛围中描摹，而是结合我的匆匆行程，周围的船只的来往行驶这些动态的场景，寓情于景，用大刀阔斧的手法，使一个本该了无生趣的冬日变得"无法形容的令人鼓舞"，这正是作者积极进取、勇于开拓的精神在景物上的映照。

从阿尔卑斯山归来

/ 都德

入选理由……………………………………
最单纯的写作动机和最朴素的动人力量
亲近自然和生活的直接方式
准确和生动造就的永恒感染力

在普鲁文斯省，当天气温暖起来时，把家畜送到阿尔卑斯山里去已经是习惯了。畜牲和人在那里要过 5 个月或者 6 个月，夜间便睡在露天底下高齐腰际的草里；随后，当秋天最初令人冷战的时候，他们又上山回到农庄上来，重新在被迷迭香的花熏香了的灰色的小山上过着单调的牧羊的生活……

因此，昨天晚上羊群回来了。从早上起，大门便敞开等待着，羊圈里铺了新鲜的干草。

不时地，人们重复着说："现在，他们已经到艾杰尔了，现在，已经到巴拉都了。"

接着，近黄昏的时候，突然间，一声大叫："他们到那儿啦!"而在那边，在远处，我们看见羊群在尘土腾起的光辉里前进着。

整个的路好像在跟羊群一起蠕动……老公羊走在最前边，角往前伸着，现出凶野的神气。在它们后边，是羊群的主要部分，有点疲倦了的母亲们，偎挤在腿间的乳儿——篮子里驮着新生的小羊羔，一边走一边摇晃着的、头上戴着

作者简介

都德（1840—1897），法国作家，1840 年 5 月 13 日生于普罗旺斯，1897 年 12 月 15 日卒于巴黎。1857 年都德到巴黎，在其兄历史学家艾尔莱斯特·都德的帮助下开始文学创作。1860 年进莫尔尼公爵办公室工作，有机会回到南方及阿尔及利亚等地游历。42 岁起患神经官能症，在以后的 15 年中带病坚持创作。

红绒球的骡子。再后边，是全身浸在汗里、舌头伸到地上的狗和两个高大的裹在褐色毛布外套里的牧羊的家伙，他们的外套像袈裟一样，一直拖到脚后跟。

所有这一切，在我们面前快乐地排成行列，带着一阵急雨般的践踏声拥进了大门。

那时院子里是怎样的骚乱啊。金绿两色相间的大孔雀，戴着绢绒般的冠，从它们的栖木上认出了来者，并用一种惊人的号筒般的鸣叫迎接着它们。

沉睡着的鸡窝突然被惊醒了。所有的留守者都站了起来：鸽子、鸭子、火鸡、竹鸡。整个的家禽场像是疯狂了一般，母鸡们谈着要玩一整夜……

好像是每只羊在它的沾染着阿尔卑斯草的芬芳的毛里，带回一种使人沉醉、使人舞蹈的田野的活跃气氛似的。

在这样的骚扰中间，羊群各自找到了自己的住所。没有比这样的安置看来更可爱的了，老公羊看到了它们的石槽，感动得流出了眼泪，那些在旅途中生出来而还从未看见过农庄的羊羔和极小的羔儿，惊奇地看着它们的周围。

但是最动人的是那些狗，是那些忠于职守的牧羊人的狗，它们跟在羊群后面十分忙碌，在农庄上就只看到它们。

守夜的狗在它的窝里唤它们回来是徒劳的，井边盛满了新鲜的水的水桶向它们做手势也全无用处。在羊群进来以前，在粗大的门闩把小栅栏门关了以前，在牧羊人到低矮的小屋里坐在桌子周围以前，它们是什么也不要看，什么也不要听的。

——而到这时候，它们才仅仅同意进到群狗的窝里去。在那儿，它们一边舔着它们的菜汤桶，一边同它们农庄上的同伴们谈论着它们在山里所做的事情：在那可怕的地方，有狼，有洋溢着露珠的大朵的紫色的毛地黄。

美/文/赏/析

著名短篇小说家都德非常重视观察，并且习惯于随身携带笔记本，随时记录生活中的事情作为自己的写作材料，属于以左拉为首的自然主义派。但是他的作品却并不像一般的自然主义作家那样专写生活的阴暗面，在他的作品里总是拥有一种难能可贵的精神力量，尤其以其爱国主题打动人心，比如我们都知道的《最后一课》和《柏林之围》。在这篇短短的游记作品里，我们看到的是作者对自然和生活的热爱，这样一个简单的写作动机和朴素平淡的笔调使文字显得干净、纯洁和明亮。这样一种悠闲自足的生活显然是作者所迷恋的。此文中，文字给我们的不仅仅是感官上的愉悦，它还充满了感染力。

二草原

/ 显克微支

入选理由·······························
作品深处潜藏着一种苍凉的痛感和苦难意识
反映欧洲受外族压迫的诸小国人民的一种无助情绪
用象征主义手法营造了一个充满神秘色彩的世界

有两片土地相并地排着，正如两个极大的草原，中间只有一条明丽的小河将它们分开。

这河的两边，在某一地点渐渐地分离，便造成一个浅的渡口——一个盛着安静清澈的水的小河。

人们可以看见纯青河流下的黄金色的底，从那里长出荷花的梗，在光辉的水面上发花；红色的蝴蝶绕着红白的花飞舞；在水边的棕榈树和光明的空气中间，鸟类叫着，仿佛银铃一样。

这是从这边到那边去——从生之原往死之原去的渡口。

这两面都是那至高全能的梵天所创造，他命令善的毗湿奴主宰生之国，智的湿缚主宰死之国。

他又说道："你们各自随意做去。"

在属于毗湿奴的国内，生命便沸涌出来。太阳开始出没，昼夜也出现了，大海也涨落起来；天上有云走着，满含着雨；在地上生出树林，许多的人，兽和鸟也都出来了。

那善神创造爱，使一切生物能够生产子孙，他又命令爱，叫他同时生产幸福。

这时候梵天叫毗湿奴去，对他说道：

"在地上你不能想出比这更好的了，天上已经由我造成，你可以暂且休息，让那所创造的，便是你所称为人的，独自去纺生命的丝吧。"

毗湿奴依了梵天的命令，于是人们开始照管自己了。从他们善的思想里，生出了喜悦；从恶的思想里，又生出了悲哀。他们很惊异地看到这生活并不是无间的喜宴，而且梵天所说的生命之丝，也有两个纺女纺织着：一个有微笑的面貌，一个有泪在伊的眼中。

人们走到毗湿奴的座前，诉说道——

"主呵，悲哀里的生活是不幸呵。"

他答道："让爱来慰安你们。"

他们听了这话，便安静了，一齐走去。爱果然将悲哀赶走，因为将他和爱所给予的幸福比较起来，便觉得很轻了。

但是爱却同时又是生命之产生者。虽然毗湿奴的国土是极大，但人类所需要的草果蜂蜜确实都缺乏了。于是最聪明的人们起手来砍去树木，开辟林地，耕种田野，播种收获。

这样工作便来到世间。不久大家须得一律分任；工作不但成为生活的基本，而且便是生命的本身了。

但是工作生劳苦，劳苦生困倦。

人们又来到毗湿奴的座前，伸着两手，说道：

"主呵，劳苦使我们衰弱，困倦住在我们的骨里了；我们希求休息，但是生命要我们无间的工作。"

毗湿奴答道："大梵天不许我改变生活，但我可以创造一点东西，使他成为生活的间歇，这样便是休息。"

于是他创造了睡眠。

人们很喜悦的受了这新的赐品，大家都说从神的手里接受来的一切物事之中，这是最大的恩惠了。

在睡眠里，他们忘记了他们的劳苦与悲哀；在睡眠里，那困倦的人回复了他们的力气；那睡眠揩干了他们的眼泪，正如慈母一般，又用了忘却的云围绕着睡者的头。人们赞美睡眠，说道：

"你祝福了，因为你比醒时的生活更好。"

显克微支像

作者简介

显克微支（1846—1916），波兰作家。大学时期开始写作，他是具有民主主义和爱国主义思想的现实主义作家，素有"波兰语言大师"之称。1905年，获诺贝尔文学奖。

他们只责备他，不肯永久地留着；醒又来了，以后又是工作——新的劳苦与困倦。

这思想苦迫着他们，于是他们第三次走到毗湿奴那里说道：

"主呵，你赐给我们大善，极大而且不可言说，但是还未完全。请你使那睡眠成为永久的。"

毗湿奴皱了他的额，因为他们的多事，所以发怒了，回答道："这个我不能给你们，但在河的那边，你们可以寻到现在所要的东西。"

人们依了神的话，大家走向小湖；到了岸边，他们观看对岸的情状。

在那安静而且清澈、点缀着花朵的水面之后，横着死之原，湿缚的国土。

那里没有日出，也没有日入；没有昼，也没有夜。只有白百合色的单调的光，融浸着全空间。

没有一物投出阴影，因为这光到处贯彻——仿佛它充满了宇宙。

这土地也并非不毛，凡目力所能到的地方，看见许多山谷，生满美丽的大小树木；树上缠着常春藤；在岩石上垂下葡萄的枝蔓，但是岩石和树干几乎全是透明，仿佛是用密集的光所造。

常春藤的叶有一种微妙清明的光辉，有如朝霞，这很是神奇，安静，清净，似乎在睡眠里做着幸福而且无间的好梦。

在清明的空气中，没有一点微风，花也不动，叶也不颤。

人们走向河边来，本来大声谈讲着，见了那白百合色的不动的空间，忽然静默了。过了一刻，他们低声说道："怎样的寂静与光明呵！"

"是呵，安静与永久的睡眠……"

那最困倦的人说道："让我们去寻永久的睡眠吧。"

于是他们便走进水里去。蓝色的深水在他们面前自然分开，使过渡更为容易。留在岸上的人，忽然觉得惋惜，便叫唤他们，但没有一个人回过头来，大家都快活而且活泼地前行，被那神异的国土的奇美所牵引。

大众站在生的岸上，这时看见去的人们的身体变成光明透彻，渐渐地轻了，有光辉了，仿佛与充满死之原的一般的光相合一了。

渡过以后，他们便睡在那边的花树中间，或在岩石的旁边。他们的眼睛合着，但他们的面貌是不可言说的安静而且幸福。在生之原之里，便是爱也不能给与这样的幸福——一切留在生这一面的人，见了这情形，互相说道：

"湿缚的国更甜美而且更好……"

于是他们开始渡到那边去，更加多了。老人，少年，夫妇，领着小孩的母亲，少女，都走过去，像庄严的行道一般；以后几千几百万的人，互相推挤着，过那沉默的渡口直到后来生之原几乎全空了。这时毗湿奴——他的职务是在看守生命——记起当初是他自己将这办法告诉人们，不禁颤抖起来。也不知道怎样才好，便走到最高的梵天那里。他说道：

"造物主啊，请你救助生命。你将死之国造的那样美丽，光明而且幸福，所以一切的人都弃舍了我的国土去了。"

梵天问道："没有一个人留在你那里么？"

"只有一个少年和一个少女，他们这样的互相爱恋，所以情愿失却那永久的安静，不肯闭了眼睛，使彼此不能相见。"

"那么你要求什么呢？"

"请你将死之国造得更不美丽，更不幸福，否则就是那一对的人也怕要舍我而去，在他们的爱之春天一经过去之后。"

梵天想了一会儿，说道：

"不，我不去减少死之国的美丽与幸福，但我将别造一点东西去救存生命。自此以后，人们当被规定渡到那边去，但他们将不复自愿的去做。"

他说了这话，便用黑暗织了一张厚实的幕，造了两个生物，苦痛与恐怖，命令他们将这幕挂在路口。

生命又充满了生之原了，因为死之国虽然仍是那样的光明而且幸福，人们都怕这入口的路。

美/文/赏/析

显克微支是19世纪波兰著名的批判现实主义作家。他的作品以小说为主要体裁，大多以反映反对外族侵略，反对各种势力的压迫的民族战斗为题材。《二草原》是显克微支的一篇散文，这种思想倾向在文中也有所流露。《二草原》以叙述手法来写散文，为我们描绘了"生之原"和"死之国"两个不同的世界。作者依据"梵天造人"的传说，用象征主义手法为读者营造了一个充满神秘色彩的境界。作者在散文中流露了一种对人生的悲哀情绪，并充斥着一种宗教情怀。这是19世纪末到20世纪初，欧洲受外族压迫的诸小国的文学作品中，普遍流露出的这种思想倾向，这是受压迫民族在长期社会动荡、生活艰辛的现实中形成的一种苦难意识和无助情绪。

雪　夜

/ 莫泊桑

入选理由…………………………

简洁凝练，生动传神

比喻、拟人手法的成功运用

写景名篇

　　黄昏时分，纷纷扬扬地下了一天的雪，终于渐下渐止。沉沉的夜幕下的大千世界，仿佛凝固了，一切生命都悄悄进入了睡乡。或近或远的山谷、平川、树林、村落……在雪光映照下，银妆素裹，分外妖娆。这雪后初霁的夜晚，万籁俱寂，了无生气。

　　突然，从远处传来一阵凄厉的叫声，冲破这寒夜的寂静。那叫声，如泣如诉，若怒若怨，听来令人毛骨悚然！喔，是那条被主人放逐的老狗，在前村的篱畔哀鸣：是在哀叹自己的身世，还是在倾诉人类的寡情？

　　漫无涯际的旷野平畴，在白雪的覆压下蜷缩起身子，好像连挣扎一下都不情愿的样子。那遍地的萋萋芳草，匆匆来去的游蜂浪蝶，如今都藏匿得无迹可寻。只有那几棵百年老树，依旧伸展着槎牙的秃枝，像是鬼影憧憧，又像那白骨森林，

作者简介

莫泊桑像

　　莫泊桑（1850—1893），19世纪后半期法国优秀的批判现实主义作家。生于法国西北部诺曼底省的一个没落贵族家庭。1870年到巴黎攻读法学，适逢普法战争爆发，遂应征入伍。退伍后，先后在海军部和教育部任职，后来师从于他的舅父和母亲的好友、著名作家福楼拜学习文学创作。莫泊桑一生创作了6部长篇小说和356篇中短篇小说，他的文学成就以短篇小说最为突出，被誉为"短篇小说之王"，对后世影响极大。

给雪后的夜色平添上几分悲凉、凄清。

茫茫太空，默然无语地注视着下界，越发显出它的莫测高深。雪层背后，月亮露出了灰白色的脸庞，把冷冷的光洒向人间，使人更感到寒气袭人。和月亮做伴的，唯有寥寥的几点寒星，致使她也不免感叹这寒夜的落寞和凄冷。看，她的眼神是那样忧伤，她的步履又是那样迟缓！

渐渐地，月儿终于到达她行程的终点，悄然隐没在旷野的边沿，剩下的只是一片青灰色的回光在天际荡漾。少顷，又见那神秘的鱼白色开始从东方蔓延，像撒开一幅轻柔的纱幕笼罩住整个大地。寒意更浓了。枝头的积雪都已在不知不觉间凝成了水晶般的冰凌。

啊，美景如画的夜晚，却是小鸟们恐怖颤栗、备受煎熬的时光！它们的羽毛沾湿了，小脚冻僵了；刺骨的寒风在林间往来驰突，肆虐逞威，把它们可怜的窝巢刮得左摇右晃；困倦的双眼刚刚合上，一阵阵寒冷又把它们惊醒。它们只得瑟瑟索索地颤着身子，打着寒噤，忧郁地注视着漫天皆白的原野，期待那漫漫未央的长夜早到尽头，换来一个充满希望之光的黎明。

美/文/赏/析

莫泊桑的散文创作中，不用烦琐的语言，将对事物细致敏锐的观察融入简洁凝练的文字中，使读者从中得到深刻的审美体验。《雪夜》就是这样一篇散文。

莫泊桑在文章开头用简洁的话语，给读者设计了一个开阔的审美场景，"漫无边际的旷野平畴"。"白雪""老树""太空""月亮"这些景物的描摹都是在这个背景下具体的生发。而对这些具体审美意象的描写，作者大多每个物象只用一句凝练的语言，但词语的使用却十分到位，如写旷野的了无生气，用"蜷缩"一词；写老树的百无聊赖姿态，用"鬼影憧憧""白骨森森"作比；写月光的暗淡，用"灰白色的脸庞""忧伤的眼神""迟缓的步履"这样拟人的手法描摹。语言简洁生动，凝练传神。一个阴郁、凄冷的"雪夜"，在尺牍之间展现给了读者，而要达到这样高深的审美境界，没有作者日常敏锐的观察和严格的语言锤炼是难以达到的。

夜宿松林

/ 斯蒂文森

入选理由·····························
乐于自然的神秘和浪漫
徜徉于自然中的身心释放
精确的观察和细腻的描写

在布列马德吃过晚饭，我不顾天色已晚，开始攀登洛泽尔峰。一条时隐时现的石子路指引我向前。途中，我遇到四五辆来自山上松林的牛车，每辆车上都载着一整棵冬天御寒用的松树。松林长在坡势平缓、凉风飕飕的山脊。我登上松林尽高处，沿林间小径左行片刻，便来到一个芳草萋萋的幽谷；溪水潺潺流过石堆，漾起一股碧波，真是那种"在这未曾有仙女光临、牛羊徜徉的清幽圣洁之境"。这些松树并不显得古朴苍劲，然其蓊郁茂密的枝叶，却遮蔽了林间空地；欲见林外天地，只有北眺远处的山巅，仰望浩渺的苍穹——于此过夜，既安全，又似居家独处，不受打

作者简介

斯蒂文森（1850—1894），英国作家，生于爱丁堡建筑工程师家庭。他最著名的小说有《金银岛》。这部小说给作者带来巨大的声誉，为后来大量的掘宝题材小说开了先例。他还有一部具有独特风格的中篇小说《化身博士》，探讨了人性的善恶问题。1889年斯蒂文森移居太平洋萨摩亚岛养病，创作了以岛民生活为题材的短篇小说集《岛上夜谭》，赞扬了岛民的纯真和智慧，1894年病逝于岛上。他是19世纪末新浪漫主义文学的代表，他善于写新奇浪漫的事物，笔下常出现具有高贵品质的贫民、流浪汉、孤儿的形象。但他着意追求艺术效果，忽视和避开反映社会重大矛盾。

斯蒂文森像

扰。我安顿好住处，喂罢驴子莫代斯丁，暮色已经笼罩了山谷。我用皮带缚住双膝，钻入睡袋，饱餐一顿。太阳刚落山，我便摘下帽子，遮住双眼，沉沉睡去。

室内的夜晚何等单调乏闷，而在含芳凝露、繁星满天的旷野，黑夜轻盈地流逝、大自然的面貌时时都在变化。寓居室内者，在四壁包围的帏帐中憋闷至极，觉得夜似乎是短暂的死亡；露宿野外者，则弛然而卧，进入轻松恬适、充满生机的梦境。他能彻夜听见大自然深沉酣畅的呼吸；大自然即便在休憩之际，也会回首绽开笑靥。

更有那家居者未曾经历的忙碌的时刻，大地从睡梦中苏醒，所有的生灵都直起身。雄鸡最先啼鸣，不是为了报晓，而是像一个快活的更夫，催促黑夜离去。牧场上的牛群闻声醒来，羊儿在露珠晶莹的山坡上吃完早餐，迁入掩映在蕨类植物丛中的新居。与禽鸟共眠的流浪汉，睁开惺忪的睡眼，恣情饱览这美丽的夜色。

这些眠者同时醒来，是应了某种无声的召唤，还是由于大自然轻柔的抚摸？是星星向大地施展了法术，还是由于分享了大地母亲体内蕴蓄的激情？牧羊人和年迈的庄稼汉，在这一知识领域虽堪称博学，也无法猜出上天催醒万物生灵的目的，只是声称，这样的时刻在两点以前到来。他们不明白，也不想弄明白。不过，这实在是一件赏心乐事，因为我们只是在梦境里稍受搅扰，诚如那位阔绰气派的蒙田所言："如此，我们反而更能充分领略睡眠的美妙滋味。"尤其是想起我们已和近处生灵息息相通，远遁喧嚣的尘世，此刻只是听任上天驱策的一只温驯的羔羊，心里便贮满快慰。

我于此刻醒来时，觉得口干舌燥，便一气饮干身边的半罐水，沁人心脾的凉意使我神清气爽。我坐起身，点燃一根烟。头顶上的星斗熠熠生辉，宛如一颗颗璀璨的宝石镶嵌在天幕上，却又没有那种傲睨人世的高贵气质。浩瀚的银河，浮着一匹云烟氤氲的白练；在我周围，黑黢黢的冷杉树梢笔直挺立，纹丝不动。就着白色的驴鞍，我看着，拴着绳子的莫代斯丁一圈圈地踱步，听到它缓缓嚼草的声音，除此之外，耳边仅闻石上清溪隐隐传来的流淙，似在喁喁倾吐一种无法言传的情愫。我懒洋洋地躺在床上，一边吸烟，一边观赏这清虚深邃的夜空的色彩，从松林上方微微泛红的暗灰，直到映衬着颗颗星星的深蓝。我平时戴着一枚银戒指，仿佛是为了使自己外形气质更接近商贩。此刻，随着挟在指间的香烟上下抖动，只见戒指周围闪着一圈朦胧的光晕。每吸一口烟，烟火与银光相映生辉，照亮掌心。一时间，它在黑暗笼罩的景物中显得格外耀眼醒目。

阵阵清风不时掠过林间空地，与其说风，毋宁说是荡涤心胸的爽冽气息。我在这宽敞的住处，能整晚享用这源源不绝的清风。我不无悚悸地想起沙斯拉代的旅馆和人头攒簇的夜总会，想起那些夜游在外、无所顾忌的牧师和学生，想起热浪蒸腾的戏院和空气污浊的旅馆。我难得享受如此恬静旷达、超然于物欲之外的心境。我们从野外弯腰钻入狭小的居室，而屋外世界似乎本来就是一个温馨舒适的栖身之地；每天晚上，在这上天安排的露营地，都有一张铺好的床榻迎候你就寝。我自觉已重新发现了一个虽为村夫莽汉悟及但仍为政治经济学家懵懂不明的真理，或者至少说我已为自己觅得一种新的乐趣。我陶醉在独处的乐趣中，却又生出一种前所未有的缺憾：但愿在这灿烂的星光下，能有一位伴侣躺在身边，寂无声息，一动不动，就躺在伸手可及之处。世上有一种情谊，比起幽居独处，更能保持心神的宁静，倘能正确领会，便可升华孤淡的心境，使之臻于完美。和一位自己挚爱的女子同宿于露天，实乃最纯真、最自由的生活。

我这样躺着，心中交织着满足与憧憬。这时，一个声音隐隐约约地飘忽而至。我起初以为是远处农场传来的鸡鸣犬吠，可它不绝于耳，逐渐变得清晰可闻，原来是一位过路客沿着谷底小径边走边唱。他的歌算不得优雅动听，但却融入了美好的心声。他亮开嗓门，歌声在山坡上飘荡，震得林中的茂密枝叶飒飒作响。我曾在夜间沉睡的城市里听见行人走过身边，有的边行边唱，记得还有一位大声吹奏管风琴；我也曾听见街上骤然响起辘辘的车声，打破了持续数小时的静谧。当时我醒在床上，车声久久萦绕于耳际。但凡夜游客，无不具有一种浪漫的气质，令我们饶有兴致地猜测他们的行止。眼下，歌者听者同时浸润于浪漫的氛围。一方面，这位夜行客酒意醺然，引吭高歌；另一方面，我躺在睡袋里，在这五六千英尺见方的松林，独自吸着烟斗，仰望星空。

再次醒来时，天上的星星多已消失，唯有坚定护卫黑夜的几颗依然闪烁。远望东方地平线上现出一抹淡淡的晨曦，就像我夜间醒来时看到的银河。白昼将至。我点燃灯，就着微弱的光芒，套上皮靴，系好绑腿，掰碎面包喂了莫代斯丁，水壶灌满溪水，点上酒精灯，煮了些巧克力。黑暗长时间地笼罩着我香甜入梦的林间空地，然而顷刻间，维瓦赖峰顶上空一大片橙色镀上了粼粼金辉。看着妩媚可爱的白昼翩然而至，我心头涌动着庄严与欣喜的思绪。我兴致勃勃地谛听汩汩水声，纵目环顾四周，实指望有什么美丽的景物突然出现在眼前，可是没有。纹丝未动的黑松、宽敞的林中空地、嚼草的驴，一切仍是原样，只有光由晦转明，给万物注入了生机，注入了和畅的气息，也使我感到一种从未有过的欢畅。

我喝下味虽寡淡、但却温热适口的巧克力汁，在林中来回踱步。就在信步闲逛的时候，一阵劲风呼啸而至，恰似早晨大自然的一声长叹。风过之处，附近的树垂下黑色的枝叶，我看见远处崖畔稀稀立着几株松树，树梢沐浴着金色的朝晖，随风起伏荡漾。十分钟后，阳光迅速洒满山坡，驱散斑驳的阴影。天色大亮了。

我连忙收拾行装，准备攀登矗立在眼前的险峰。可脑中冒出的一个念头却令我踌躇难行，其实它不过是个幻觉，可幻觉有时也会萦心系怀，难以摆脱；我依稀觉得，我在绿野仙境受到了慷慨、及时的款待。空气鲜澄，溪水清洌，黎明召唤我驻足片刻、欣赏美景，且不说斑斓绚丽的夜空，秀色可餐的幽谷。受到如此盛情的款待，我觉得自己欠下了谁的一笔人情债。于是，我一边走，一边喜滋滋地、同时又有些忍俊不禁地往路边草地上抛撒钱币，直到留足住宿费。我相信这笔钱绝不至于落到哪个家境富裕、脾气乖戾的牲口贩子手里。

（朱建迅 译）

美/文/赏/析

　　斯蒂文森是19世纪末新浪漫主义的代表，他的游记多写一些穷乡僻壤，而且在自然的陶醉中充满神秘和浪漫气息，本篇《夜宿松林》就完全能够体现这些特点。尽管文字不是要讲述神秘刺激的冒险故事的小说，但是仍然贯穿着作者一贯的气质：首先夜晚在野外露宿就是惊险刺激的行为，但是作者认为于此过夜，既安全，又似居家独处，不受打扰。相比室内的单调沉闷，松林的夜宿神秘而丰富：含芳凝露、繁星满天、轻松恬然，彻夜倾听大自然深沉酣畅的呼吸，作者对松林夜色的迷恋是贪婪的，而作者细腻丰满的笔触使这醉人的夜色情景交融，和生命的体验合二为一，分享了大地母体内蕴蓄的激情。作者笔下的文字是缓慢流动的，用心抓住了自然中的每一个灌注着生命的细节，作者每一个打开的感官和自然的每一个细节做最充分的交流，空气、夜色、徐徐的风和神秘的声音都使作者觉得自己"已经发现了一个虽为村夫莽汉悟及但仍为政治经济学家懵懂不明的真理"，感到了最纯真的自由，最美妙的对自然的回顾，所以作者认为："但凡夜游客，无不具有一种浪漫的气质，令我们饶有兴致地猜测他们的行为。"而作者观察、体验和享受这一情趣，更是抱着一种神秘和迷恋的心理。阅读这样的文字，并沉浸于这样美妙的神秘体验，能使我们疲惫乏味的身心顿觉清爽，甚至心灵和想象都飘飞起来。

黎 明

/阿尔蒂尔·兰波

入选理由……………………………………

语言凝练，文笔绚丽
天马行空般的自由风格
跳跃意象的营造

我拥抱了这夏日的黎明。

宫殿前依然没有动静，寂然无声。池水安静地躺着。荫翳还留在林边的大道。我前行，惊醒那温馨而生动的气息，宝石般的花朵睁眼凝望，黑夜的轻翼悄然翔起。

幽径清新而朦胧。第一相遇：一朵鲜花向我道出了芳名。

我笑向那金黄色高悬的瀑布，她散发飘逸，飞越了松林：在那银白色的峰巅，我认出了她——女神。

于是，我撩开她一层又一层的面纱。林中的小径上，我舒展着臂膀。平原上，我把她告示给雄鸡。都市里，她逃匿在钟楼和穹隆之间。像乞丐奔波在大理石的站台，我奔跑着，把她一路追寻。

大路上空，桂树林旁，我用她聚集的绡纱把她轻轻地围裹，我感觉到了一些她那无比丰满的玉体。黎明和孩子一起倒身在幽林之下。

醒来，已是正午。

作者简介

阿尔蒂尔·兰波（1854—1891），法国诗人。他用谜一般的诗篇和富有传奇色彩的一生吸引了众多的读者，成为法国文学史上最引人注目的诗人之一。 兰波禀性聪慧，思维敏捷，少年时期就显露出不凡的诗才，16岁便能用拉丁语写一手好诗。他的体内躁动着不安的灵魂，家乡小城沉闷污浊的社会风气和母亲呆板严厉的管束使他无法忍受，他多次不辞而别，扒车外逃。在向往已久的巴黎，兰波结识了魏尔兰，并得到魏尔兰的赏识和推荐，从此跻身诗坛。

兰波初期的作品尚有浪漫派的痕迹，如《奥菲莉娅》。兰波后来对这些诗大为不满，要朋友把它们统统烧掉。他开始尝试一种新的诗，在诗艺上进行了一系列大胆的创新和改革，提出了著名的"通灵"说。这时的兰波已成了魏尔兰的挚友，两人难舍难分，并结伴去国外漫游。但旅途中两人发生争吵，最后酿成惨剧，魏尔兰枪伤兰波，锒铛入狱。胳膊受伤的兰波挂着绷带，独自从比利时的医院步行回家。在苦闷和失望之中，他闭门不出，埋头写作，以排遣心中的惆怅。《地狱一季》就是在这种情景下写出来的。在这部不朽的散文诗里，兰波宣布告别诗坛。从此，他弃文从商，远离祖国，开始了冒险生涯，直到病入膏肓才回国治疗。兰波去世时年仅37岁。

现存兰波的诗140首左右，主要是他在16岁至19岁所写。在兰波早期的诗中可以看出其受"帕尔纳斯"派的影响，后期诗作加强了象征主义色彩。主要诗集有《地狱的一季》《灵光集》。

美/文/赏/析

《黎明》是兰波的一篇写景散文。它以诗歌般的凝练语言和绚丽文笔，为读者呈现出一个令人心动的夏日黎明。在兰波的笔下，黎明成了一个神秘、曼妙的女神，她捉摸不定，却又充满诱惑；她永远在我的视野之内，却又若即若离。她散发飘逸、面带薄纱、而又玉体丰满，致使我一路忘情地追寻，我笑着、奔跑着，在她的逃逸与隐现中执着追求，最终拥抱了她全部的美妙。作者将一种美好理想，比拟成一位充满神奇色彩的女神。虽然在简短的文字中作者并没有确指，但对未来的美好憧憬，对理想生活的追求，却在文章所营造的诗情画意的氛围中自由飞扬。

美

/ 泰戈尔

入选理由·····························

泰戈尔的散文代表作之一

以优美隽永的语言阐明了科学看待美的态度

风格质朴，清新自然，深蕴哲理

　　夕阳坠入地平线，西天燃烧着鲜红的霞光，一片宁静轻轻落在梵学书院娑罗树的枝梢上，晚风的吹拂也便弛缓起来。一种博大的美悄然充溢我的心头。对我来说，此时此刻，已失落其界限。今日的黄昏延伸着，延伸着，融入无数时代前的邈远的一个黄昏。在印度的历史上，那时确实存在隐士的修道院，每日喷薄而出的旭日，唤醒一座座净修林中的鸟啼和《娑摩吠陀》的颂歌。白日流逝，晚霞鲜艳的恬静的黄昏，召唤终年为祭火提供酥油的牛群，从芳草萋萋的河滨和山麓

作者简介

泰戈尔像

　　泰戈尔（1861—1941），印度现代著名诗人、散文家。出身加尔各答市的望族，没有受过正规的学校教育，但在父兄的教导下，掌握了丰富的历史、文学知识。14岁时就有诗作发表。1878年赴英留学，学习英国文学和西方音乐。1880年回国后专门从事文学活动。1913年获诺贝尔文学奖，此后出访了包括苏联在内的欧洲很多国家及中国和日本等。他在诗歌方面的主要作品有抒情诗集《暮歌》《晨歌》《金帆船》《缤纷集》《园丁集》《收获集》《渡口》《吉檀迦利》和哲理短诗集《微思集》《故事诗集》等。在小说方面的代表作有长篇小说《沉船》《戈拉》《家庭与世界》，中篇小说《两姊妹》《四个人》，短篇小说《河边的台阶》《饥饿的石头》等。另外，还有戏剧《国王》《邮局》等。

归返牛棚。在印度那纯朴的生活，肃穆修行的时光，在今日静谧的暮天清晰地映现。

我忽然想起，我们的雅利安祖先，一天也不曾忽视一望无际的恒河平原上日出和日落的壮丽景象。他们从未冷漠地送别晨夕和晚祷。每位瑜珈行者和每家的主人，都在心中热烈欢迎迷人的景色。他们把自然之美迎进了祭神的庙宇，以虔诚的目光注望美中涌溢的欢乐。他们抑制着激动，稳定着心绪，将朝霞和暮色溶入他们无限的遐想。我认为，他们在河流的交汇处，在海滩，在山峰上欣赏自然美景的地方，不曾营造自己享受的乐园；在他们开辟的圣地和留下的名胜古迹中，人与神浑然一体。

暮空中萦绕着我内心的祈祷：愿我以纯洁的目光瞻仰这美的伟大形象，不以享乐思想去黯淡和去贬低世界的美，要学会以虔诚使之愈加真切和神圣。换句话说，要弃绝占有它的妄想，心中油然萌发为它献身的决心。

我又觉得，认识到真实是美，美是崇伟，不是件容易的事。我们摈弃许多东西，把厌烦的许多东西推得远远的，对许多矛盾视而不见，在合乎心意的狭小范围内，把美当做时髦的奢侈品。我们妄图让世界艺术女神沦为女婢，羞辱她，失去了她，同时也丧失了我们的福祉。

撇开人的好恶去观察，世界本性并不复杂，很容易窥见其中的美和神灵。将察看局部发现的矛盾和形变，掺入整体之中，就不难看到一种恢宏的和谐。

然而，我们不能像对待自然那样对人。周围的每个人离我们太近，我们以特别挑剔的目光夸大地看待他的小疵。他短时的微不足道的缺点，在我们的感情中往往变成非常严重的过错。贪欲、愤怒、恐惧妨碍我们全面地看人，而让我们在他人的小毛病中摇摆不定。所以我们很容易在寥廓的暮空发现美，而在俗人的世界却不容易发现。

今日黄昏，不费一点力气，我们见到了宇宙的美妙形象。宇宙的拥有者亲手把完整的美捧到我们的眼前。如果我们仔细剖析，进入它的内部，扑面而来的是数不清的奇迹。此刻，无垠的暮空的繁星间飞驰着火焰的风暴，若容我们目睹其一部分，必定目瞪口呆。用显微镜观察我们前面那株姿态优美的斜倚星空的大树，我们能看清许多脉络，许多虬须，树皮的层层褶皱，枝桠的某些部位干枯，腐烂，成了虫豸的巢穴。站在暮空俯瞰人世，映入眼帘的一切，都有不完美和不正常之处。然而，不扬弃一切，广收博纳，卑微的，受挫的，变态的，全部拥抱着，世界坦荡地展示自己的美。整体即美，美不是荆棘包围的窄圈里的东西，造物主能在静寂的夜空毫不费力地向世人昭示。

强大的自然力的游戏惊心动魄，可我们在暮空却看到它是那样宁静，那样绚丽。同样，伟人一生经受的巨大痛苦，在我们眼里也是美好的，高尚的，我们在完满的真实中看到的痛苦，其实不是痛苦，而是欢乐。

我曾说过，认识美需要克制和艰苦的探索，空虚的欲望宣扬的美，是海市蜃楼。

当我们完美地认识真理时，我们才真正地懂得美。完美地认识了真理，人的目光才纯净，心灵才圣洁，才能不受阻挠地看见世界各地蕴藏的欢乐。

美/文/赏/析

《美》一文通过对黄昏美景的描绘，表达了作者对美的犀利而辩证的看法。作者运用类似中国古文中"兴"的写作手法，开篇为人们描绘了一幅壮观静谧的黄昏美景图，然而作者的本意不在赞扬黄昏日落之美，而是借此表达自己对美的真正内涵的看法。作者指出，美即真实、崇伟、整体，但认识美又不是件容易的事，现实生活中许多人只凭自己的好恶、感情，片面挑剔地看待世界和人，因而难以窥见世界和人身上的"美和神灵"。作者由此进一步指出，世间的人和事都有不完美和不正常之处，应"扬弃一切，广收博纳"，才能形成真正的"整体"美。文章风格质朴，清新自然，节奏和谐，深蕴哲理，读后给人以莫大的精神享受和思想启示。

观 舞

/ 高尔斯华绥

入选理由……………………
余音绕梁三日不绝的艺术效果
超强的文字表现力
一篇让人如身临其境的名作

某日下午我被友人邀至一家剧院观舞。幕启后，台上除周围高垂的灰色幕布外，空荡不见一物。不久，从幕布厚重的褶折处，孩子们一个个或一双双联翩而入，最后台上总共出现了十多个人。全都是女孩子；其中最大的看来也超不过十三四岁，最小的一两个则仅有七八岁。她们穿得都很单薄，腿脚胳臂完全袒露。她们的头发也散而未束；面孔端庄之中却又堆着笑容，竟是那么和蔼而可亲，看后恍有被携去苹果仙园之感，仿佛己身已不复存在，惟有精魂浮游于那缥缈的晴空。这些孩子当中，有的白皙而丰满，有的棕褐而窈窕；但却个个欢欣愉快，天真烂漫，没有丝毫矫揉造作之感，尽管她们显然全都受过极高超和认真的训练。每个跳步，每个转动，仿佛都是出之于对生命的喜悦而就在此时此地即兴编成的——舞蹈对于她们真是毫不费难，不论是演出还是排练。这里见不到蹑足欠步、装模作样的姿态，见不到徒

作者简介

高尔斯华绥（1867—1933），英国现代著名作家。生于律师家庭。1890 年毕业于牛津大学法律系，获律师资格。1891—1893 年游历欧洲，1895 年开始创作。1906 年发表的长篇小说《有产业的人》和第一个剧本《银盒》确立了他在文坛上的地位。他一生共创作了 17 部小说、26 个剧本及短篇小说、散文等若干。1932 年，获诺贝尔文学奖。

高尔斯华绥像

耗体力、漫无目标的动作；眼前惟有节奏、音乐、光明、舒畅和（特别是）欢乐。笑与爱曾经帮助形成她们的舞姿；笑与爱此刻又正从她们的一张张笑脸中，从她们肢体的雪白而灵动的旋转中息息透出，光彩照人。

尽管她们无一不觉可爱，其中却有两人尤其引我注目。其一为她们中间个子最高、肤褐腰细的那个女孩。她的每种表情每个动作都可见出一种庄重然而火辣的热情。

舞蹈节目中有一出由她扮演一个美童的追求者，这个美童的每个动作，顺便说一句，也都异常妩媚；而这场追逐——宛如点水蜻蜓之戏舞于睡莲之旁，或如暮春夜晚之向明月吐诉衷曲——表达了一缕摄人心魂的细细幽情。这个肤色棕褐的女猎手，情如火燎，实在是世间一切渴求的最奇妙不过的象征，深深地感动着人们的心。当我们从她身上看到她在追求她那情人时所流露的一腔迷惘激情，那种将得又止的曲折神态，我们仿佛隐然窥见了那追逐奔流于整个世界并永远如斯的伟大神秘力量——如悲剧之从不衰歇，虽永劫而长葆芳馨。

另一个使我最迷恋不止的是身材上倒数第二、发丝浅棕、头着白花半月冠的俊美女神，短裙之上，绛英瓣瓣，衣衫动处，飘飘欲仙。她的妙舞已远远脱出儿童的境界。她那娇小的秀颜与腰肢之间处处都燃烧着律动的圣洁火焰；在她的一小段独舞中，她简直成了节奏的化身。快睹之下，恍若一团喜气骤从天降，并且登时凝聚在那里；而满台喜悦之声则洋洋乎盈耳。这时从台下响起了一片窸窣与喷喷之声，继而欢声雷动。

我看了看我那友人，他正在用指尖悄悄地从眼边拭泪。至于我自己，则氍毹之上几乎一片溟濛，世界万物都顿觉可爱；仿佛经此飞仙用圣火一点，一切都已变得金光灿灿。

或许唯有上帝知道她从哪里得来的这股力量，能够把喜悦带给我们这些枯竭的心田；唯有上帝知道她能把这力量保持多久！但是这个蹁跹的小爱神的身上却蕴蓄着那种为浓艳色调、幽美乐曲、天风丽日以及某些伟大艺术珍品等等所同具的力量——足以把心灵从它的一切窒碍之中解脱出来，使之泛满喜悦。

美/文/赏/析

　　《观舞》整篇文章中描摹的人物，都带着一种高贵的、优雅的风韵。天生带了一双艺术的眼睛，高尔斯华绥所到之处都满含艺术的气息。其实正是作家对于生活本身的挚爱，才会自觉地对于生活进行细致观察，才会不断产生艺术创作上的灵感，这样才有了作者笔下各种栩栩如生的形象。

　　《观舞》中作者以惯用的树立典范的写作方法，塑造了两个典型形象：一个是"庄重然而火辣"的女猎手；另一个是飘飘欲仙的"俊美女神"。作者用十分精练而优美的语言，将这两个人物写到极美的程度。这两种美，一个是不受任何形式束缚的狂野美的极致，一个是超凡脱俗美的典范。站在戏剧艺术的高度，描摹眼前的东西，这也许是作者同时作为一个剧作家的区别于一般作家之处吧！

远处的青山

/ 高尔斯华绥

入选理由·······································

高尔斯华绥的散文代表作之一

反对战争、礼赞和平，具有浓厚的人道主义精神

运笔轻灵，语言明净含蓄，感性而细腻

不仅仅是在这刚刚过去的三月里（但已恍同隔世），在一个充满痛苦的日子——德国发动它最后一次总攻后的那个星期天，我还登上过这座青山吗？正是那个阳光和煦的美好天气，南坡上的野茴香浓郁扑鼻，远处的海面一片金黄。我俯身草上，暖着面颊，一边因为那新的恐怖而寻找安慰，这进攻发生在连续四年的战祸之后，益发显得酷烈出奇。

"但愿这一切快些结束吧！"我自言自语道，"那时我就又能到这里来，到一切我熟悉的可爱的地方来，而不致这么伤神揪心，不致随着我的表针的每下滴答，就又有一批生灵惨遭涂炭。啊，但愿我又能——难道这事便永无完结了吗？"

现在总算有了完结，于是我又一次登上了这座青山，头顶上沐浴着十二月的阳光，远处的海面一片金黄。这时心头不再感到痉挛，身上也不再有毒气侵袭。和平了！仍然有些难以相信。不过再不用过度紧张地去谛听那永无休止的隆隆炮火，或去观看那倒毙的人们张裂的伤口与死亡。和平了，真是和平了！战争继续了这么长久，我们不少人似乎已经忘记了一九一四年八月战争全面爆发之初的那种盛怒与惊愕之感。但是我却没有，而且永远不会。

在我们一些人中——我以为实际在相当多的人中，只不过他们表达不出罢了——这场战争主要会给他们留下这种感觉："但愿我能找到这样一个国家，那里人们所关心的不再是我们一向所关心的那些，而是美，是自然，是彼此仁爱相待。但愿我能找到那座远处的青山！"关于忒俄克里托斯的诗篇，关于圣弗兰西斯的高风，在当今的各个国家里，正如东风里草上的露珠那样，早已渺不可见。即或过去我们的想法不同，现在我们的幻想也已破灭。不过和平终归已经到来，

那些新近被屠杀掉的人们的幽魂总不致再随着我们的呼吸而充塞在我们的胸臆。

和平之感在我们思想上正一天天变得愈益真实和愈益与幸福相连。此刻我已能在这座青山之上为自己还能活在这样一个美好的世界而赞美造物。我能在这温暖阳光的覆盖之下安然睡去，而不会醒后又是过去的那种恹恹欲绝。我甚至能心情欢快地去做梦，不致醒后好梦打破，而且即使作了恶梦，睁开眼睛后也就一切消失。我可以抬头仰望那碧蓝的晴空而不会突然瞥见那里拖曳着一长串狰狞可怖的幻想，或者人对人所干出的种种伤天害理的惨景。我终于能够一动不动地凝视着晴空，那么澄澈而蔚蓝，而不会时刻受着悲愁的拘牵，或者俯视那光滟的远海，而不至担心波面上再会浮起屠杀的血污。

天空中各种禽鸟的飞翔，海鸥、白嘴鸭以及那往来徘徊于白垩坑边的棕色小东西对我都是欣慰，它们是那样自由自在，不受拘束。一只画眉正鸣啭在黑莓丛中，那里叶间还晨露未干。轻如蝉翼的新月依然隐浮在天际；远方不时传来熟悉的声籁；而阳光正暖着我的脸颊。这一切都是多么愉快。这里见不到凶猛可怕的苍鹰飞扑而下，把那快乐的小鸟攫去。这里不再有歉仄不安的良心把我从这逸乐之中唤走。到处都是无限欢欣，完美无瑕。这时张目四望，不管你看看眼前的蜗牛甲壳，雕镂刻画得那般精致，恍如童话里小精灵头上的细角，而且角端作蔷薇色；还是俯瞰从此处至海上的一带平芜，它浮游于午后阳光的微笑之下，几乎活了起来，这里没有树篱，一片空旷，但有许多炯炯有神的树木，还有那银白的海鸥，翱翔在色如蘑菇的耕地或青葱翠绿的田野之间；不管你凝视的是这株小小的粉红雏菊，而且慨叹它的生不适时，还是注目那棕红灰褐的满谷林木，上面乳白色的流云低低悬垂，暗影浮动——一切都是那么美好，这是只有大自然在一个风和日丽的天

273

气，而且那观赏大自然的人的心情也分外悠闲的时候，才能见得到的。

在这座青山之上，我对战争与和平的区别也认识得比往常更加透彻。在我们的一般生活当中，一切几乎没有发生多大改变——我们并没有领得更多的奶油或更多的汽油，战争的外衣与装备还笼罩着我们，报刊杂志上还充溢着敌意仇恨；但是在精神情绪上我们确已感到了巨大差别，那久病之后逐渐死去还是逐渐恢复的巨大差别。

据说，此次战争爆发之初，曾有一位艺术家闭门不出，把自己关在家中和花园里面，不订报纸，不会宾客，耳不闻杀伐之声，目不睹战争之形，每日唯以作画赏花自娱——只不知他这样继续了多久。难道他这样做法便是聪明，还是他所感受到的痛苦比那些不知躲避的人更加厉害？难道一个人连自己头顶上的苍穹也能躲得开吗？连自己同类的普遍灾难也能无动于衷吗？

整个世界的逐渐恢复——生命这株伟大花朵的慢慢重放——在人的感觉与印象上的确是再美不过的事了。我把手掌狠狠地压在草叶上面，然后把手拿开，再看那草叶慢慢直了过来，脱去它的损伤。我们自己的情形也正是如此，而且永远如此。战争的创伤已深深侵入我们的身心，正如严霜侵入土地那样。在为了杀人流血这桩事情而在战斗、护理、宣传、文字、工事，以及计数不清的各个方面而竭尽努力的人们当中，很少人是出于对战争的真正热忱才去做的。但是，说来奇怪，这四年来写得最优美的一篇诗歌，亦即朱利安·克伦菲尔的《投入战斗！》竟是纵情讴歌战争之作！但是如果我们能把自那第一声战斗号角之后一切男女对战争所发出的深切诅咒全部聚集起来，那些哀歌之多恐怕连笼罩地面的高空也盛装不下。

然而那美与仁爱所在的"青山"离开我们还很遥远。什么时候它会更近一些？

人们甚至在我所偃卧的这座青山也打过仗。根据在这里白垩与草地上的工事的痕迹，这里还曾宿过士兵。白昼与夜晚的美好，云雀的欢歌，香花与芳草，健美的欢畅，空气的澄鲜，星辰的庄严，阳光的和煦，还有那清歌与曼舞，淳朴的友情，这一切都是人们渴求不餍的。但是我们却偏偏要去追逐那浊流一般的命运。所以战争能永远终止吗……

这是四年零四个月以来我再没有领略过的快乐，现在我躺在草上，听任思想自由飞翔，那安详如海面上轻轻袭来的和风，那幸福如这座青山上的晴光。

美/文/赏/析

　　《远处的青山》一文叙述了作者在历时四年之久的第一次世界大战之后，重登一座青山上的见闻和感受，抒发了作者憎恶战争，热爱和平、自然和生命的感情。作者以远处的一座青山为落笔点，纵情放飞自己的想象之鸟。战争期间作者曾登上这座青山，那时他是"为那新的恐怖而寻找安慰"，等战争结束后作者再次登上青山，心境自然大为不同。在作者眼中，青山是美、仁爱、和平的化身，这里的一切都无限欢欣、完美无瑕。随着作者的情绪流动，我们仿佛与作者一道，来到那美丽壮阔的远处的青山，亲身享受洋溢四野的和平之光。文章运笔轻灵，语言明净含蓄，感性而细腻，全文浸透着作者深刻的生命体验、丰厚的人生蕴涵和浓浓的人道主义情怀，读来让人赏心悦目、回味悠长。

海 燕

/ 高尔基

入选理由·······························

高尔基的散文代表作

塑造了一个勇敢无畏的革命者的形象

饱含激情、短小精悍、脍炙人口

在苍茫的大海上，狂风卷集着乌云。在乌云和大海之间，海燕像黑色的闪电，在高傲地飞翔。

一会儿翅膀碰着波浪，一会儿箭一般地直冲向乌云，它叫喊着——就在这鸟儿勇敢的叫喊声里，乌云听出了欢乐。

作者简介

　　高尔基（1868—1936），苏联无产阶级作家、社会主义现实文学的奠基人。幼年丧父，11岁就开始走上社会，做过报童、搬运工、跑堂等。1884年起定居喀山，同时开始参加革命活动。他依靠自学开始文学创作，早期作品如《伊吉尔老婆子》《鹰之歌》等有浪漫主义特色，而一些以流浪汉为题材的小说也很成功，如《玛莉娃》等。1899年发表的长篇小说《福马·高尔杰耶夫》标志着他的现实主义创作进入了成熟阶段。此后至十月革命前，他的主要作品有《母亲》、自传体三部曲的前两部《童年》《在人间》，还有剧本《底层》《小市民》等。苏维埃时期，他一方面主持了很多社会活动，另一方面坚持创作，长篇小说《阿尔达莫诺夫家的事业》通过阿尔达莫诺夫一家三代的兴衰变化，概括了俄国资产阶级的命运。1934年，他主持了第一次全苏联作家代表大会，并担任作家协会第一任主席，为苏维埃文学事业的发展起了十分重要的推动作用。著名作家巴乌斯托夫斯基曾这样评价高尔基："在高尔基身上体现着俄罗斯。如同没有伏尔加河我不能想象俄罗斯一样，我也不能想象没有高尔基。"

在这叫喊声里——充满着对暴风雨的渴望！在这叫喊声里，乌云感到了愤怒的力量、热情的火焰和胜利的信心。

海鸥在暴风雨来临之前呻吟着——呻吟着，在大海上面飞窜，想把自己对暴风雨的恐惧，掩藏到大海深处。

海鸭也呻吟着——这些海鸭呀，享受不了生活的战斗的欢乐：轰隆隆的雷声就把它们吓坏了。

蠢笨的企鹅，胆怯地把肥胖的身体躲藏在悬崖底下……只有那高傲的海燕，勇敢地，自由自在地，在泛起白沫的大海上面飞翔！

乌云越来越暗，越来越低，向海面压下来，而波浪一边歌唱，一边冲向高空，去迎接那雷声。

雷声轰隆，波浪在愤怒的飞沫中呼叫着，跟狂风争吼。看吧，狂风紧紧抱起一层层巨浪，恶狠狠地将它们甩到悬崖上，把这些大块的翡翠摔成尘雾和碎沫。

海燕在叫喊着，飞翔着，像黑色的闪电，箭一般地穿过乌云，翅膀掠起波浪的飞沫。

看吧，它飞舞着，像个精灵——高傲的、黑色的暴风雨的精灵——它一边大笑，它一边号叫……它笑那些乌云，它为欢乐而号叫！

从雷声的震怒里——这个敏感的精灵——它早就听出了困乏，它深信，乌云遮不住太阳——是的，遮不住的！

狂风吼叫……雷声轰轰……

一堆堆乌云，像青色的火焰，在无底的大海上燃烧。大海抓住闪电的箭光，把它们熄灭在自己的深渊里。闪电的影子，这些像一条条火蛇，在大海里蜿蜒游动，一晃就消失了。

　　"暴风雨！暴风雨就要来啦！"

　　这是勇敢的海燕在怒吼的大海上，在闪电中间，高傲地飞翔；这是胜利的预言家在叫喊：

　　"让暴风雨来得更猛烈些吧！"

美/文/赏/析

　　《海燕》写于1901年，为高尔基的短篇小说《春天的旋律》的末尾一章。这是一篇饱含激情、短小精悍、脍炙人口的散文诗。作者运用象征手法，赋予海燕（象征无产阶级革命者）；大海（象征俄国广大革命群众）；暴风雨（象征俄国人民的革命斗争）；风云雷电（象征沙皇统治势力）；海鸥、海鸭、企鹅（象征俄国资产阶级政客）等特定的象征意义，并综合运用比喻、拟人、排比、对比、烘托、反复等手法，生动刻画出了海燕在暴风雨来临前矫健、迅疾、勇敢无畏地飞行于云里浪尖的英姿，塑造了一个大智大勇的革命者形象，抒发了自己对于革命的强烈期盼及乐观浪漫的政治热情。《海燕》发表后，在当时的俄国产生了巨大的社会影响，文章曾受到列宁的称赞。

刚果之行

/ 纪德

入选理由·····················

散文大师笔下真实的早期殖民地风情

文字中散发着炽烈明朗的美

一份人类学或者社会学的好材料

一觉醒来，但见景物辉煌。船驶进博洛博湖，太阳已出来了。湖面广袤无垠，平静无波，更无一丝微风可以吹皱湖水，真好比一面完整的贝壳，明净无瑕地反映着清澈的蓝天。东方，有几条很长的彩云，被旭日映染成紫红色了；西面，湖天都是珠贝色，略带一点淡灰，活像一只精美绝伦的螺钿，虽然万籁无声，但默默之中已有颤动，预示绚丽的日色将显得五彩缤纷。远处，几个小岛地势低矮，难以捉摸，似乎在什么流质上漂漂荡荡……这种神妙莫测的动人景色历时不长，接着，轮廓定型了，线条清楚了，我们才感到自己还站在地上。

有时候，清风徐来，那么清新，那么柔和，大家感到吸进肺腑的空气都是幸福之风。

作者简介

纪德（1869—1951），20世纪法国最重要的作家之一。生于巴黎，早年体弱多病，异常敏感。11岁时丧父，由母亲扶养并给予严格的教育，酿成了他的叛逆性格。从15岁起，他对舅父的女儿玛德莱娜产生了纯洁的爱情；但是6年后，玛德莱娜拒绝了他的求婚。创作于1890年，于次年发表的处女作《安德烈·瓦尔特的笔记》，就是他给自己家庭和玛德莱娜的最后通牒，反映了他这一时期的思想。1895年，他终于同表姐玛德莱娜结婚，但婚后生活并不美满，致使妻子抑郁成疾，于1938年去世。

1925年，纪德去刚果、乍得旅行，目睹了非洲人在殖民主义统治下的生活惨状，回国后口诛笔伐，有力地鞭笞了殖民制度。从此，他的创作不再固守在美学与道德的象牙塔中，开始对社会问题产生兴趣。

整天，我们都在各小岛间穿梭巡游！有些岛巨树成荫，有些岛只长满了纸莎草和芦苇。树木枝叶交错，形象奇特，密密麻麻地沉浸在墨绿色的湖水中。偶尔也可看见一座村落，茅屋隐约难辨，但只要看见一丛丛棕榈树和香蕉树，就可以断定它的存在。这儿景色虽单调，但别具特色，留连其间，令人心旷神怡，我好不容易才离开它们去午休。

　　迷人的夕阳，因水面无波更加好看。几片浓云使天边暗了下来，但天空一角云散天晴，露出了不知其名的星星。

10 月 28 日

　　……

　　被称为"大涝洼"的地区到了，这是公路的终点。那儿有许多挑夫在等候我们。我们的仆人带着其他的人打前站走了，约定在班比奥聚齐。时间已是下午 2 点。雨已停了。我们匆匆吃了一只冻子鸡就再次上路了。这儿离班比奥仅 10 公里，我们走去也不觉吃力。就一般的情况来说，我们很少乘坐"土轿"，一方面是喜欢走走路，另一方面也是为我们的轿夫省点力气。

　　"大涝洼"风景优美，稀奇古怪，前所未见。这块宽广的沼泽地两边是一片不高的森林。沼泽地上有葛藤和树枝铺架的栈道，供行人通过。沼泽上覆盖着一些水生植物，其中大部分都不认识。叶面宽大的海芋，高高地伸出了半开的喇叭形花朵，花上有深红色的斑纹，白茫茫一片，蔚为奇观。海草的茎杆上还有带刺的凹槽。500 米之外就是河岸了。环境沉静得有点神秘味，偶尔可以听到几声看不见的鸟儿的歌声。许多低矮的棕榈枝叶低垂，浸泡在流水之中。我们乘独木舟到达曼贝雷河的对岸。这里，四面都是森林，景色更加诱人。各处

都有流水，在木桩支撑的路上，常常架着小木桥。杂花也是有的：有淡紫色的凤仙花，还有一种花同诺曼底省的柳叶菜差不多。我直往前走去，高兴万分，心情激动得难以形容。啊！如果没有带着这一群老远

就吓跑了兔子的挑夫，我真想在这儿留下来……有时候，这一队随从使我讨厌，使我心烦。我想尝尝孤独的味道，想置身于森林的包围之中，于是我加快脚步，跑着逃开，力图拉开和挑夫们的距离。但是，他们见我走远，立刻小跑赶上来和我走在一起。我不耐烦，又停步不走，把他们叫住，并在地上划一条线，不许他们越过，等我走远了，吹一下口哨他们才能走上来。但是，过了一刻钟以后，我又只好回来找他们，因为他们没有听懂我的话，所有的随从人员都站在原地一动也不动。

11 月 1 日

……

在抵达我们下榻的多昆加—比塔以前，我们发现了 3 个破敝的小村庄，见到的全是妇女。同其他地方一样，男人都去割橡胶了。几个头人很远就来迎接我们，带来了三面锣，由一个残废老头和几个儿童敲着。离多昆加不远，下来迎接的也是妇女和孩子，他们高声呼喊、唱歌，拼命扭摆。最疯狂起劲的是最老的女人，成年的妇女手舞足蹈，样子古怪，显得吃力。所有的女人都拿着棕榈叶或巨大的树枝，有的为我们扇风，有的为我们清扫前面的道路，一如"进入圣地耶路撒冷"。妇女只围一片树叶或一块破布在阴部，叶柄从双腿间穿过，在后面用一根带子系住，当做腰带。有些妇女背后捆着一个大的坐垫，用新摘的或干了的树叶做成，看来有点可笑，同 1860 年欧洲妇女时兴的腰垫差不多。在我们停下休息的最后一个村庄中，妇女们全都用葛藤作为装饰。

班比奥派了一个人来通报我们即将到达的消息，他比我们早到两天。在我们进入或离开村里的时候，前后几百米的路面都割去了草皮，铺上白沙，有时在丛林深处也是这样，不知是何原因。有些地方，沙砾地上生长着一些美丽的淡紫色花草，类似卡特来兰（我在埃阿拉附近的森林散步时已经见过）。这种珊瑚红的大花，形如蒜瓣，我在泥土地里也见过，当地人吃它里面的果肉，果肉色白，有点茴香的气味。走近一看，它的叶子同小棕榈差不多大，高约 1.5 米。这些花难道是清扫路面后才露出来的？抑或是她们特为移植的？我甚至相信是她们特为移植上的。我喜欢这条沙路，人们把一切都铲除了，仅仅留下这些花朵。

每到一个村庄停下，我们就和头人谈话，劝他们。只要林产公司不按值付两个法郎一公斤，就不要把橡胶卖给他们。因为，头人对我们说，公司常常只付一个半法郎，要超过50公斤以后的才照两法郎计价。另外，我们还劝当地人学会称橡胶，因为他们不懂过磅的方法，只凭筐数计算，这就使公司的经手人有了压秤的机会。只要经手人稍不老实，而公司经理又不在场纠正，就会发生欺骗的事。

我们一停下，便有一大堆人急急忙忙向我们提出申诉，要求解决纠纷、受到保护，等等。例如，有一个男人在他哥哥和姐姐的陪同下，来向我控告他的邻居和他怀孕三个月的妻子睡觉，使她小产了。他要求邻居为孩子的死亡付出50法郎的赔偿费，等等。

2月1日或2日

......

晚上并不太冷，但由于蚊子成群，船员们只能在大火旁睡觉。船停在一个小岛上，岛上有许多白山羊，不知道它们吃的什么，因为地上只有干燥的风化粗沙，稀稀疏疏地长着一点奇怪的草丛，就是我刚才提过的那一种，绿灰色的叶子，和山羊的白色倒也显得非常调和。很多山羊都有一只脚被拴在沙土中的木桩上，想来是要挤它们的奶，不让羊羔吃奶。在不远的地方有几间茅屋，说得恰当点就是几个临时的避风处。屋里有几个本地人，样子悲惨可怜，满面怒容。船长费了很大的劲才说服了其中的一个，为我们在群岛中领航。他们给我们带来了四个鸡蛋和一大碗羊奶。船长抓了一只山羊，真可以说是用武力强占的，但他留下了一个值五法郎的银币。卖的人还要两个法郎，他也只好照付。这是我第一次看到本地人维护售价，或者说是在讨价还价。别人早就对我们讲过，博尔地区的人性格倔强。在其他地方，不管什么东西，别人给得再少，那儿的人都没有异议。前天，我们的一个卫兵班长在一个村庄买了一只鸡，只给了半法郎。我对他说这是战前的价格，战后买一只鸡应付一个法郎。他被我说服了，和我回去补了一个小银币。由于他做了好事，我愿意付这一点钱，但他拒绝接受这个银币，把钱作为礼物，给了一个路过的孩子。

既然白人用半法郎就可买本地人一只子鸡，因此，本地人一看见白人下船上岸，一方面心惊肉跳，另一方面又设法把可怜的鸡价提高一点，这也是很自然的事。

我们又碰见了停靠在一个小岛附近的"莱昂布洛号"，并在船上看见了那个年老的领航员，他过去曾为"让蒂尔号"领航，横贯乍得湖。马尔克为他拍了照，出自好意，还给了他一大笔小费，使他感激不尽，面带笑容，眼含泪珠。

我们硬拉着这位老人当领航员，他一定没有想到会得到什么报酬。当我把一大笔小费塞进他的手里时，他一直板着的面孔松弛了。我和他开玩笑，笑他脸色阴沉，他也开始笑了，双手把我的手拉着，紧紧地握了又握，感动极了。多么正直的人！征服他们是多么容易啊！可恨的是某些人使用了各种鬼花招，又不深入了解，非要执行仇视土著的恶毒的政策不可，还想出各种借口，来为他们的粗暴行为、敲诈勒索与奴役虐待的种种恶行辩护，或者证明那是合理合法的哩！

风乍起，浪花扫荡甲板，我们简直找不到一个安静的立足之地。

　　《刚果之行》是纪德出访非洲时写下的游记文字，纪德以日记的形式记下了在非洲的所见所闻，而在这些自然本身所焕发的美的深处，与风景不相称的事物出现了，作者看到的是属于殖民与被殖民者之间的矛盾、依存、对立和妥协，似乎是一种乱糟糟的生活、不公平的买卖，而作者在这些不公平的交易中看到的依然是当地土著人的正直。尽管作为一个散文大师，纪德对南非风景以及风景中的人表现出某种类似观光者的迷恋，对殖民地人民表现出一种人道的殖民心态，但是这篇文章仍然可以被看成是一个人类学或者社会学的好材料，作者在文章中记录的非洲的原始风情是真实的，非洲作为殖民地的社会形态生存方式也是真实的，黑人与白人之间的对立与妥协同样没有被回避或者掩盖。

在八月

/ 蒲宁

入选理由······················

优美的景物描写

诗情画意的笔调

叙事抒情相结合的手法

　　我爱的那个姑娘走了，可我还未曾向她倾吐过一句我的爱情，那年我仅二十二岁，因此她的离去使我觉得在茫茫人间就只剩下我孑然一身。那时正好是八月底，在我所客居的那个俄罗斯小城市里溽暑蒸人，终日一丝风也没有。有一回礼拜六，我在箍桶匠那儿下工后出来，街上空荡荡的，几无一人，我不想就回家，便信步往市郊走去。我在人行道上走着，街旁犹太人开的商店和一排排老式的货摊都已上好门板，不做买卖了，教堂在叩钟召唤人们做晚祷，一幢幢房屋把长长的阴影投到地上，可是炽热的暑气并未消退。在八月底的南方城市里经常会出现这种热浪滚滚的天气，那时连被太阳烤灼了整整一夏的果园里也无处不蒙着尘土。我感到忧伤，难以言说的忧伤，可是周遭的一切，不论是果园、草原、瓜地，甚至空气和强烈的阳光，却无不充满了幸福。

　　在满是尘埃的广场上，有个美丽、高大的霍霍尔女郎站在自来水笼头旁。她穿着一件雪白的绣花衬衫和一条紧紧箍住跨部的墨黑的直筒裙，赤脚穿一双打有铁钉的皮鞋。她可真像梅洛斯的维纳斯，如果可以作这样的设想的话：维纳斯的脸被太

作者简介

　　蒲宁（1870—1953），俄国作家，出生于没落的贵族家庭，曾当过校对员、统计员、图书管理员、报社记者。1887年开始发表文学作品。1901年发表诗集《落叶》，获普希金奖。十月革命后流亡国外，侨居法国期间主要创作有关青年时代的抒情回忆录。1933年蒲宁因为"继承俄国散文文学古典的传统，表现出精巧的艺术方法"获诺贝尔文学奖。

阳晒黑了，双眸呈深褐色，露出一副愉悦的神情，前额开朗饱满，像这样的前额大概只有霍霍尔女人和波兰女人才会有。木桶灌满水后，她用扁担挑到肩上，径直朝我走来，她的身姿健美匀称，尽管这担晃动着的水很沉，可她却微微摆动身子，轻松

自如地挑着，皮鞋橐橐有声地踏在木头的人行道上……我至今还记得我怎样彬彬有礼地站到一旁，给她让路，怎样久久地目送着她的背影！而在那条由广场经过山脚通往波多尔低地去的街上，可以望到嫩绿色的大河谷、牧场、树林和在它们后面的金黄色沙滩，还可以望到远方，那温柔的南国的远方……

　　看来，我还从未像在那一瞬间那样喜爱俄罗斯，从未像在那年秋天那样向往终生这么生活下去，天天议论议论谋生的斗争，学学箍桶匠的手艺。后来，我站在广场上思忖了片刻，决定到市郊那两位托尔斯泰主义的信徒家里去串门。我下山向波多尔低地走去时，一路上碰到许多的出租双套马车疾驰而过，上边高坐着刚刚乘五点钟那班由克里米亚开来的火车到达的旅客。一匹匹拉货的大马，拖着满载箱子和货包的嘎嘎发响的大车，慢吞吞地朝山上驶去。化学商品、香草醛、蒲席的气息以及双套马车、尘土和游客（他们不知从什么地方游罢归来，反正一定是从风景如画的地方），重又在我身上激起了某种锥心的忧伤和甜蜜的渴望，把我的心揪紧了。我拐进两旁都是果园的窄小的胡同，在城郊走了很久。住在这一带郊区的"爷们"，全是工匠和小市民，在夏日的夜晚，他们天天都聚集到河谷里去作粗犷而奇妙的"游乐"，并用赞美诗的曲调齐声高唱忧郁动听的哥萨克歌子。可此刻"爷们"都在忙着脱粒。我走到了淡蓝色和白色土坯房的尽头，这儿已经是春汛时的河水泛滥区，河谷就由这儿开始，只见此地各处的打麦场上都有连枷在挥动。河谷里边一丝风也没有，热得就跟城里一样，于是我赶紧返身上山，那儿倒有开阔的台地。

　　台地幽静、安宁、开阔。极目望去，到处都是密密麻麻的、高高戳起的金黄色麦茬；在没有尽头的宽阔的道路上铺满厚厚的浮尘，使你走在上面时，觉得脚上仿佛穿着一双轻柔的丝绒鞋。周遭的一切：麦茬、道路和空气，无不在西沉的夕阳下灿灿生光。有个晒得黑黑的霍霍尔老人，脚蹬笨重的靴子，头戴羊皮帽，身穿颜色像黑麦面包的厚长袍，拄着根拐杖走了过去，那根拐杖在阳光下亮得好

似玻璃棒。在麦茬地上成群地回翔着的白嘴鸦的翅膀也发出炫目的亮光，我不得不拉下晒得发烫的帽沿，挡住这亮光和热浪。在很远很远的地方，几乎是在天边，隐约可以望到一辆大车和慢吞吞地拉着大车的两匹犍牛以及瓜田里看瓜人的窝棚……啊，置身在这片宁静辽阔的田野上是多么惬意呀！但我魂牵梦萦地思念着的却是河谷后面的南方，她离我而去的那个地方……

离大路半俄里开外，在俯临河谷的山岗上，有一幢红瓦房，那里是季姆钦克家两兄弟巴维尔和维克托尔的小小的田庄，兄弟俩都是托尔斯泰主义者。我踩着干燥的扎脚的麦茬，朝他们家走来。农舍附近连人影都没有。我走到小窗口向里张望，那里只有苍蝇，成群结队的苍蝇：无论是窗玻璃上，天花板下面，还是搁在木炕上边的瓦罐上都停满苍蝇。紧连农舍是一排牲口棚；那里也没有一个人。田庄的门大开着，满院子都是牲畜粪，太阳正在把粪便晒干……

"您上哪儿去？"突然有个女人的声音喊住了我。

我回过头去，只见在俯临河谷的陡壁附近，在瓜田的田埂上，坐着季姆钦克家的长媳奥尔加·谢苗诺芙娜。她伸出手同我握了握，没有站起身来，我在她身旁坐了下来。

"闷得犯愁了吧？"我问道，然后默不作声地直视她的脸。

她垂下眼睛望着自己的光脚。她长得小巧玲珑。肤色黝黑，身上的衬衫挺脏，直筒裙也旧了。她的模样活像被大人派来看守瓜田的小姑娘，不得不在烈阳下闷闷地度过长长的白昼。尤其是她的脸蛋，更像俄罗斯乡村中豆蔻年华的少女。但是我怎么也看不惯她的衣着，看不惯她光着脚丫在牲畜粪和扎脚的麦茬地上走，我甚至都不好意思去看她那双脚，连她自己也常常把脚缩起来，不时斜睨着自己那些损坏了的趾甲。可她的脚却是纤小、漂亮的。

"我丈夫到河谷边上打麦去了，"她说，"维克多·尼古拉耶维奇上外地去了……巴弗洛夫斯基又叫官府抓了起来，为了他逃避当兵。您记得巴弗洛夫斯基吗？"

"记得。"我心不在焉地说。

286

我们两人都不作一声，久久地眺望着淡蓝色的河谷、树林、沙滩和发出忧郁的召唤的远方。残阳还在烤灼着我们俩，发黄了的长长的瓜藤像蛇一样纠结在一起，藤上结着圆圆的沉甸甸的西瓜。瓜也同样被太阳烤得发热了。

"您干吗不把心里话讲给我听？"我开口讲道，"您何必要这样苦自己呢？您是爱我的。"

她打了个寒噤，把脚缩了进去，闭上了眼睛；后来她把披到面颊上的头发吹开，露出一丝坚毅的微笑，说：

"给我支烟。"

我递给了她。她吸了两大口，呛得咳了起来，便把烟卷儿远远地掷掉，默默地沉思了一会儿。

"我打一大早起就坐在这儿了，"她说，"连河谷边上的鸡也赶来啄西瓜吃……我不懂，你凭什么以为这儿闷得叫人犯愁呢。我可挺喜欢这儿，非常喜欢……"

日落时，我走到了离这个田庄两俄里远的一处也是俯临河谷的地方，坐了下来，摘掉了帽子……透过泪水，我遥望着远方，恍恍惚惚看到在很远的地方有一座座南国燠热的城市，恍恍惚惚看到台地上的青色的黄昏和某个妇人的身姿；她和我所爱的那个姑娘已融合成为一个人，并且以她的神秘，以她那种少女般的忧郁充实了那个姑娘，而这种忧郁正是我在看瓜田的那个小巧的妇人的双眸中觉察到的……

美/文/赏/析

蒲宁擅长以充满诗意的笔调，描写俄罗斯迷人的田野景色：葱茏的树木、湿润的雾霭、芬芳的气息。《在八月》是蒲宁的一篇散文，作者以叙事的方式来做抒情散文，文章把自己的情感牵系于三个女性，以此来表达自己飘忽不定的希望。对这三个女子的描摹，作者采用了小说中塑造人物的方式，将人物的描写放在俄罗斯特有的八月风景中。他把自己心目中的三个女性写得美好、充满诱惑而又若即若离，这其实传达着作者对于未来的，一种迷茫而又带一丝甜蜜憧憬的复杂情感。而这种感情又有着一定的时代意义。在此基础上，再加以独特的俄罗斯风光的渲染，使散文在近似叙事的手法下充满了浓烈的抒情色彩。

静

/ 蒲宁

入选理由·······························
一幅纯美的风景画卷
表现手法的丰富多样
动静相映的细腻描写

我们是在夜里到达日内瓦的，当时正下着雨。拂晓前，雨停了。雨后初霁，空气变得分外清新。我们推开阳台门，秋晨的凉意扑面而来，使人陶然欲醉。由湖上升起的乳白色的雾霭，弥漫在大街小巷上。旭日虽然还是朦朦胧胧的，却已经朝气蓬勃地在雾中放着光。湿润的晨飔轻轻地拂弄着盘绕在阳台柱子上的野葡萄血红的叶子。我们盥漱过后，匆匆穿好衣服，走出旅社，由于昨晚沉沉地睡了一觉，精神抖擞，准备去作尽情的畅游，而且怀着一种年轻人的预感，认为今天必有什么美好的事在等待着我们。

"上帝又赐予了我们一个美丽的早晨，"我的旅伴对我说，"你发现没有，我们每到一地，第二天总是风和日丽？千万别抽烟，只吃牛奶和蔬菜、以空气为生，随日出而起，这会使我们神清气爽！不消多久，不但医生，连诗人都会这么说的……别抽烟，千万别抽，我们就可体验到那种久已生疏了的感觉，感觉到洁净，感觉到青春的活力。"

可是日内瓦湖在哪里？有片刻工夫，我们茫然地站停下来。远处的一切，都被轻纱一般亮晃晃的雾覆盖着。只有街梢那边的马路已沐浴在霞光下，好似黄金铸成的。于是我们快步朝着被我们误认为是浮光耀金的马路走去。

初阳已透过雾霭，照暖了阒无一人的堤岸，眼前的一切无不光莹四射。然而山谷，日内瓦湖和远处的萨瓦山脉依然在吐出料峭的寒气，我们走到湖堤上，不由得惊喜交集地站住了脚，每当人们突然看到无涯无际的海洋、湖泊，或者从高山之巅俯视山谷时，都会情不自禁地产生这种又惊又喜的感觉。萨瓦山消融在亮晃晃的晨岚之中，在阳光下难以辨清，只有定睛望去，方能看到山脊好似一条细细的金线，迤逦于半空之中，这时你才会感觉到那边绵亘着重峦叠嶂。近处，在宽广的山谷内，在凉飕飕的、润湿而又清新的雾气中，横着蔚蓝、清澈、深邃的日内瓦湖。湖还在沉睡，簇拥在市口的斜帆小艇也还在沉睡。它们就像张开了灰色羽翼的巨鸟，但是在清晨的寂静中还无力拍翅高飞。两三只海鸥紧贴着湖水悠闲地翱翔着，冷不丁其中的一只，忽地从我们身旁掠过，朝街上飞去。我们立即转过身去望着它，只见它猛地又转过身子飞了回来，想必是被它所不习惯的街景吓坏了……朝暾初上之际有海鸥飞进城来，住在这个城市里的居民该有多幸福呀！

我们急欲进入群山的怀抱，泛舟湖上，航向远处的什么地方……然而雾还没有散，我们只得信步往市区走去，在酒店里买了酒和干酪，欣赏着纤尘不染的亲切的街道和静悄悄的金黄色的花园中美丽如画的杨树和法国梧桐。在花园上方，天空已被廓清，晶莹得好似绿松石一般。

"你知道吗，"我的旅伴对我说，"我每到一地总是不敢相信我真的到了这个地方，因为这些地方，我过去只能看着地图，幻想前去一游，并且时时提醒自己，这只不过是幻想而已。意大利就在这些崇山峻岭的后边，离我们非常之近，你感觉到了吗？在这奇妙的秋天，你感觉到南国的存在吗？瞧，那边是萨瓦省，就是我们童年时代阅读过的催人落泪的故事中所描写的牵着猴子的萨瓦孩子们的故乡！"

码头旁，游艇和船夫都在阳光下打着瞌睡。在蓝盈盈的清澈的湖水中，可以看到湖底的沙砾、木桩和船骸。这完全像是个夏日的早晨，只有主宰着透明的空气的那种静谧，告诉人们现在已是晚秋。雾已经消散得无影无踪，顺着山谷，极目朝湖面望去，可以看得异乎寻常的远。我们迫不及待地脱掉上衣，卷起袖子，拿起了桨。码头落在船后了，离我们越来越远。离我们越来越远的还有在阳光下光华熠熠的市区、湖滨和公园……前面波光粼粼，耀得我们眼睛都花了，船侧的湖水越来越深，越来越沉，也越来越透明。把桨插入水中，感觉水的弹性，望着从桨下飞溅出来的水珠，真是一大乐事。我回过头去，看到了我旅伴那泛起红晕的脸庞，看到了无拘无束地、宁静地荡漾在坡度缓坦的群山中间浩瀚的碧波，看到了漫山遍野正在转黄的树林和葡萄园，以及掩映其间的一幢幢别墅。有一刻间，我们停住了桨，周遭顿时静了下来，静得那么深邃。我们闭上眼睛，久久地谛听着，什么声音也没有，只有船划破水面时，湖水流过船侧发出的一成不变的汩汩声。甚至单凭这汩汩的水声也可猜出湖水多么洁净，多么清澈。

"划吗？"我问。

"慢着，你听！"

我把桨提出水面，连汩汩的水声也渐渐消失。从桨上滴下一颗水珠，然后又是一颗……太阳照得我们的脸越来越热……就在这时，一阵悠扬的钟声，从很远很远的地方飘至我们耳际，这是深山中某处的一口孤钟。它离我们那么远，有时我们只能隐隐约约听到它的声音。

"你还记得科隆大教堂的钟声吗？"我的旅伴压低声音问我。"那天我比你醒得早，天还刚刚拂晓，我便站在洞开的窗旁，久久地谛听着独自在古老的城市上空回荡的清脆的钟声。你还记得科隆大教堂的管风琴和那种中世纪的壮丽吗？还有莱茵省，那些古老的城市、古老的图画，还有巴黎……然而那一切都无法和这里相比，这里更美……"

由深山中隐隐传至我们耳际的钟声温柔而又纯净，闭目坐在船上，侧耳倾听着这钟声，享受着太阳照在我们脸上的暖意和从水上升起的轻柔的凉意，是何等的甜蜜，舒适！有一艘闪闪发亮的白轮船在离我们约莫两俄里远的地方驶过，明轮拍击着湖水，发出疏远、暗哑、生气的嘟囔声，在湖面上激起一道道平展的、像玻璃一般透明的涌，缓缓地朝我们奔来，终于柔情脉脉地晃动了我们的小船。

"瞧，我们已置身在崇山的怀抱之中，"当轮船渐渐变小，终于隐没在远处以后，我的旅伴对我说，"生活已留在那边，留在这些崇山峻岭之外了，我们已进入寂静的幸福之邦，这寂静之邦何以名之，我们的语言中找不到恰当的字眼。"

他一边慢慢地划着桨，一边讲着、听着。日内瓦湖越来越辽阔地包围着我们。

钟声忽近忽远，似有若无。

"在深山中的什么地方有一座小小的钟楼，"我想道，"独自在用它回肠荡气的钟声赞颂着礼拜天早晨的安谧和寂静，召唤人们踏着俯瞰蓝色的日内瓦湖的山道，到它那儿去……"

极目四望，山上大大小小的树林都抹上了绚丽而又柔和的秋色，一幢幢环翠青秀的美丽的别墅正在清静地度过这阳光明媚的秋日……我舀了一杯水，把茶杯洗净，然后把水泼往空中。水往天上飞去，迸溅出一道道光芒。

"你记得《曼弗雷德》吗？"我的同伴说，"曼弗雷德站在伯尔尼兹阿尔卑斯山脉中的瀑布前。时值正午，他念着咒语，用双手捧起一掬清水，泼向半空。于是在瀑布的彩虹中立刻出现了童贞圣母山……写得多美呀！此刻我就在想，人也可以崇拜水，建立拜水教，就像建立拜火教一样……自然界的神力真是不可思议！人活在世上，呼吸着空气，看到天空、水、太阳，这是多么巨大的幸福！可我们仍然感到不幸福！为什么？是因为我们的生命短暂，因为我们孤独，因为我们的生活谬误百出？就拿这日内瓦湖来说吧，当年雪莱来过这儿，拜伦来过这儿……后来，莫泊桑也来过。他们都孑然一身，可他们的心却渴望整个世界都幸福。当年所有的理想主义者，所有的恋人，所有的年轻人，所有来这里寻求幸福的人都已弃世而去，永远消逝了。我和你有朝一日，同样也将弃世而去……你想喝点儿酒吗？"

我把玻璃杯递过去，他给我斟满酒，然后带有一抹忧郁的微笑，加补说：

"我觉得，有朝一日我将融入这片亘古长存的寂静中，我们都站在它的门口，我们的幸福就在那扇门里边。你是否记得易卜生的那句话：'玛亚，你听见这寂静吗？'我也要问你：你有没有听见这群山的寂静呢？"

我们久久地遥望着重重叠叠的山峦和笼罩着山峦的洁净、柔和的碧空，空中充溢着秋季的无望的忧悒。我们想象着我们远远地进入了深山的腹地，人类的足迹还从未踏到过那里……太阳照射着四周都被山岭锁住的深谷，有只兀鹰翱翔在山岭与蓝天之间的广阔的空中……山里只有我们两人，我们越来越远地向深山中走去，就像那些为了寻找火绒草而死于深山老林中的人一样……

我们不慌不忙地划着桨，谛听着正在消失的钟声，谈论着我们去萨瓦省的旅行，商量我们在哪些地方可以逗留多少时间，可我们的心却不由自主地离开话题，时时刻刻地向往着幸福。我们以前所从未见到过的自然景色的美，以及艺术的美和宗教的美，不论是哪里的，都激起我们朝气蓬勃的渴求，渴求我们的生活也能升华到这种美的高度，用出自内心的欢乐来充实这种美，并同人们一起分享我们的欢乐。我们在旅途中，无论到哪里，凡是我们所注视的女性无不渴求着爱情，那是一种高尚的、罗曼蒂克的、极其敏感的爱情，而这种爱情几乎使那些在我们眼前一晃而过的完美的女性形象神化了……然而这种幸福会不会是空中楼阁呢？否则为什么随着我们一步步去追求它，它却一步步地往郁郁苍苍的树林和山岭中退去，离我们越来越远？

那位和我在旅途中一起体验了那么多欢乐和痛苦的旅伴，是我一生中所爱的有限几个人中的一个，我的这篇短文就是奉献给他的。同时我还借这篇短文向我们俩所有志同道合的萍飘天涯的朋友致敬。

美/文/赏/析

　　《静》是一篇写景抒情的游记散文，因为它的文字醇美，我们几乎可以把它看成是自然本身，这种对自然的忘我的欣赏使作者和读者的心灵都得到了最好的净化，去除一切烦恼，重返对世界和生命本身的热爱。蒲宁是伟大的散文家，他的文字可以反映一个时代艺术的美学风貌。在这篇文章中，蒲宁所有的用笔都在于穷尽可能去描述日内瓦湖的"静"，给读者一个真正的静的感受，这个描述首先从视觉展开，一个雨后的无声的世界："由湖上升起的乳白色的雾霭，弥漫在大街小巷上。""温润的晨曦轻轻地抚弄着盘绕在阳台柱子上的野葡萄血红的叶子。""远处的一切，都被轻纱一般亮晃晃的雾覆盖着。"但是这些都不是与日内瓦湖有关的"静"，当作者来到日内瓦湖时"不由得惊喜交集地站住了脚"。晨岚中亮晃晃的萨瓦山，凉飕飕的、温润而又清新的雾气，蔚蓝、清澈深邃的湖水以及海鸥，这些都是构成日内瓦湖的"静"所不可或缺的事物，当作者看到在阳光下打着瞌睡的游艇和船夫时，日内瓦湖揭开了面纱。作者泛舟于湖上，"有一刻间，我们停住了桨，周遭顿时静了下来，静得那么深邃。我们闭上眼睛，久久地谛听着，什么声音也没有。"作者已经开始用心来听日内瓦湖的"静"了。这种"静"还由极远处的钟声衬托出来，当钟声出现后，我们感到这种美是古老和永恒的。作者用全身心去感受，然后用优美准确的文字通篇描写纯自然，纯粹自然的非凡的美，使人陶醉。

我的梦中城市

/ 德莱塞

入选理由·····················

德莱塞的散文代表作之一——
一幅 20 世纪初的纽约都市世俗图

　　它是沉默的，我的梦中城市，清冷的、肃穆的，大概由于我实际上对于群众、贫穷及像灰沙一般刮过人生道途的那些缺憾的风波风暴都一无所知的缘故。这是

作者简介

德莱塞像

　　德莱塞（1871—1945），美国现代小说家。生于印第安纳州特雷浩特镇，童年在困苦生活中度过，中学没毕业就去芝加哥谋生，曾上过一年大学。1892 年受聘为记者和编辑，走访了芝加哥和纽约等城市，广泛接触和了解了社会生活。德莱塞的创作可分前后两个时期，俄国十月革命是他思想和创作的转折点。他的代表作有长篇小说《嘉莉妹妹》《珍妮姑娘》《天才》和《美国悲剧》等。这些作品基本是批判现实主义的，揭露了资本主义社会繁荣表面下的罪恶和社会的贫富对立。尤其以真人真事为原型的《美国的悲剧》，写一个穷教士的儿子为追逐权力和金钱而成为杀人犯的故事，揭露了利己主义和金钱至上的观念对人的腐蚀。另外，他在创作中较早使用了弗洛伊德学说的一些理论来塑造典型形象，如潜意识、幻觉、梦境和性的压抑与升华等。

一个可惊可愕的城市，这么的大气魄，这么的美丽，这么的死寂。有跨过高空的铁轨，有像峡谷的街道，有大规模攀上壮伟广市的楼梯，有下通深处的踏道，而那里所有的，却奇怪得很，是下界的沉默。又有公园、花卉、河流。而过了二十年之后，它竟然在这里了，和我的梦差不多一般可惊可愕，只不过当我醒时，它是罩在生活的骚动底下的。它具有角逐、梦想、热情、欢乐、恐怖、失望等等的哗鸣。通过它的道路、峡谷、广场、地道，是奔跑着、沸腾着、闪烁着、朦胧着，一大堆的存在，都是我的梦中城市从来不知道的。

关于纽约——其实也可说关于任何大城市，不过说纽约更加确切，因为它曾经是而且仍旧是大到这么与众不同的——在从前也如在现在，那使我感着兴味的东西，就是它显示于迟钝和乖巧，强壮和薄弱，富有和贫穷，聪明和愚昧之间的那种十分鲜明而同时又无限广泛的对照。这之中，大概数量和机会上的理由比任何别的理由都占得多些，因为别处地方的人类当然也并无两样。不过在这里，所得从中挑选的人类是这么的多，因而强壮的或那种根本支配着人的，是这么这么的强壮，而薄弱的是那么那么的薄弱——又那么那么的多。

我有一次看见一个可怜的、一半失了神的而且打皱得很厉害的小小缝衣妇，住在冷街上一所分租房子厅堂角落的夹板房里，用着一个放在柜子上的火酒炉子在做饭。在那间房的四周，她有着充分空间可以大大地跨三步。

"我宁可住在纽约这种夹板房里，不情愿住乡下那种十五间房的屋子。"她有一次发过这样的议论，当时她那双可怜的没有颜色的小眼睛，包含着那么的光彩和活气，是我在她身上从来不曾看见过，也从来不再见到的。她有一种方法贴补她的缝纫的收入，就是替那些和她自己一般下等的人在纸牌、茶叶、咖啡渣之类里面望运气，告诉许多人说要有恋爱和财气了，其实这两项东西都是他们永远不会见到的。原来那个城市的色彩、声音和光耀，就只叫她见识见识，也就足够赔补她一切的不幸了。

而我自己也不曾感觉到过那种炫耀吗？现在不也还是感觉到吗？百老汇路，当四十二条街口，在这些始终如一的夜晚，城市是被从西部来的如云的游览闲人所拥挤。所有的店门都开着，差不多所有酒店的窗户都张得大大，让那种太没事干的过路人可以看望。这里就是这个大城市，而它是醉态的，梦态的。一个五月或是六月的月亮将要像擦亮的银盘一般高高挂在高墙间，一百乃至一千面电灯招牌将在那里霎眼。穿着夏衣戴着漂亮帽子的市民和游人的潮水；载着无穷货品震荡着去尽无足重轻的使命的街车；像嵌宝石的苍蝇一般飞来飞去的出租汽车和私人汽车。就是那轧士林也贡献了一种特异的香气。生活在发泡，在闪耀；漂亮的言谈，散漫的材料。百老汇路就是这样的。

还有那五马路，那条歌唱的水晶的街，在一个有市面的下午，无论春夏秋冬，总是一般热闹。当正二三月间，春来欢迎你的时候，那条街的窗口都拥塞着精美无遮的薄绸以及各色各样缥缈玲珑的饰品，还再有什么能一样分明地报告你春的到来吗？十一月一开头，它便歌唱起棕榈机、新开港以及热带和暖海的大大小小的快乐。及到十二月，那么同是这条马路上又将皮货、地毯，跳舞和宴会的时候，陈列得多么傲慢，对你大喊着风雪快要来了，其实你那时从山上或海边回来还不到十天哩。你看见这么一幅图画，看见那些划开了上层的住宅，总以为全世界都是非常的繁荣、独处而快乐的了。然而，你倘使知道那个俗艳的社会的矮丛，那个介于成功的高树之间的徒然生长的乱莽和丛簇，你就觉得这些无边的巨厦里面并没有一桩社会的事件是完美而沉默的了！

我常常想到那庞大数量的下层人，那些除开自己的青春和志向之外再没有东西推荐他们的男孩子和女孩子，日日时时将他们的面孔朝着纽约，侦察着那个城市能够给他们怎样的财富或名誉，不然就是未来的位置和舒适，再不然就是他们将可收获的无论什么。啊，他们的青春的眼睛是沉醉在它的希望里了！于是，我又想到全世界一切有力的和半有力的男男女女们，在纽约以外的什么地方勤劳着这样那样的工作——一片店铺，一个矿场，一家银行，一种职业——唯一的志向就是要去达到一个地位，可以靠他们的财富进入而留居纽约，支配着大众，而在他们认为是奢侈的里面奢侈着。

你就想想这里面的幻觉吧，真是深刻而动人的催眠术哩！强者和弱者，聪明人和愚蠢人，心的贪馋者和眼的贪馋者，都怎样地向那庞大的东西寻求忘忧草，寻求迷魂汤。我每次看见人似乎愿意拿出任何的代价——拿出那样的代价——去求一啜这口毒酒，总觉得十分惊奇。他们是展示着怎样一种刺人的颤抖的热心。怎样地，美愿意出卖它的花，德行出卖它的最后的残片，力量出卖它所能支配的范围里面一个几乎是高利贷的部分，名誉和权力出卖它们的尊严和存在，老年出卖它的疲乏的时间，以求获得这一切之中的不过一个小部分，以求赏一赏它的颤动的存在和它造成的图画。你几乎不能听见他们唱它的赞美歌吗？

美/文/赏/析

　　《我的梦中城市》选自德莱塞的散文集《一个大城市的色彩》。文章通过对20世纪初美国垄断资本主义时期的纽约城市生活描写，揭示了美国社会表面繁荣背后所隐伏的深刻的社会危机。文章通篇贯穿对比的手法，以互相对立的两组事物或现象之间所产生的强烈反差，准确生动地展示了纽约城市生活的内在实质：梦中城市的清冷、静穆，现实城市的沸腾、朦胧；缝衣女工的贫困生活，纽约城的喧嚣、繁华等。文章语言凝练，笔调沉郁，行文流畅自然，凸显了美国城市日常生活里潜藏的不易为人所察觉的社会危机，告诫人们不要沉湎于浮华的城市生活，要看到在表面的繁华下潜伏于整个社会中的深刻精神危机。

郁金香

/ 德佩雷拉

入选理由·····································
歌颂纯真爱情的美文
独特的女性视角
浑然一体的结构

透过一扇窗子，人们可以看到很多东西。我就曾经坐在自家的窗前，一面绣着花边，一面目睹了女邻居的罗曼史。

我的邻居是一个织花边的女工。她人长得漂亮，但家境贫寒。她有两个追求者和一株栽在蓝瓷花盆里的郁金香。

我邻居和我住的那条街很背静，所以既无车辆来往，也很少有行人。过往人等全是当地的住户。像巴黎所有的街巷一样，那条街很窄，几乎每家的阳台上都挂有色彩鲜艳的宽红边遮阳布帘。

前面已经说过，我的邻居很穷，所以，她家的阳台上没有挂帘子。不过，太阳并未能阻止姑娘时常到阳台上去照看她的郁金香。

那株没有几片叶子的柔弱小花，是我邻居时刻记挂在心的事情。每天晚上她都把它搬进卧室，怕它会受到北风的摧残；清晨再重新搬出来；中午阳光炽烈的时候，她就用一小块麻布给罩起来。她不时地跑进跑出，不是掸去沾染枝叶的尘土、摘掉偶然发现的枯叶，就是浇水、捉虫。

在当地的条件下，郁金香是长不好的，只有在炎热的地方，它才能长得枝繁叶茂。正是由于这个原因，我的邻居才对她的花那么精心地加以照料。早在好几

作者简介

德佩雷拉（1872—1968），墨西哥女作家。著有长篇小说、短篇小说、诗歌、散文多部。《郁金香》是其比较有代表性的一篇叙事散文。她文笔细腻、擅长抒情，作品具有地方特色和当代风范。

个月之前她就把种子埋进了土里，直到现在它才初具样子，开始抽枝发芽，尽管还很柔弱、单薄，但毕竟还是就要开花了。

从姑娘挨近花盆时脸上流露出来的欣喜神态，我猜想这株花的枝头一定已经长出了第一个花骨朵儿了。

后来，我从这位漂亮的女工跟她楼上的邻居——她的追求者之一——的谈话中得到了证实。

"您一定非常高兴吧。几个月的苦心总算有了结果。很快您就能亲手摘下一朵美丽的郁金香啦。您打算把它和您的心一起送给谁呢？"

姑娘非常羞怯地回答：

"可能什么人也不给，我决不会把这朵朝思暮想的鲜花给摘下来的。它应该就在原来的枝头上凋谢。我还没有蠢到那种地步，让自己花费的如此巨大的心血毁之于一个短暂的瞬间。这是一个原因啰，再说，我还想过我还没要把我的心和这朵郁金香一起送给别人呢。"

"您瞧，我的好邻居，时间不饶人哪。春天已经到了，这可是谈情说爱的大好时机。您看那些小鸟，没有一只是独自飞翔的。您再瞧瞧这些盆花，全都在开花了。还有什么可说的呢？就说您这迟迟不开的郁金香吧，今天，终于结了一个花骨朵儿。我的好邻居！您就可怜可怜我吧，您就痛痛快快地答应接受我做您的丈夫吧！"

女工的脸上泛起了红晕。

"您需要的不是妻子，而是理智。"

"如果您爱我，我就会有理智的。"

姑娘楼下的邻居是一个拘谨而又漂亮的小伙子，此刻，也正好站在自家的阳台上。他听了两个人的对话之后，皱了皱眉头，但却没动声色，因为他也爱着那个织花边女工。

我是在绣花的时候，从窗口发现这个不善交际的小伙子的秘密的。不过，时至今日，他和心中的恋人一共也没有说过几句话。

我觉得他既腼腆又内向，既敏感又多情。

很久以前，我偶然发现，有一次，他趁女邻居不在的空隙，把一封信扔到了她的阳台上。

他是否收到了回信，我不得而知；不过每当姑娘来到阳台上的时候，他几乎连仰起头来跟她表示爱慕之情的勇气都没有，只能简单地寒暄几句。

"天气真好，小姐！"

"是啊，真好。对我的郁金香来说，可真是再好不过了。"

"您不再为它担心啦？"

"不啦，已经不担心了，现在它长得可好啦，又长出了两片叶子。"

"谢天谢地，您总算如愿了。您为这株花可真是操尽了心啊！"

"是啊，的确是这样，我把空闲时间全搭上了。"

"您的空闲时间实在少得可怜，小姐！我看您太辛苦了……有时候，已经很晚很晚了，我还见您房里的灯光映在对面的墙上。您会累病的。"

"不会的，我身体很好。上帝会保佑我的。"

"但愿如此。"

小伙子的声音微微发颤，美好的憧憬使他的眼睛显得更加美丽。可是，姑娘却没法看到他眼神的含义，因为他已经闭上了眼睛。

"回头见，先生。"姑娘说着转身走进屋里。

"回头见，小姐。"

这种一向质朴的谈话，给我留下了极好的印象。

我的女邻居的确太忙。我总是看见她手里拿着编织针，不停地织呀、织呀，简直就像一只不知闲的小蜘蛛。她织出来的花边是多么轻巧、多么精美啊！……真可以说，仿佛一阵风就能吹破。一会儿是条边，一会儿是荷叶边，一会儿方，一会儿圆。丝线在她手中的活计上面宛如蝴蝶一般随意飞舞，看着它，真会觉得眼花缭乱。姑娘用她那双巧手麻利而又熟练地摆弄着根根丝线，又是穿、又是扯、又是捋。丝线也真听话，总是乖乖就范。

姑娘整天忙碌。她有时候嘴里哼着歌儿，有时候我又觉得她是在凝神沉思，好像手头碰到了难题。

楼下的邻居显然是放心不下，总是默默地仰望着她的阳台。

楼上的邻居却老是兴高采烈、笑容可掬，也常常低头注视着同一个地方，并且总能找到甜言蜜语和姑娘搭讪：

"您的脸蛋儿越来越漂亮，真像是两朵盛开的玫瑰。"

姑娘进进出出，虽然没有直接对答，但唇边却笑意盎然。

这位风流少年可能最后如愿吗？

这是谁也说不清楚的。姑娘还没有表露她的心愿，不过，这位小伙子却老是在用话语、用笑脸、用炽热的眼神把她纠缠。

在姑娘专心致志地编织着花边的同时，小伙子正在巧妙地铺排着俘获她的情网。这已经是由来已久的事情了。他能成功吗？谁知道呢？

我的女邻居终于盼来了这个欣喜的时刻：今天早晨花苞绽开了，一朵美丽的郁金香，红得像是一团炽烈的炭火，迎着春光展开了自己的花瓣。

姑娘喜不自胜，第一次忙中偷闲，心醉神迷地站在那初放的花前。

我坐在自己的屋角里分享着她的欢乐，并且尽量不引起姑娘的注意。她楼下的邻居也一定非常高兴，不过，他不在家。这是我从他那关着的阳台玻璃门上知道的。可是，她楼上的邻居却赶上了，如同表述大家的喜悦心情一般，连连发出赞叹：

"太好了！太好了！现在咱们来好好庆祝一番！郁金香开花了。求求您，我的邻居……把这朵花送给我吧！我每天都在算着它开花的日子，比您还着急呢。它是属于我的，我有权得到它。您要是不给我，我也会把它偷到手的。它属于我，因为我爱您。街上没有人，谁也听不见。让我再说一遍：我爱您，我喜欢您，我崇拜您！把花送给我吧，我的好邻居！请您把它给我吧，否则，我就从这儿下去自己动手摘啦！"

小伙子说得很坚决。看样子要贸然采取行动。姑娘像一只受惊的鸽子一样犹豫不决，她满面绯红，两手颤抖，虽然这样，但她的唇边和眼角却似乎流露出某种满意神情……

"邻居，快把花给我!"

他的语气像是命令，不过，却又非常得体，强制之中包含着并未尽言的柔情蜜意。

"快点，快点!会有人来的。快把花给我……要不，我马上就从这儿下去自己动手啦!"

姑娘恳求地仰起脸，想要自卫，但小伙子却投给她火一般深情目光。这还不算，他还做出了想要从阳台下来的样子。

姑娘被吓坏啦，终于屈服了。她走到花盆跟前，摘下花扔到楼上，然后就跑进卧室，隐没在屋子里了。

楼上的邻居得意地拾起了花朵，热切地吻了一下，就插进了衣领上的扣眼里。他先是哼起轻快的小调，没过一会儿，就随身带着那朵花从家里走了出去。

这时，我难过地想着那朵刚刚开放就被摘了下来的郁金香。同时也凄然想起……不过，我的痛苦与我邻居的罗曼史毫无关系；那么，咱们还是只讲有关她的事情吧。

那位幸运的小伙子走后不久，美丽的姑娘就又来到阳台上用麻布罩起了花盆，因为阳光又变得火辣辣的了。

这真是一个令人欢快的明媚早晨。整个天空犹如一顶硕大无朋的蓝缎华盖。

这时候，那位一大早就出了门、整个上午都没露面的楼下邻居，突然出现在阳台上了。

姑娘一看见他，就轻轻地发出了一声惊叫，我也跟着叫了一声……因为，这位急匆匆赶回来的人手里拿着一朵鲜红的郁金香……

姑娘和我都感到困惑不解，期待着……

"小姐，"小伙子恭恭敬敬地仰起脸说道，"今天早上我出门以前，看到您的花盆里开出了第一朵花，可是当我现在回来的时候，却非常痛心地发现它被扔到了街上。这条街上只有您养着郁金香，所以我猜想这是您的。后来看到花盆里果然没有花了，知道这花确实是您的，一定是风把它吹落到了街上。幸好我来得及时，才能把它捡回来还给它的主人。您拿去吧，小姐。如果您愿意，我就上楼给您送去。"

小伙子的脸上带着质朴的甜蜜神情。当他举目凝望女友的时候，眼睛里闪烁着温柔的光芒。小伙子手举郁金香站在阳台下面，真是一幅情趣无穷的图画。

当楼下邻居说话的时候，姑娘心中真是百感交集。她脸上流露出惊奇、气愤、鄙夷和轻蔑的表情，不过，此刻却似乎又满含着一片柔情，带着甜蜜的笑意。

小伙子还憨厚地站在那里重复着：

"小姐，这是您的郁金香；如果您愿意，我就上楼给您送去。"

然而，结果姑娘却说：

"不，不，先生，不要给我啦；如果您喜欢，那您就留下吧……"

"那怎么行！"小伙子怯生生地说，"我可以把这朵花留下？"

姑娘也羞涩地回答：

"对，您可以留下，我希望您把它留下……"

两个人都不再说话了，这时，正有一群欢快的燕子吱吱喳喳地从街上飞过，好像是在为此时此刻唱着赞歌。

美/文/赏/析

《郁金香》是墨西哥女作家德佩雷拉的一篇叙事散文。文章以郁金香作为线索，讲了一个女孩和两个青年的情感故事，并借故事来表达作者对于爱情的看法。文章以女性作家独特的视角来关注青年一代的爱情世界，并运用散文诗式的语言来表达，使读者在欣赏女作家细腻文笔的同时，享受浓烈的抒情气息。

文中有三个人物：漂亮但出身贫寒的女工、楼上善于甜言蜜语的小伙子、楼下腼腆内向的青年，这三个人的性格发展是随着故事情节的展开而一步步丰满的。郁金香是一条贯穿文章始终的线索，串起不同性格的几个人物。郁金香的种植、抽芽、成长、打苞、盛开的经过，可以代表美丽姑娘的爱情成长过程，而玫瑰的采摘者就成了俘虏姑娘爱情的人。但当郁金香盛开的花朵被花言巧语者无理地采摘而又遭无情遗落时，多情而憨厚的小伙子手捧被遗弃的鲜花讷讷告白，爱情的纯真境界也得到了最纯真的境界。"小伙子手举郁金香站在阳台下面，真是一幅情趣无穷的图画"，这样的语言，正表示了作者对这种朴素、真挚的爱情的赞同。

另外，诗歌化的语言，使这篇散文充满欢快的节奏感，让读者在享受朴素纯真思想滋养的同时，领受文采的优美。

林中小溪

/普里什文

入选理由……………………………………
至真至纯的艺术境界
文笔清丽，意境隽永
写景散文中的名篇

如果你想了解森林的心灵，那你就去找一条林中小溪，顺着它的岸边往上游或者下游走一走吧。刚开春的时候，我就在我那条可爱的小溪的岸边走过。下面就是我在那儿的所见、所闻和所想。

我看见，流水在浅的地方遇到云杉树根的障碍，于是冲着树根潺潺鸣响，冒出气泡来。这些气泡一冒出来，就迅速地飘走，不久即破灭，但大部分会漂到新的障碍那儿，挤成白花花的一团，老远就可以望见。

水遇到一个又一个障碍，却毫不在乎，它只是聚集为一股股水流，仿佛在避免不了的一场搏斗中收紧肌肉一样。

水在颤动。阳光把颤动的水影投射到云杉树和青草上，那水影就在树干和青草上忽闪。水在颤动中发出淙淙声，青草仿佛在这乐声中生长，水影显得那么调和。

流过一段又浅又阔的地方，水急急注入狭窄的深水道，因为流得急而无声，就好像在收紧肌肉，而太阳不甘寂寞，让那水流的紧张的影子在树干和青草上不住地忽闪。

如果遇上大的障碍物，水就嘟嘟哝哝地仿佛表示不满，这嘟哝声和从障碍上飞溅过去的声音，老远就可听见。然而这不是示弱，不是诉怨，也不是绝望，

作者简介

　　普里什文（1873—1954），出生于俄国一个破败的地主家庭。代表作有长篇小说《恶老头的锁链》，中篇小说《人参》，长诗《叶芹草》，游记特写《在鸟类不受惊的地方》，物候学札记《大自然的日历》。

这些人类的感情，水是毫无所知的。每一条小溪都深信自己会达到自由的水域，即使遇上像厄尔布鲁士峰一样的山，也会将它劈开，早晚会到达……

太阳所反映的水上涟漪的影子，像轻烟似的总在树上和青草上晃动着。在小溪的淙淙声中，饱含树脂的幼芽在开放，水下的草长出水面，岸上青草越发繁茂。

这儿是一个静静的深水潭，其中有一棵倒树，有几只亮闪闪的小甲虫在平静的水面上打转，惹起了粼粼涟漪。

水流在克制的嘟哝声中稳稳地流淌着，他们兴奋得不能不互相呼唤：许多支有力的水都流到了一起，汇合成了一股大的水流，彼此间又说话又呼唤——这是所有来到一起又要分开的水流在打招呼呢。

水惹动着新结的黄色花蕾，花蕾反又在水面漾起波纹。小溪的生活中，就这样一会儿泡沫频起，一会儿在花和晃动的影子间发出兴奋的招呼声。

有一棵树早已横堵在小溪上，春天一到竟还长出了新绿，但是小溪在树下找到了出路，匆匆地奔流着，晃着颤动的水影，发出潺潺的声音。

有些草早已从水下钻出来了，现在立在溪流中频频点头，算是既对影子的颤动又对小溪的奔流的回答。

就让路途当中出现阻塞吧，让它出现好了！有障碍，才有生活：要是没有的话，水便会毫无生气地流入大洋，就像不明不白的生命离开毫无生气的机体一样。

途中有一片宽阔的洼地。小溪毫不吝啬地将它灌满水，并继续前行，而留下那水塘过它自己的日子。

有一棵大灌木被冬雪压弯了，现在有许多枝条垂挂到小溪中，煞像一只大蜘蛛，灰蒙蒙的，爬在水面上，轻轻摇晃着所有细长的腿。

云杉和白杨的种子在漂浮着。

小溪流经树林的全程，是一条充满持续搏斗的道路，时间就由此而被创造出来。搏斗持续不断，生活和我的意识就在这持续不断中形成。

是的，要是每一步没有这些障碍，水就会立刻流走了，也就根本不会有生活和时间了……

小溪在搏斗中竭尽力量，溪中一股股水流就像肌肉似的扭动着，但是毫无疑问的是，小溪早晚会流入大洋的自由的水中，而这"早晚"就正是时间，正是生活。

一股股水流在两岸紧挟中奋力前进，彼此呼唤，说着"早晚"二字。这"早晚"之声整天整夜地响个不断。当最后一滴水还没有流完，当春天的小溪还没有干涸的时候，水总是不倦地反复说着："我们早晚会流入大洋。"

流净了冰的岸边，有一个圆形的小湾。一条在发大水时留下的小狗鱼，被困在这水湾的春水中。

你顺着小溪会突然来到一个宁静的地方。你会听见，一只灰雀的低鸣和一只苍头燕雀惹动枯叶的簌簌声竟会响遍整个树林。

有时一些强大的水流，或者有两股水的小溪，呈斜角形汇合起来，全力冲击着被百年云杉的许多粗壮树根所加固的陡岸。

真惬意啊：我坐在树根上，一边休息，一边听陡岸下面强大的水流不急不忙地彼此呼唤，听它们满怀"早晚"必到大洋的信心互打招呼。

流经小白杨树林时，溪水浩浩荡荡像一个湖，然后集中流向一个角落，从一米高的悬崖上落下来，老远就可听见哗哗声。这边一片哗哗声，那小湖上却悄悄地泛着涟漪，密集的小白杨树被冲歪在水下，像一条条蛇似的一个劲儿想顺流而去，却又被自己的根拖住。

小溪使我留连，我老舍不得离它而去，因此反而觉得乏味起来。

我走到林中一条路上，这儿现在长着极低的青草，绿得简直刺眼，路两边有两道车辙，里边满是水。

在最年轻的白桦树上，幼芽正在舒青，芽上芳香的树脂闪闪有光，但是树林还没有穿上新装。在这还是光秃秃的林中，今年曾飞来一只杜鹃：杜鹃飞到秃林子来，那是不吉利的。

在春天还没有装扮，开花的只有草莓、白头翁和报春花的时候，我就早早地到这个采伐迹地来寻胜，如今已是第十二个年头了。这儿的灌木丛、树木，甚至树墩子我都十分熟悉，这片荒凉的采伐迹地对我说来是一个花园：每一棵灌木，每一棵小松树、小云杉，我都抚爱过，他们都变成了我的，就像是我亲手种的一样，这是我自己的花园。

我从自己的"花园"回到小溪边上，看到了一件了不得的林中事件：一棵巨大的百年云杉,被小溪冲刷了树根,带着全部新、老球果倒了下来,繁茂的枝条全都压在小溪上,水流此刻正冲击着每一根枝条,还一边流,一边不断地互相说着:"早晚……"

小溪从密林里流到旷地上,水面在艳阳朗照下开阔了起来。这儿水中蹿出了第一朵小黄花,还有像蜂房似的一片青蛙卵,已经相当成熟了,从一颗颗透明体里可以看到黑黑的蝌蚪。也在这儿的水上,有许多几乎同跳蚤那样小的浅蓝色的苍蝇,贴着水面飞一会就落在水中;他们不知从哪儿飞出来,落在这儿的水中,他们的短促生命,就好像这样一飞一落。有一只水生小甲虫,像铜一样亮闪闪,在平静的水上打转。一只姬蜂往四面八方乱窜,水面波纹却纹丝不动。一只黑星黄粉蝶,又大又鲜艳,在平静的水上翩翩飞舞。这水湾周围的小水洼里长满了花草,早春柳树的枝条也已开花,茸茸的像黄毛小鸡。

小溪怎么样了呢?一半溪水另觅路径流向一边,另一半溪水流向另一边。也许是在为自己的"早晚"这一信念而进行的搏斗中,溪水分道扬镳了:一部分水说,这一条路会早一点儿到达目的地,另一部分水认为另一边是近路,于是他们分开了,绕了一个大弯子,彼此之间形成了一个大孤岛,然后又重新兴奋地汇合到一起,终于明白:对于水来说没有不同的道路,所有道路早晚都一定会把它带到大洋。

我的眼睛得到了愉悦,耳朵里"早晚"之声不绝,杨树和白桦幼芽的树脂的混合香味扑鼻而来。此情此景我觉得再好也没有了,我再不必匆匆赶到哪儿去了。我在树根之间坐下去,紧靠在树干上,举目望那和煦的太阳,于是,我梦魂萦绕的时刻翩然而至,停了下来,原是大地上最后一名的我,最先进入了百花争艳的世界。

我的小溪到达了大洋。

美/文/赏/析

普里什文善于描写大自然,讴歌与大自然紧密相连的人的创造性劳动。森林、小溪、花朵、蘑菇是普里什文文章中常见的自然景物,他一方面擅长对这些自然景物进行生动的描摹;另一方面又多将主题放在对物外之境的追求上。他笔下的大自然,生机勃勃,色彩斑斓,充满着令人感动的人间哲理和诗意。《林中小溪》是普里什文一篇比较知名的写景散文。作者以轻快、流利的文笔写春日小溪生机勃勃的姿态。通篇运用拟人手法,使笔下的小溪更增加了生命气息。而小溪不知疲惫流淌,对远方孜孜不倦的追求,也正是作者乐观向上精神的反映。"有障碍,才有生活""我们早晚会流入大海",这些富有人生哲理的语句,更显示了作者对于生活和未来的美好向往。

生活对我意味着什么

/ 杰克·伦敦

入选理由……………………………………

健康人生态度的流露

热情的感染力

一个无产阶级革命者的成长之路

我出生在一个工人家庭，很早就显得热情洋溢，有雄心壮志，富于理想；我的环境是粗野、鄙俗、不文雅的。我不是向前看，而是往上瞧。我处在社会的底层。在这里生活肉体上和精神上所赐予的是肮脏和不幸；在这里肉体上和精神上都同样忍饥挨饿，遭受折磨。

在我上面耸峙着巍峨的社会大厦。我认为唯一的出路就是往上爬。很早我就决定在这幢大厦里进行攀登。在上层，男人们穿黑衣服和硬胸衬衫，妇女们穿漂亮的长裙。他们大吃大喝，食不厌精，心广体胖，至于精神方面，我知道在我上面的人，都大公无私，心地纯洁高尚，学识渊博。我读了"海滨文库"的一些小说，才了解这一切，在这些小说里，除了坏人和女投机分子外，所有的男人和女人都是嘉言懿行，兰心蕙性。总之，我像承认太阳升起一样，承认上层社会的人都是善良、高尚、文雅的，所有这些带来了举止端庄和可敬的品德，使得生活有意义，报偿了人们的辛劳和痛苦。

作者简介

杰克·伦敦（1876—1916），美国作家。生于破产的农民家庭，从小靠出卖劳力为生，曾卖报、卸货、当童工。成年后当过水手、工人，曾去阿拉斯加淘金，得了坏血症。从此埋头读书写作，成为职业作家。19世纪90年代他参加社会主义运动，1905年后参加社会党的活动，此间创作了一些优秀的现实主义作品。到后期，杰克·伦敦逐渐脱离社会斗争，追求个人享受。1916年他在精神极度苦闷空虚中服毒自杀。

但是要向上攀登脱离工人阶级不是很容易的——特别是当他具有理想和抱负。我住在加利福尼亚的一个牧场，很难找到攀登的阶梯，我早就在打听投资的利率，童稚的头脑里为了领略人类卓越的创造和增加财富而操心。我进一步弄清了各种年龄工人的工资等级和生活费用。从这些材料我得出结论，如果我从现在开始劳动和积蓄，当我50岁时，就可以停止劳动，通向高一层社会的门将向我打开，可以进去分享一份欢乐和美好。当然我断然决定不结婚，但我完全忘却工人们的巨大灾难——疾病。

我要求过的不仅仅是一种节衣缩食、拮据贫乏的生活。10岁时，我就成为一个城市大街上的报童，改变了向上的看法。在我周围仍然是同样的肮脏和不幸。在我的上层，仍然是等待着我的可以达到的天堂；但是有了一个不同的攀登阶梯。现在这个阶梯就是做生意。为什么我不把收入积攒起来，投资于政府公债，我用五分钱买两份报，转手之间就卖一角，把我的资本增加一倍？做生意的阶梯是为我配备的阶梯，我幻想成为一个秃头的成功的商业大亨。

这些倒霉的幻景！在我16岁时我就已经得到了"王子"的称号，这称号是一帮凶手和窃贼封给我的，我被他们叫做"捕蠔贼王子"，那时我已经攀登上了做生意阶梯的第一级。我是一个资本家，我拥有一条船和一套偷捕牡蛎的完整设备。我开始剥削我的同胞。我有一个船员。作为船长，我占有所有战利品的三分之二，给那位船员三分之一。虽然他和我一样艰苦劳动，而且冒着失去生命和自由的风险。

这一级是我攀登做生意的阶梯的顶点。有一天晚上我去袭击一群中国渔民。绳索和渔网都是值钱的。我承认这是抢劫，但这是地道的资本主义精神。资本家通过回扣、拒付赊账款以及收买参议员和法官，对同胞进行巧取豪夺。我用的仅仅是粗暴的手段。这就是唯一的区别。我使用了一杆枪。

然而我的船员那天晚上却显得很不卖力。对于这种人，资本家通常是一顿臭骂，因为，说真的，不卖力会增加开销和减少利润。我的船员造成了这两方面的损失。由于他的疏忽使主帆着火，把它付之一炬。那晚上没有得到任何利润，我破产了，无力花65美元去买一张新的主帆。我离开了我的停泊着的船，登上一艘海湾海盗船，溯萨克门托河而上，准备进行一次袭击。然而就在途中，另一帮海盗袭击了我的船。他们抢走一切东西，甚至锚；后来我找到了漂流的船壳，把它卖了20美元。我从攀登上的第一级滑了下来，再也不去攀登那做生意的阶梯。

从此以后，我遭受其他资本家的残酷剥削。我有力气，他们靠它赚钱，而我自己却过着清苦的生活。我是一个水手，一个海岸散工，一个码头搬运工；我在罐头厂、工厂和洗衣房工作；我锄草地，清洗地毯，擦窗户。我从来没有得到过我劳动的全部产品。我瞧着罐头厂主的女儿，她坐在马车里，我懂得正是我的部分力气，拖着这辆有橡皮轮胎的马车前进。我瞧着工厂厂主的儿子，他正在上学，我懂得正是我的部分力气，支付他的酒费和学费。

但我对这并不憎恨。所有一切都处在一场竞争中，他们是强者。很好，过去我也曾是强者。我要打通一条道路去置身他们之间，还要用别人的力气来赚钱。我不害怕劳动，我爱艰苦的劳动。我愿比过去更加紧张更加辛勤地劳动，最后成为社会的一根支柱。

就在这时，我有幸找到一个和我有同样想法的雇主。我愿意劳动，他更愿让我劳动。我认为我是在学一门手艺。其实我替代了两个人。我认为他是培养我成为一名电工；事实上他每月从我身上赚50美元；我替代的两个人每人每月拿40美元；我干两个人的活每月只拿30美元。

雇主用沉重的劳动把我累得要死。人们爱吃牡蛎，但是太多的牡蛎会使人对那种佳肴倒胃口。对我也是如此。过多的劳动使我厌恶它。我不愿再看见劳动，我逃避劳动。我变成一个流浪汉，挨家挨户乞讨。在美国大地漂泊，在贫民窟和监狱里干苦力活。

我出生在工人家庭，现在我已经18岁，还处在我刚开始的那条线下。我被打落在社会底层。被打落在苦难的地下深处。我是在地狱里，在深渊里，在人类的污水池里，在我们文明的废墟上与停尸所里。这是被社会所忽视的社会大厦的一部分。由于篇幅关系我在这儿把它从略，我要讲的是在那里看到的使我大吃一惊。

在惊恐中我沉思。我看到我所居住的复杂的文明世界真够愚钝。生活不过是饮食和居住。为了获得食物和住所，人们出卖物品。商人卖鞋，政治家出卖人格，人民代表除掉少数例外，出卖信誉；几乎所有的人都出卖他们的节操。女人也一样，她们流落街头或者尚为神圣的婚约所羁束，愿意出卖她们的肉体。一切东西都是商品，所有的人都买和卖。工人所能出卖的商品是力气，工人的节操在市场上是没有价格的。工人有力气，而且只有力气能出卖。

但是有一个差别，一个重要的差别。鞋和信誉和节操有办法更新，它们是永久的存货。在另一面，力气却不能更新。当商人卖鞋，他不断补充他的存货，但没有办法去更新劳动者的力气存货。他出卖的力气越多，留给自己的就越少。它是他的唯一商品，每天他的存货在减少，到头来，他不是早夭，就是出卖或关掉他的铺子。他是一个力气的破产者，他一无所有，跌入社会的底层，悲惨地死去。

我进一步懂得，脑力也是一种商品，它和力气不一样。出卖脑力的人只有在他的鼎盛时期，即 50 或 60 岁时，他的货品能以空前高的价格出卖。但一个劳动者在 45 或 50 岁就筋疲力竭或身体垮了。我曾在社会的底层待过，可不愿把那里当作住所。那儿的水管的排水沟是不卫生的，空气恶浊得令人窒息。如果我不能住在社会的厅堂，无论如何也要力图住进阁楼。其实那儿的膳食不佳，但至少空气是清新的，因此我决定不再出卖力气，我要成为一个脑力出卖者。

于是开始狂热地追求知识，我回到加利福尼亚，打开书本。当我装备我自己成为一个脑力商人，不可避免地我要钻研社会学。我发现在某些书中科学地制定了我自己业已得出来的简单的社会学概念。在我出生之前，其他伟大人物已经解决了我所有思考过的问题，而且大大超过我。我发现我是一个社会党人。

社会党人是革命者，因此他们致力于推翻现在的社会，去建立一个未来的社会。我也是一个社会党人和一个革命者，我加入了工人阶级和革命知识分子的行列，我第一次过着知识分子的生活。在这里我发现了许多聪慧的知识分子和卓越的智者；在这里我遇见了身强力壮、才思敏捷的同时满手是茧的工人阶级成员；拒绝拜金主义而被免职的传教士；教授们被那些屈从统治阶级的大学所绞杀和抛弃，因为他们学识渊博并力图使之应用于人类事物。

在这里我还发现对人类的热烈信念，光辉的理想，大公无私，自我克制和舍身赴义——所有这些都是精神世界中壮丽的激动人心的东西。这里的生活是纯洁的，高尚的，活泼的。在这里生活改善着它自己，变得美好和愉快；我乐于生活，我接触过一些伟大人物，他们赞美高尚的精神，鄙弃金钱。他们关心啼饥号寒的贫民窟儿童胜过金碧辉煌的商业扩展和世界帝国。在我周围的是崇高的目标和英雄主义行为，我的日日夜夜都是阳光和煦，星光灿烂，火焰在我眼前永远燃烧着。圣杯，基督的圣杯，热情的人类，长期以来的受难和受虐待，最终得到了拯救。

我，愚昧无知的我，认为这是预先尝到了上层社会生活乐趣。自从我在加利福尼亚读了"海滨文库"的小说后，便失去了许多幻想。我注定还要失去许多至今仍保留着的幻想。

作为一个脑力商人我是成功的，社会的门对我大开着。我登堂入室，我的幻灭在迅速增长。我坐下来同社会的主人们，同社会主人的妻女们共餐。淑媛们穿着漂亮的长裙，使我吃惊的是我发现她们和下层妇女具有相同的体质与天赋。

不是这些，而是她们的实利主义使我大为震惊。说真的，这些装束入时的漂亮妇女也侈谈理想和道德；但是撇开她们的言论，她们生活的基调是实利主义。她们是这样自私！她们资助各种慈善事业，并以此向人吹嘘，然而她们的锦衣玉食都是用沾满童工、汗流浃背的工人以及妓女们的鲜血的利润买来的。当我谈到这些事实，天真地希望她们立刻脱下她们染血的绸衣和珠宝，她们却显得激动愤怒，喋喋不休地说什么是铺张、酗酒和天生的邪恶导致下层社会的贫困。当我谈到了不应归罪于一个六岁的孩子，说他铺张、酗酒和邪恶，他饿得半死，被迫到一家南方纺织厂每晚干 12 小时活，这些淑媛们就大肆攻击我的私生活，把我叫做"煽动者"——就这样结束了这场争论。我来往于那些身居高位的人们中——牧师、政客、商人、教授和记者之中。我同他们一块吃肉，一块饮酒，一块乘汽车，研究他们。我发现他们对于腐败现象、糜烂的生活麻木不仁，他们是没有被埋葬的死人。

我遇到这样一些人，他们祈求和平反对战争，但却把枪支交给工贼们去射杀他们自己工厂的罢工工人。我遇到过这样一些人，他们对职业性拳击赛的残忍义愤填膺，但同时却参与食物的掺假，每年杀害的婴儿比满手鲜血的义律王杀的人还多。

我在旅馆和俱乐部，在家里和火车卧车以及轮船的躺椅上同工业巨头们谈话，对他们知识之贫乏感到惊奇。另一方面，我发现他们做生意的知识都是畸形发展的。我还发现，他们的道德，凡是牵涉到生意经的等于零。

这些温文尔雅、贵族气派十足的绅士是木偶戏的导演，是各大公司的工具，他们掠夺孤儿寡妇。这些绅士还附庸风雅，他们搜集善本书，充当文学的保护人，却向一个脑肥肠满面色阴郁的市政机器老板交纳保护费。这些编辑们刊登专利药品广告，却不敢在他的报纸上透露这些所谓专利药品的真象，因为害怕失去广告。他们反而把我叫做造谣生事的恶棍，因为我告诉他，他的政治经济学是陈旧的，他的生物学还是普林尼时代的。

这位参议员不过是一位粗鲁的没有文化的机器业大亨的工具、奴仆和小小傀儡；这位州长和这位最高法官也是如此；这个人严肃热烈地侈谈理想主义的美妙和上帝的仁慈，恰恰就是他在商业交易中出卖了他的同伙；这个人是教堂的支柱，又大量资助到国外传教，却让他商店中的女售货员每天工作 10 小时，而获得的工资不足糊口，因此他直接鼓励卖淫；这个人向大学捐赠讲座基金，但在一件经济案件中却在法庭上作伪证；这位铁路巨子丧失了绅士和基督徒的身份，当他给两位工业巨头中的一位以秘密回扣并同他们在一场殊死斗争中抱成一团。

我发现我不爱住在社会的厅堂里了。在理智上我感到厌烦它。道义精神上对它十分厌倦。我想起了我的知识分子，我的理想主义者，我的被免职的传教士，被压垮了的教授和心地纯洁有阶级觉悟的人。我想起我的那些阳光和煦、星光灿烂的日日夜夜，在那里生活是一个甜美的奇迹，一个无私的道德高尚的精神乐园。我瞧见在我前面燃烧着圣杯。

我回到工人阶级中来了，我生长于斯，是其中的一个成员。我不再打算往上爬。

那强加在我头上的社会大厦，不再使我感到愉快。我感兴趣的是大厦的基础。我安心劳动，手执铁锹，同知识分子、理想主义者和有阶级觉悟的工人肩并肩，不时给大厦狠狠地一撬，使它动摇。总有一天，当我有了更多的人手和铁锹，我们定会把它推翻，连同它的腐朽生活、没有埋葬的死人、它的穷凶极恶的自私自利的腐败的实用主义。然后我们要清扫地下室，建设一所人类的新居。在那里没有华丽的厅堂，在那里所有的房间都明亮、畅爽，在那里所呼吸的空气将是清洁高尚、活泼的。

这就是我的展望。我期待着有一天，人们获得的进步将远较填满肚皮更有价值，更崇高。有一天将有一种更好的刺激去推动人们行动，而今天这种刺激就是填满肚皮。我对人类的高尚和美德持有信心。我坚信精神上的美好和大公无私将战胜贪得无厌。最后，我的信心在工人阶级。正如某些法国人说的，"在时间的楼梯上永远震响着木屐往上走，擦亮的皮靴向下行的声音。"

美/文/赏/析

经历会影响一个作家的思想和创作，如同一株花朵，它枝叶的繁茂程度，或多或少是取决于它受到浇灌的程度。一个人经历的风雨，就如同一株小花受到的浇灌，生活的风风雨雨浇灌了他，他的人生会随之丰盈，他的思想也会随之圆熟。《生活对我意味着什么》记录了杰克·伦敦丰富的人生之路，这篇文章以自传体的形式，向我们展露了一个真实的杰克·伦敦。

他出生在美国加利福尼亚州一个普通的工人家庭，童年时就饱尝了贫穷困苦的滋味，8岁时，为了谋生，不得不到一个畜牧场当牧童。10岁以后的他，开始在旧金山附近的奥克兰市当报童。16岁时，他失业了，不得不在美国东部和加拿大各地流浪，住在大都市的贫民窟里。这就是《生活对我意味着什么》中，杰克·伦敦真实的少年生活。然而这一切并没有阻止他"狂热地追求知识"，这种追求的执着又使他发现"人类的热烈信念，光辉的理想"，最终使他的信心在工人阶级中，"在时间的楼梯上永远震响着木屐往上走"。

《生活对我意味着什么》虽然是一篇随笔，却充分体现着作者作品中一贯的现实主义风格，一直深深吸引着不同时代、不同经历的读者。我们品读着这篇文章，也在拜读着杰克·伦敦的一生。

农舍

/黑塞

我在这幢房屋边上告别。我将很久看不到这样的房屋了。我走近阿尔卑斯山口，北方的、德国的建筑款式，连同德国的风景和德国的语言都到此结束。

跨越这样的边界，有多美啊！从好多方面来看，流浪者是一个原始的人，一如游牧民较之农民更为原始。尽管如此，克服定居的习性，鄙视边界，会使像我这种类型的人成为指向未来的路标。如果有许多人，像我似的由心底里鄙视国界，那就不会再有战争与封锁。可憎的莫过于边界，无聊的也莫过于边界。它们同大炮，同将军们一样，只要理性、人道与和平占着优势，人们就感觉不到它们的存在，无视它们而微笑——但是，一旦战争爆发，疯狂发作，

黑塞像

作者简介

黑塞（1877—1962），20世纪著名的德语作家和诗人，生于德国，晚年入瑞士籍。著有诗集《浪漫主义之歌》，小说《在轮下》《荒原狼》等。1946年获诺贝尔文学奖。

它们就变得重要和神圣。在战争的年代里，它们成了我们流浪人的囹圄和痛苦！让它们见鬼去吧！

我把这幢房屋画在笔记本上，目光跟德国的屋顶、德国的木骨架和山墙，跟某些亲切的、家乡的景物一一告别。我怀着格外强烈的情意再一次热爱家乡的一切，因为这是在告别。明天我将去爱另一种屋顶，另一种农舍。我不会像情书中所说的那样，把我的心留在这里。啊，不，我将带走我的心，在山那边我也每时每刻需要它。因为我是一个游牧民，不是农民。我是背离、变迁、幻想的崇敬者。我不屑于把我的爱钉死在地球的某一点上。我始终只把我们所爱的事物视作一个譬喻。如果我们的爱被钩住在什么上，并且变成了忠诚和德行，我就觉得这样的爱是可怀疑的。

再见，农民！再见，有产业的和定居的人、忠诚的和有德行的人！我可以爱他，我可以尊敬他，我可以嫉妒他。但是我为模仿他的德行，已花费了半辈子的光阴。我本非那样的人，我却想要成为那样的人。我虽然想要成为一个诗人，但同时又想成为一个公民。我想要成为一个艺术家和幻想者，但同时又想有德行，有家乡。过了很久以后，我才知道不可能两者兼备和兼得，我才知道自己是个游牧民而不是农民，是个追寻者而不是保管者。长久以来我面对众神和法规苦苦修行，可它们对于我却不过是偶像而已。这是我的错误，这是我的痛苦，这是我对世界的不幸应分担的罪责。由于我曾对自己施加暴力，由于我不敢走上解救的道路，我曾增加了罪过和世界的痛苦。解救的道路不是通向左边，也不是通向右边，它通向自己的心灵，那里只有上帝，那里只有和平。

从山上向我吹来一阵湿润的风，那边蓝色的空中岛屿俯视着下面的另一些国土。在那些天空底下，我将会常常感到幸福，也将会常常怀着乡愁。我这样的完人，无牵挂的流浪者，本来不该有什么乡愁。但我懂得乡愁，我不是完人，我也并不力求成为完人。我要像品尝我的欢乐一般，去品尝我的乡愁。

我往高处走去时迎着的这股风，散发着彼处与远方、分界线与语言疆界、群山与南方的异香。风中饱含着许诺。再见，小农舍，家乡的田野！我像少年辞别母亲似的同你告别：他知道，这是他辞别母亲而去的时候，他也知道，他永远不可能完完全全地离开她，即使他想这样做也罢。

美/文/赏/析

"由于他的富于灵感的作品具有道劲的气势和洞察力，也为崇高的人道主义理想和高尚风格提供一个典范"，黑塞的作品曾经在1946年获得诺贝尔文学奖。我们可以通过品读散文《农舍》来体味黑塞作品这种独特的艺术风格。

《农舍》中，文章用一种散文诗的形式为读者勾画了一幅作者的心灵之图。作者向往一种没有归属的"游牧者"的生活方式。他"鄙视边界"，认为这是"战争与封锁"的根源，作者也依恋家乡温暖的"小农舍"，但又不愿放弃"艺术家和幻想者"的理想，这种矛盾造成了作者精神的痛苦。作者追求的最高生存境界，不是一定界线中的和平与安定，不是对某一种形式的"忠诚和德行"，而是没有国界的爱和欢乐，这不只是作者，也是人类的最理想的生存状态。作者在文章的最后为我们描绘了一幅浪迹天涯的流浪图，前方"散发着彼处与远方、分界线与语言疆界、群山与南方的异香"，作者放逐着自己的理想，与家乡、与小农舍挥手告别。这是作者的追求，也是作者的无奈，它表现了高度文明中的人类思想者对人类生存际遇的不懈关怀和执着追求。

在寺院门口

/ 纪伯伦

入选理由⋯⋯⋯⋯⋯⋯⋯⋯⋯⋯⋯
文笔优美，寓意深刻
以诗歌的手法为文
用感悟来诠释抽象的爱情

为了谈论爱情，我用圣火洁净了我的双唇。但当我开口讲话时，却发现我是个哑巴。

在我懂得爱情之前，我引吭高唱爱情的歌曲。但当我懂得爱情时，我口中的歌词却变成了微弱的喘息，我心中的曲调变得深沉。

人们啊！过去，你们曾经向我询问爱情的美妙与新奇。那时，我和你们讲起来津津有味，令你们兴奋，使你们心驰神往。而如今，爱情给我挂满了绶带，该

作者简介

纪伯伦像

　　纪伯伦（1883—1931），黎巴嫩现代著名诗人、散文家，旅美派代表作家。出生在黎巴嫩北部，12岁时随母亲到美国，两年后回国学习。1908年因发表小说《叛逆的灵魂》激怒当局，再次前往美国，后到法国学习。1912年起定居纽约，从事文艺创作活动。他的早期创作以小说为主，主要有短篇集《音乐》《草原的新娘》和中篇小说《折断的翅膀》等，具有强烈的叛逆精神，矛头直指封建暴政，同时形成了情节淡化的散文诗化的风格。定居美国后，以散文和散文诗创作为主，用阿拉伯文发表了散文诗集《泪与笑》、长诗《行列》等，用英文发表了散文诗集《先驱者》《先知》等。

轮到我向你们发问：什么是爱情所遵循的道路，什么是它的内涵和特点，你们中间谁能给我作出解答？我要向你们就我本身发出提问，我要向你们探询我的内心，你们谁能够向我的心表明我的心迹？谁能向我本人阐明我的自身？

否则，就请你们告诉我这火焰是什么？它在我胸中熊熊燃烧，它吞噬了我的活力，熔化了我的感情和情趣。

那只既柔嫩又粗野的无形的手是谁的呢？在我孤独寂寞之时，它攫住我的灵魂，将那快乐的苦涩与悲痛的甜美混合而成的美酒倾注在我的心里。

夜阑人静之时，无数只翅膀在我的床边拍打、呼扇，使我不能入睡，观察着我所不知道的事情，倾听着我未曾听到过的声音，凝视着我未曾看到过的事物，思考着我不明白的问题，感受着我不曾意识到的东西。我不时地长嘘短叹，叹息之中蕴含着忧伤与痛苦，对我来说，这比爽朗的欢声笑语更加亲切，更加可爱。在这夜深人静的黑夜，我向一种无形的力量屈服投降了，它把我折磨得一次又一次地死去活来，直至黎明，晨光照亮了我卧室里的每个角落我才闭上眼睛，那醒时的幻影仍在我那疲倦的眼睑中间颤动着，我慢慢地进入了梦乡。梦幻蹒跚而至，爬上我的石头床。

我们所谓的爱情到底是什么呢？

请你们告诉我！躲在时代之后，隐蔽在客观事物的背后，待在人们的良心里的那无形的秘密是什么？

是一切结果的起因，又是一切起因所造成的结果的那种绝对观念又是什么？

那种觉醒是什么呢？它和生与死密切相关，而又从生和死中创造出比生更加奇特，比死更加深沉的梦。

请你们告诉我，人们啊！请告诉我，你们中间可有谁当爱情用它的手指触摸到他的灵魂时，他仍躺在生活的床榻上沉睡不醒？

你们中间可有这种人，当他心爱的姑娘向他发出召唤时，他舍不得丢下自己的父母，舍不得离开自己的故乡？你们中间可有这样的人，当他为了要去与他的心上人相会而不肯漂洋过海，不肯横穿浩瀚的沙漠，不肯翻山越岭，不肯跨越山涧与河谷？

一个青年，倘若他的恋人远在天涯海角，当他嗅到了她芳香的气息，感觉到她纤纤细手的温柔，耳边响起了她那甜润的音调时，他能否不心驰神往？

一个人如果知道，神能够听到他的祷告，并会给他以丰厚的回报，他怎能不在神灵面前甘愿把自己化作香烟，作为祭品奉献？

昨天，我站在寺院门前，向过往行人询问有关爱情的秘密和它的好处。

于是，有一位身材瘦弱、愁眉苦脸的中年人正从我面前经过，当我问他时，他唉声叹气地说道："爱情的天性就是软弱，这是从人类始祖那里继承下来的。"

这时，又有一个腰圆臂壮的青年走来，笑吟吟地说道："爱情是一种意志，它与我们共存，它把我们的今天和昨天的岁月同未来连接起来。"

随后，有一位妇女满脸愁云地唉叹道："爱情是一种杀人的毒药，在火狱洞穴里翻滚的黑蛇吸食了它，黑蛇把它喷入空中，表面裹上一层甘露，撒向人间，于是干渴的灵魂如饥似渴地吸吮它，陶醉于一时，苏醒一年，然后便永远地死去。"

一个面若桃花的少女走来，满面春风地说道："爱情是多福河水，黎明的新娘把它倾注在强健的灵魂里，使灵魂飘飘欲仙，高高升起，在黑夜的繁星面前凝聚，唱着赞歌沐浴在白昼的阳光里。"

一个身着黑色衣衫，髯髯长须的男人走过我的面前，蹙额皱眉，开口说道："爱情是盲目的蠢行，它随着青春的到来而开始，又随着青春的结束而告终。"

一个满面春风、潇洒英俊的青年兴高采烈地说："爱情是一门高深的学问，能使我们心明眼亮，神灵能看到的东西我们都能看见。"

随后，有一个盲人走了过来，他靠手杖探路，痛哭流涕地说："爱情就是一片浓重的雾霭，把心灵团团围住，遮住它的视线，使它看不到大自然中的如画美景。只能看到自己倾斜的影子在岩石间抖动，只能听到自己的呐喊在山谷间回荡。"

一位怀抱吉他的青年从我面前走过，边唱边说："爱情是神奇的光芒，它发自敏感的灵魂深处，照亮了它身边的一切，于是它看到世界就像行进在绿色草原上的一支浩浩荡荡的大军，生活犹如一场美梦，且无醒时。"

一个驼背老叟拖着沉重的双脚蹒跚而来，脚下好像拖着两个破布团一样，战战兢兢地说："爱情就像疲倦的身体躺在幽静的墓穴中得到了安息一样，就像惊恐的灵魂在永恒世界的深处享受到了安宁一样。"

一个五岁的孩童欢笑着经过我的面前，他说："爱情就是我的爸爸，爱情就是我的妈妈，只有我的爸爸和妈妈才懂得爱情。"

白昼已经过去。人们经过寺院门前，每个人都在议论爱情，实际上也是在给自己画像。他们自觉自愿地公开宣布了生活的秘密。

夜色降临，过往行人都已归去，一片寂静。我听见从寺院里传出的声音说道："生活本来就是由两半组成的，一半是冰冰冷冷，一半是烈火熊熊。而爱情就是那熊熊燃烧着的那一半。"

随后，我进了寺院的门，跪拜祈祷，高声喊着："主啊，让我成为火焰的圣餐！神灵啊，让我变成圣火的美味！阿门！"

美/文/赏/析

《在寺院门口》是一篇纪伯伦和读者一起探讨爱情话题的散文。优美如诗的文字和感性的思想，使"爱情"这个抽象的、无形的事物在作者的笔下变得生动丰满。在本篇中，纪伯伦通过不同身份、不同年龄的人的口向我们诠释爱情的含义。在年轻人的眼中，爱情是甜美的、充满诱惑的；在中年人的眼中，爱情是脆弱的、靠不住的；在老年人的眼中，爱情是平静的、安详的；沉浸在甜美爱情中的人觉得它是"多福河水"，爱情失意的人觉得它是"杀人的毒药"；浪漫的人觉得它神奇，现实的人认为它盲目而无意义。但无论哪种看法，都没有否定爱情本身的巨大震撼力，君不见《在寺院门口》中对爱情发出诅咒、怨恨之声的人们，要么是"唉声叹气"，要么是"痛哭流涕"，如果不是对爱情充满过巨大的憧憬，对爱情全心投入过的人，又如何会如此地痛彻心扉呢——爱之深才会痛之切。

贪心的紫罗兰

/ 纪伯伦

入选理由……………………………

纪伯伦的散文代表作之一

文章情节跌宕，深蕴哲理

笔调委婉，哲理深刻

在一座孤零零的花园里，有一株紫罗兰，花瓣艳丽，芳香四溢，幸福愉快地生活在同伴当中，得意扬扬地在群芳之间左右摆动。

一天早晨，紫罗兰戴着露珠桂冠，抬眼环望四周，看到一朵玫瑰花，躯干苗条，翘首天空，恰似一柄火炬，插在宝石灯上。

紫罗兰咧开她那蓝色的嘴唇，叹息道："唉，在群芳当中，我最不走运；在百卉之中，我的地位最低！大自然把我造就得如此低矮渺小，我只配伏在地上生存，不能像玫瑰那样，枝插蓝天，面朝太阳。"

玫瑰花听到邻居紫罗兰的哀叹，笑着摇了摇头，然后说："百花群里，你最糊涂。你真是身在福中不知福啊！大自然赋予你芳香、文雅和美貌，这都是别的花草所没有的。你还是赶快打消你这些奇怪的念头和有害愿望吧！满足天赐予你的福气吧！你要知道：虚怀若谷，地位无比高尚；贪得无厌的人，永远贫困饥荒。"

紫罗兰答道："玫瑰花，你之所以这样安慰我，因为你已得到了我想得到的一切；你之所以用格言来掩饰我的低下地位，因为你伟大高尚。在倒霉者的心中，幸运儿的劝诫是何等苦涩；在弱者面前慷慨陈词的强者，何其冷若冰霜！"

大自然听了玫瑰花与紫罗兰之间的对话，禁不住打了个寒战，继之提高了嗓门，说："紫罗兰，我的女儿，你怎么啦？我了解你，你朴实无华，小巧玲珑，温文尔雅。究竟是贪欲缠住了你的心，还是虚荣占据了你的心？"

紫罗兰乞怜道："力大恩深的母亲，我谨向您倾诉我心中的恳求和希望，万望您答应我的要求：让我变成一株玫瑰花，哪怕只有一天。"

大自然说："你不知道你的要求意味着什么。你不知道华美外观的背后所隐藏的巨大灾难。倘若你的身躯变高，外貌改变，成为一株玫瑰花，恐怕到时候连后悔都来不及了。"

紫罗兰苦苦哀求："改变我的外貌吧！让我变成一株身躯高大、昂首蓝天的玫瑰花……到那时，不管怎样，我的愿望总算实现了。"

大自然无奈："叛逆的傻瓜，我答应你的要求！倘若遇到灾祸，你只能抱怨自己太傻。"

大自然伸出她那无形的神手，轻轻触摸紫罗兰的根部，顿时出现了一株高出群芳之首、色彩斑斓夺目的玫瑰花。

那天傍晚，天色突变，乌云急聚，狂风骤起，撕破世间沉寂，电闪雷鸣、疾风暴雨一齐向花园袭来。刹那间，万木枝条尽折，百花躯干弯曲，枝长杆高的花木被连根拔掉，幸免者只有伏在地面上、隐身石缝间的矮小花木荆棘。

与此同时，那座孤零零的花园也遭受了其他花园所经历的浩劫，而且有过之而无不及。

风暴未息，乌云未消，已见园中花落满地。风暴过后，只有隐蔽在墙根下的紫罗兰安然无恙。

一位紫罗兰少女抬起头来，望着园中花木败落的惨状，得意地微笑了。她当即呼唤同伴："姐妹们，快来看哪！看看风暴是怎样对待那些盛气凌人的高大花木的吧！"

另一位紫罗兰姑娘说："我们低矮，匍伏在地面上，但经过暴风骤雨，我们安然无恙。"

第三位紫罗兰姑娘说："我们虽然体躯微小，但暴风雨没把我们压倒。"

就在这时，紫罗兰王后走了出来。她发现昨天还是紫罗兰的那株玫瑰就在自己身边，只见它已被风暴连根拔掉，叶子散落了一地，仿佛身中万箭，被风神抛到了湿漉漉的草丛之间。

紫罗兰王后挺起腰杆，舒展叶片，大声呼唤："我的女儿们，你们仔细看看！这株紫罗兰为贪欲所怂恿，变成一株玫瑰花，挺拔一时，不久被抛入万丈深渊。

但愿这能成为你们的明鉴。"

那株玫瑰花战栗着，使尽全身力气，上气不接下气地说："知足安分的傻姐妹们，听我对你们说：昨天，我像你们一样，端坐在绿叶中间，满足于天赐之福。知足是一个难以逾越的障碍，将我与生活的风暴隔离开来，使我心地坦然，无忧无虑，无难无灾。我本来可以像你们一样，静静匍伏在地面，冬来以雪花裹身，没有弄明大自然的秘密，便与同伴一起步入死一般的沉寂。我本来可以避开那令人贪婪的事情，弃绝那些超越我自身天性的东西。可是，我在静夜里听上天对人间说：'存在的目的在于追求存在以外的东西。'于是，我背弃了我的灵魂，一心想得到我不应得到的东西。正是这种贪欲，使背弃心理变成一种巨大力量，使我的内心渴望变成了异想天开的幻想，于是，我要求大自然——大自然不过是我们内心梦想的外观——将我变成一株玫瑰花。大自然立即让我如愿以偿。大自然常用她的偏爱与渴望改变自己的形象。"

玫瑰花沉默片刻，又自鸣得意地说："我当了一个小时的皇后。我用玫瑰花的眼睛观看了宇宙，用玫瑰花的耳朵听到太苍窃窃私语，用玫瑰花的叶子感触光明。诸位当中，谁能得到我这份光荣？"

尔后，玫瑰花弯下脖子了，用近似喘息的声音说："我就要死去了。我心中有一种特殊的感触，这是在我之前的紫罗兰不曾有过的。我就要死去了。我终于了解了我出生的有限天地之外的一些事情。这就是生活的目的。这就是隐藏在昼夜间发生的偶然事件背后的真正实质。"

玫瑰花合上叶子，浑身一颤，便死去了。此时此刻，她的脸上绽现出神圣的微笑——愿望实现后的微笑——胜利的微笑——上帝的微笑。

美/文/赏/析

　　《贪心的紫罗兰》是一篇意韵隽永的优美散文，文章以童话式的笔调，象征性地塑造了一位不甘寂寞、平淡的生活，追求斑斓、崭新的生活，最终为之献出自己生命的理想追求者的形象。全文分为两大部分。第一部分叙述了"贪心"的紫罗兰一心要变为美丽的玫瑰并最终如愿以偿的故事。第二部分叙述了变成玫瑰花的紫罗兰遭遇暴风雨袭击而"丧身"的故事。文章情节跌宕，深蕴哲理，拟人、比喻、象征手法以及对话式和内心独白的表述方式，使文章生动自然，朗朗上口。作者以委婉的笔调，借紫罗兰之口，向人们传达了一个深刻的哲理：人生存在的目的在于追求存在以外的东西。

夜 莺

/ 劳伦斯

入选理由……………………………

乐观向上的精神

生动的文字中传达时代个性

美好生活的赞歌

　　塔斯卡尼处处有夜莺。在春季和夏季，除了午夜和日中，它们终日歌唱。在树繁叶茂的小树林里，树木像铁线蕨垂挂在岩石上那样悬在山边，溪旁，大约清晨四点，你就能听到夜莺在那里，在苍白的晨曦中重新开始歌唱："您好！您好！您好！"夜莺的歌声，是世界上最欢快的声音。因为这声音无比欢快，光辉灿烂，

作者简介

劳伦斯像

　　劳伦斯（1885—1930），英国诗人、小说家、散文家。出生于诺丁汉郡的伊斯特伍德村一个矿工家庭，父亲是煤矿工人，母亲当过小学教师。劳伦斯少年时代在诺丁汉矿区上学，后到诺丁汉大学学院学过植物学和法律。当过会计、厂商雇员和小学教师。1910年母亲的去世给他很大的打击，后与大学教授的夫人弗丽达一见钟情，弗丽达的爱情给他很大鼓舞，两人于1914年结婚。他在第一次世界大战中发表的长篇小说《虹》，因触犯当局战时利益而被禁毁。这段时间他处境艰难，几乎一蹶不振。战争结束后他开始了流亡生涯，先后到过意大利、德国、澳大利亚、美国、墨西哥等地。1928年，私人出版了有争议的最后一部长篇小说《查泰莱夫人的情人》，但英、美等国直到20世纪60年代初才解除对此书的禁令。1930年3月2日劳伦斯因患肺结核死于法国尼斯附近的旺斯镇，骨灰安葬在美国新墨西哥州的一个农场。

蕴藏着巨大的力量，所以每次听到它，都会感到惊奇，使人异常激动。

"夜莺开始歌唱了。"你会自言自语地说。它在拂晓前歌唱，那时星星好像正由矮小的灌木丛冲上广阔无垠的朦胧夜空之中，然后隐藏起来，随即消失了。但日出之后，歌声继续回响，而你每次重新惊异地侧耳倾听时，总是想不通。"为什么人们说它是一种悲伤的鸟类呢？"

它是整个鸟类王国里最吵闹、最不体谅别人、最任性和最活泼的鸟。对任何了解夜莺的歌唱的人来说，都无法弄清约翰·济慈为什么用"我的心儿痛，瞌睡麻木折磨"来开始他的《夜莺颂》。你听到夜莺银铃般地高叫："什么？什么？什么，济慈？心儿痛，瞌睡麻木折磨？特拉——拉——拉！特哩——哩——哩哩哩哩哩哩哩！"

而为什么希腊人说他，或她，是在树丛中为失去的爱偶伤心哭泣，我也不得而知中世纪的作家用"唧——唧——唧！"表示夜莺喉咙里迅如闪电似的滚动。这是一种野性的、饱满的声音，比孔雀尾巴上的翎斑更加鲜艳多彩：

那光鲜的褐色夜莺是那样多情，为了伊堤罗斯而停了一半歌声。

他们用"唧！唧！唧！"来说明她正在啜泣。至于他们怎么会听到那种声音的，那简直是个谜。除非是耳朵倒长的人，否则人们什么时候会听到夜莺"啜泣"，真是莫名其妙。

不管怎样，它是一种雄性的叫声，一种十分强烈、没有掺杂的雄性叫声。是纯粹的断言。没有丝毫暗示的影子，也不是空虚的回声。根本不像空洞的、声音低沉的钟声。绝无什么孤寂可言。

也许，正因为如此，济慈才即刻感到了孤寂。

孤寂！这两字犹如一声晨钟把我敲回到自己立脚的地方！

也许原因就在这儿：夜莺歌唱时，为什么每一个忠于上帝、侧耳倾听的人听到的都是小天使们银铃般的叫声，而他们却听到树丛中的啜泣？也许正是因为人与人之间存在差异的缘故吧。

因为，事实上，夜莺的歌唱具有清脆、感人的活泼，具有使人驻足伫立的质朴的自信。这是一种神采洋溢的叫声，一种熠熠生辉的交织呼唤，恰如创造世界的第一天，天使们突然发现自己被制造出来时情不自禁地发出的叫喊声。之后，在天堂的灌木丛里，天使们准有一番喧嚷："哈啰！哈啰！你瞧！你瞧！你瞧！这就是我！这就是我！多么神——神——神奇的事情！啊！"

为了享受"嗨！这就是我！"这歌唱似的断言的纯洁美，你必须侧耳倾听夜莺的歌声。也许，为了在视觉上完美地享受同样的断言，你会瞧一眼正在抖动自己全部翎斑的孔雀。在所有创造完美的造物之中，这两种也许是最完美的；一种是无形的、喜悦的声音，另一种是无声却看得见的东西。虽然夜莺具有内在的生气勃勃，使人感到一种亲切、跳跃的神秘感，但如果你确实看到它，它不过是一只貌不惊人的灰褐色小鸟。这好比孔雀，真要发出声音时，确实难听至极，但它仍给人以深刻印象：从恐怖的热带丛林中传出的非常可怕的叫声。实际上你可以在锡兰看到孔雀在高高的树枝上叫嚷，接着展翅掠过猴群，飞进那沸腾的、黑暗的、深不可测的热带森林里。

也许由于这个缘故——喜爱天使或喜爱魔鬼的纯粹真实自我断言——夜莺使某些人感到悲伤。而孔雀往往使这些人愤怒。这是包含一半妒忌的悲伤。造物主把夜莺造得那么明确欢快，富有、光明的上帝之手赐予它永久的新意和完美。夜莺因自己的完美而啾啾欢唱。孔雀则满有把握地抬起它所有的青铜色和紫红色的翎斑。

这——这小小完美的造物之作的啾啾断言——这显示鸟类无瑕之美的绿色闪光——根据它在视觉或听觉上所给人的不同印象，使人感到愤怒或孤寂。

听觉远不如视觉狡诈。你可以对人说："我非常喜欢你，今天早晨你看上去真美。"虽然你的声带可能出自不共戴天的仇恨而在震动，但她会深信不疑。

听觉十分愚蠢，它会接受任何数量的语言假币。但是，若让一丝仇恨之光进入你的眼睛或掠过你的脸庞，它立刻就会被察觉。视觉既精明又迅如闪电。

由于这个缘故，我们马上会发觉孔雀一切炫人的、雄赳赳的自信；并且不无轻蔑地说："漂亮羽毛能打扮出个好外表。"但当我们听到夜莺的声音，我们不知道自己听到了什么，只知自己感到悲伤、孤寂。所以我们说悲伤的是夜莺。

让我们重复一遍，夜莺是世界上最不悲伤的东西；甚至比浑身发光的孔雀更不知悲的。它没有什么可悲伤的。它知足常乐。它并不自负。它只是感到生活美满，鸣啭表白——喊叫"唧唧"作响，吃吃发笑，颤声啾啾，发出长长的、嘲弄原告的呼叫，进行表白，断言和欢呼；但它从不叽呱学舌。它的声音是纯粹的音乐，只要你不往里填词的话。但夜莺的歌在我们心中激起的感情是可以用语言表达的。不，这也不是事实。听到夜莺歌唱时，一个人的感情是无法用语言形容的。这种感情远比语言纯洁得多，所有的语言都已被污染。然而我们可以说，它是一种人生美满的欢快之情。

这并非妒忌你的幸运，而是你的幸福使我太欢欣——因你呀，轻翼的树神，在长满绿榉、音韵悦耳、无数阴影的地方，引吭高歌，赞颂美夏。

可怜的济慈，夜莺欢欣他只好"太欢欣"，自己内心根本不快乐。所以他想要饮用使人害臊的灵泉，和夜莺一起归隐到阴郁的森林中。

远远地隐没，消散，完全忘却你在树叶间从未知道的事情，忘却疲倦，狂热和恼恨……

这是男性人类十分悲伤、美丽的诗句。不过下面一行却令我感到有点滑稽可笑。

人们坐在这里听着彼此的悲叹；瘫痪的老人抖落几根愁切的仅存的白发……

这是济慈，根本不是夜莺。但这位悲伤的男性仍然试图离开人世，进入夜莺的世界。葡萄美酒不会把他带去。然而，他还是要去的。

去呀！去呀！我要飞往你处，不乘酒神和他群豹所驾的仙车，却靠诗神无形的翼翅……

不过，他没有成功。诗神无形的翼翅没把他带进夜莺的世界，只把他带进灌木丛里。他还留在外面。

我暗中倾听；唉，有好多次我差点爱上了安闲的死神……

除非运用对比，夜莺从未使哪个人爱上安闲的死神。这是夜莺绝对纯洁的自我陶醉的明亮火焰与济慈渴望忘记自我，永远渴望超越自我的惶恐的思想火花之间的对比：

在半夜毫无痛苦地死去，你却如此狂喜地尽情倾吐你的肺腑之言！你将唱下去，我的耳朵却不管用，听不到你的安魂曲，像泥块一样。

如果能使夜莺明白诗人在怎样答复它的歌唱，夜莺会感到十分惊奇。它将会因惊讶而从枝头上跌下来。

因为当你回答夜莺时，它只会叫得更欢，唱得更响。假设在邻近的灌木丛里另有几只夜莺随声附和——它们总是如此——那么，这蓝白色的声音火花便会直冲云霄。假设你，一个凡夫俗子，碰巧坐在浓阴遮蔽的河岸上跟你心爱的女子热烈地争辩着，为首的那只夜莺会像第三幕中的卡鲁索那样越唱越响——简直是一阵卓越的、突然爆发的狂热音乐，把你压倒，直至你根本听不到自己说话、吵架的声音。

事实上，卡鲁索颇具夜莺的特征——唱歌时像鸟一样突然爆发出神奇的活力，表现出充实和悠然自得。

你并不是为死而生的，不朽的神鸟！饥馑的年代不会糟蹋你；

不管怎样，在塔斯卡尼还不至于如此。夜莺们总是刺刺不休。而布谷鸟却显得遥远，声音低沉，低低地、半遮半掩地叫着拍翅而过。也许英格兰的情况真的与众不同。

我在今晚听见的歌声古代的君王乡民也听到过：也许就是打动露丝悲哀的心房那一首歌，那会儿她怀念故乡，站在异国的麦田中泪滴千行；

为什么哭泣？总是哭泣。我感到奇怪，在帝王之中，狄奥克力第安听到夜莺的鸣啭时眼泪汪汪了吗？乡民中的伊索也是这样吗？而露丝真的泪滴千行？作为我，我很怀疑是这位年轻的女士逗得夜莺开始歌唱的，就像卜伽丘的故事中手捧着活泼的小鸟睡觉的可爱姑娘那样——"你的女儿像夜莺般活泼，她捧着只鸟儿在手中。"

当母夜莺轻轻地坐在鸟蛋上，听到它的老爷们儿鸣啭歌唱时，它会怎么想呢？它大概很喜欢听，因为它照常洋洋得意地孵着它的蛋。它大概喜欢它的老爷们儿的高谈阔论甚于诗人谦卑的呻吟：

如今死亡要比以往更壮丽，在半夜毫无痛苦地死去……

对母夜莺来说，这可没有什么用处。人们要为济慈的范妮感到惋惜，也理解她为什么一无所有。这般美妙的夜晚本应给她带来多少乐趣！

也许，说来说去，如果雄夜莺无论痛苦与否，半夜里不想停止歌唱，母鸟就可得到更多的生活乐趣。深夜的用处更大。一只让母鸟独自去抱蛋，自己只管尽情高歌的雄鸟，或许比一只悲叹呻吟的鸟更合母鸟的意，即使它的呻吟是表示对它的爱恋。

当然，夜莺歌唱时完全没有意识到小小的、无光泽的母鸟的存在。它也从来不提它的名字。但它清楚地知道，这歌的一半是它的；就像它知道那些蛋一半是它的一样。就像它不要它进来踩踏它的那窝蛋一样，它也不要它加入它的歌唱，唠唠叨叨，不成腔调。男人、女人，各司其职：

再会！再会！你凄切的颂歌

消失……

它从来不是凄切的颂歌——它是踌躇满志的卡鲁索。但何必跟一位诗人争辩呢。

美/文/赏/析

"夜莺"，是西方作家经常用来入文的一种鸟儿。《夜莺颂》就是18世纪末，英国著名诗人济慈的一首名诗。本文《夜莺》也是劳伦斯的散文名篇。而同是写"夜莺"，劳伦斯和济慈的表现主题和艺术风格却迥异。走进《夜莺》，我们可以看到一个不同于济慈的、另一种性格的英国大作家，如果说济慈是一个悲天悯人的诗人，那么劳伦斯就是一位开朗、健朗的生活者。在济慈眼中，夜莺是悲歌的挽唱者，它热烈、痛苦、孤寂。而劳伦斯听出的夜莺的歌唱曲调，却是欢乐的、自由的，它是作者眼中乐观的天使。相同的意象在不同人眼中是不同的，而这种差异代表着两人不同的人生态度，分别具有各自所在时代的特色。劳伦斯的个性特点，代表资产阶级成熟时期的大胆创新精神。而济慈的悲悯，也自有新兴资产阶级在痛苦中追求理想的时代烙印。

当玫瑰花开的时候

/ 佩德罗·普拉多

入选理由·····························
以感性的方式解说抽象
语调平和恬淡
对爱情的深刻诠释

老园丁培育出许多优良品种的玫瑰花。他像蜜蜂似的把花粉从这朵花送到那朵花，在各个不同种类的玫瑰花中进行人工授粉。就这样，他培育出了很多的新品种。这些新品种成了他心爱的宝贝，也引起了那些不肯像蜜蜂那样辛勤劳动的人的妒羡。

他从来没有摘过一朵花送人。因为这一点，他落得了一个自私、讨人厌的名声。有一位美貌的夫人曾来拜访过他。这位夫人离开的时候，同样也是两手空空没有带走一朵花，只是嘴里重复嘟哝着园丁对她说的话。从那时起，人们除了说他自私、讨人厌之外，又把他看成了疯子，谁也不再去理睬他了。

"夫人，您真美呀！"园丁对那位美貌的夫人说，"我真乐意把我花园里的花全部都奉献给您呀！但是，尽管我年岁已这么大了，我依旧不知道怎样采摘下

作者简介

佩德罗·普拉多（1885—1950），智利现代主义诗人，也写哲理小说。作品通过对一般事件的引申，总结出人生的哲理。主要作品有《一个乡村的法官》和《阿尔西诺》。

来的玫瑰花，才能算一朵完整而有生命的玫瑰花。您在笑我吧？哦！您不要笑话我，我请求您不要笑话我。"

老园丁把这位漂亮的夫人带到了玫瑰花园里，那里盛开着一种奇妙的玫瑰花，艳红的花朵好像是一颗鲜红的心被抛弃在蒺藜之中。

"夫人，您看，"园丁一边用他那熟练的布满老茧的手抚摸着花朵，一边说，"我一直观察着玫瑰开花的全部过程。那些红色的花瓣从花萼里长出来，仿佛是一堆小小的篝火喷吐出的红通通的火苗。难道把火苗从篝火中取出来还能继续保持着它那熊熊燃烧的火焰吗？花萼细嫩，慢慢地从长长的花茎上长了出来，而花朵则出落在花枝上。谁也无法确切地把它们截然分开。长到何时为止算是花萼，又从何时开始算作花朵？我还观察到当玫瑰树根往下伸展开来的时候，枝干就慢慢地变成白色，而它的根因地下渗出的水的作用，又同泥土紧紧地结合起来了。结果我连一朵玫瑰花该从哪儿开始算起都不知道，那我怎么能把它摘下来送给他人？要是硬把它摘下来赠送给别人，那么，夫人，您知道吗？一种断残的东西其生命是十分短暂的。每年到了十月，那含苞待放的玫瑰花蕾绽开了。我竭力想知道玫瑰是在什么地方开始开花的。我从来也不敢说：'我的玫瑰树开花了。'而我总是这样欢呼着：大地开花了，妙极啦！在年轻的时候，我很有钱，身体壮实，人长得漂亮，而且心地善良，为人忠厚。那时曾有四个女人爱我。第一个女人爱我的钱财。在那个放荡的女人手里，我的财产很快地被挥霍完了。第二个女人爱我健壮的体格，她要我同我的那些情敌去搏斗，去战胜他们。可是不久，我的精力就随着她的爱情一起枯竭了。第三个女人爱我英俊的容貌。她无休止地吻我，对我倾吐了许许多多情意缠绵的奉承话。我英俊的容貌随着我的青春一起消逝了，那个女人对我的爱情也就完结了。第四个女人爱我忠厚善良。她利用我这一点来为她自己谋取利益，最后我终于看出了她的虚伪，就把她抛弃了。在那个时候，夫人，我就像是一株玫瑰树上的四朵玫瑰花，四个女人，每人摘去了一朵。但是，如果说一株玫瑰树可以迎送一百个春天的话，那么一朵玫瑰花只能有一个春天。我那几朵可怜的玫瑰花，就是如此这般地，一旦被人摘下，也就永远地凋零了。自此以后，从来没有人在我的花园里拿走过一朵花。我对所有到这花园来的人说：'你什么时候才能不热衷于那些被分割开来的、残缺不全的东西呢？假如你真能把每件事物的底细明确地分清楚，假如你真能弄清玫瑰长到何时算作花萼，又从何时开始算作花朵的话，那么，你就到那玫瑰开花的地方去采摘吧！'"

美/文/赏/析

    《当玫瑰开花的时候》以讲故事的形式向人们传达了作者所理解的爱情观。文中写了一个老园丁种花的故事，他的玫瑰花色彩美丽、品种优良，却从不让人采摘。接着他以自己年轻时的感情经历为依据，为旁人解释了不愿轻易摘花的缘故，阐明了自己的爱情观。他认为爱情就像一株有生命的玫瑰树，在人们采摘之前，要看到它的全部面貌，单纯采撷部分只能导致短暂生命的消亡。正因为"一种断残的东西其生命是十分短暂的"，所以他建议人们在真正要采摘爱情这朵花时，要先弄清每件事物的底细，这样，也许我们才能真正地包容彼此的优点和缺点，才可能长久地守住一份爱情，使它直到永远。

父亲与我

/ 拉格奎斯特

入选理由……………………………………
儿童眼里的丛林秘密
成长中对世界的第一次恐惧体验
真实细腻和温情的描写

　　我们刚走入森林，四周便响起了鸟雀的啁啾和其他动物的鸣叫。燕雀、柳莺、山雀和歌鸫在灌木丛里欢唱，它们悦耳的歌声在我们的身边飘荡。地面上铺满了一层厚厚的银莲花，白桦树刚绽出淡黄的叶子，松树吐出了新鲜的嫩芽，四周弥漫着树木的气息。在太阳的照射下，泥土腾起缕缕蒸气。这里处处充满了生机。野蜂正从它们的洞穴里钻出；昆虫在沼泽地里飞舞；一只鸟突然像子弹似的从灌木丛中穿出，去捕捉那些虫类，而后，又用同样速度拍翼而下。正当万物欢跃的时候，一列火车呼啸着向我们驶来，我们跨到路基旁，父亲把两指对着礼帽，朝车上的司机行礼，司机也舞动一只手向我们回敬。这一切都在瞬间完成的。我们继续踏着枕木往前走，枕木上的沥青在烈日的曝晒下正在熔化。这里交杂着各种气味，有汽油的，有杏花的，有沥青的，也有石楠树的。我们迈着大步，尽量踩在枕木上，因为轨道上的石子太尖，会把鞋底磨坏的。路轨两旁竖着一根根的电线杆，人从旁边擦过时，它们会发出歌

拉格奎斯特像

作者简介

　　拉格奎斯特（1891—1974），瑞典诗人、戏剧家、小说家。主要作品有诗集《天才》，剧本《疯人院里的仲夏夜之梦》，小说《侏儒》《大盗巴拉巴》等。1951 年因作品《大盗巴拉巴》获诺贝尔文学奖。

333

一般的声音。这真是一个迷人的日子！天空晶蓝透明，不挂一丝云彩。父亲说，这种天气是不多见的。过不久，我们来到铁轨石右侧的燕麦地里。我们在这里认识的那个佃户，有一块火种地。燕麦长得又整齐又稠密，父亲带着行家的表情观察着它们，随后脸上露出满意的神态。

这时，暮色降临了，森林起了变化，几乎快变成一片黑色。我们加快起脚步，母亲现在一定焦虑地等待我们回家吃饭。她总是提心吊胆，怕有什么事会发生。这自然是不会的。在这样好的日子里，一切都应该安然无事，一切都会叫人称心如意的。天空越来越暗，树的模样也变得奇怪，它们伫立着静听我们的脚步声，好像我们是奇异的陌生人。在一棵树上，有只萤火虫在闪动，它趴着，盯视黑暗中的我们。我紧紧抓住父亲的手，但他根本不看这奇怪的光亮，只是走着。天完全黑了，我们走上那座桥，桥下可怕的声响仿佛要把我们一口吞掉，黑色的缝隙在我们的脚下张大嘴，我们小心地跨着每道枕木，使劲拉着手，怕从上面坠下去。我原以为父亲会背我走的，但他什么也不说。也许，他想让我和他一样，对眼前的一切置之不理。我们继续走着。黑暗中的父亲神态自若，步履匀稳，他沉默着，在想自己的事。我真不懂，在黑暗中，他怎会如此镇定。我害怕地环顾四周，心扑通扑通地狂跳着。四下一片黑暗，我暗想：好险呵，一定要死了。我清楚地记得那时我确实是这样想的。铁轨陡然地斜着，好像陷入了黑暗无底的深渊。电线杆魔鬼似的伸向天空，发出沉闷的声音，仿佛有人在地底下喁语，它上面的白色瓷帽惊恐地缩成一团，静听着这些可怕的歌声。一切都叫人毛骨悚然，一切都像是奇迹，一切都变得如梦如幻，飘忽不定。

美/文/赏/析

　　《父亲与我》是一篇回忆性散文，拉格奎斯特十分清晰地回忆了10岁的小男孩"我"与父亲的一次远足。作者在文章一开始，不厌其烦地写父子俩出门后的经过，非常琐细，非常清晰。渐渐地，你感受到了一个10岁男孩的幸福。那是一种没有被世事打扰的、不掺杂质的平和、温暖与快乐。他已不似鸿蒙初开时那样混沌，而是对世界早已睁开了惊讶的眼睛，看见了它的色彩与美丽，但从母亲的子宫里带来的温暖与安全感依然完整地驻扎在孩子的心中，所以这种幸福，是十分纯粹的，也是令作者难以忘怀的。这一天之所以令作者难以忘怀的更重要的原因，还在于，也许它看似平凡的一天，但在"我"的成长过程中，它却是一次历史性的转折。孩子从出生到懂事之前，在父母温暖的爱护之下，感受着幸福。那时，只有阳光、雨露和生命的光辉灿烂。渐渐地，他发现世界并不如此！并非只有快乐、阳光和温暖，还有黑暗和恐惧，有许多未知的东西，随时可能剥夺父母赋予我们的这最初的生命的温暖与幸福。意识到这些之后，孩子开始长大。这种经历，或许是每个人都经过的，但并不是每个人都能对它进行这样的思考，而更少的人能用这样的散文和象征性手法，把它深刻地表达出来。这，就是作者的高明。

肖邦故园

/ 伊瓦什凯维奇

入选理由……………………………………
一个灵魂对另一个伟大灵魂的深刻理解
文笔亲切平和，抒情优美
感情深邃沉稳，真挚感人

热那佐瓦沃拉。一百多年前，弗雷德雷克·肖邦的摇篮就放在这儿的一间小室里。我们简直不能想象这地方当年的模样。它曾经是个相当热闹的处所，斯卡尔贝克家族在这儿修建了一座宫殿式的府邸。院子里和花园里想必到处是人，热热闹闹，充满生机：有大人，有小孩，有宾客，有主人，有贵族，有下人，还有家庭教师。这个贵族府邸同邻近的村庄往来甚密，而且还经营一部分田地，这儿原先也该有牛栏、马厩，有牛，有马，有犁，有耙，有谷仓，还有干草垛。

过去生活的痕迹已荡然无存。正如我说过的那样，如今甚至难以想象昔日那

伊瓦什凯维奇像

种繁荣的景况。热那佐瓦沃拉经历过暴风雨的变迁，它的历史，一如整个波兰的历史，充满了惊心动魄的事变和无法解释的衰落。19 世纪，这儿是个被人遗忘了的角落。它化为了灰烬，或者说，变成了一个坟场。火灾、掳掠、外加经营不当，完全摧毁了宫殿式的豪华府邸和数不清的附属建筑。不仅很少有人记得，这儿曾住过一位瘦高个子的法语教师，就连这府邸里难逃涅墨西斯追逐的主人，也被人忘于脑后。富丽堂皇的建筑群，贵族老爷们养尊处优的

作者简介

伊瓦什凯维奇（1894—1980），波兰作家。多次获波兰国家文学奖和国际文学奖。著有长篇小说《红色的盾牌》、剧本《假面舞会》等。

生活场所已消失得无影无踪，唯独留下一座简朴的小屋，一幢小小的房宇。它正是昔日法语教师和他的妻子，也是这家主人的一个远房亲戚的住房。这幢小屋既然得以幸存，一定是受到了什么光辉的照耀或是某位神明的庇护，才能历尽沧桑，而未跟别的楼舍同遭厄运。它也度过了自己的艰难岁月，有很长一段时间，谁也记不得什么人曾经在这里出生。然而，它一直保留了下来，不意竟在伶仃孤苦之中一跃而成了波兰人民所能享有的最珍贵的古迹之一。它成了不仅仅是波兰人朝拜的圣地，举行精神宴会的殿堂，参观游览的古迹，而且，就像第一个提出要整修这幢小屋，在此建立一座永久性纪念碑的那位外国钢琴家那样，时至今日，为数众多的外国音乐家、钢琴家、作曲家都把造访这个伟大艺术的摇篮、这个喷射出了肖邦伟大音乐的不竭源泉，看成是自己一生的夙愿。

这幢清寒的小屋，远离通衢大道，茕茕孑立于田野之间，隐蔽在花园的密林深处，这正好应了一句箴言：神飞荒野，乐在自由。否则如何理解，恰恰是在这贵族府邸简陋的侧屋里会诞生出世界上最伟大的音乐天才之一呢？肖邦正是那些造就了今天称之为欧洲文化的伟人中的一个，他的作品不仅为欧洲的音乐增辉，而且使整个欧洲文化放出异彩。他的创作是如此博大精深，又是如此有意识地自成一体，因此，可以毫无愧色地说，他的艺术是世界文化的不容置辩的组成部分。

艺术家的创作，无疑跟各自出身的环境，跟生活周围的景色有着密切的联系，艺术家跟陶冶他的景物之间的联系比一般人所想象的要紧密得多。童年和青春时代常常给人的一生打下深深的烙印。在最早的孩提时代曾拨动过他心弦的一个旋律，往往会反复出现在成熟的艺术家的作品之中，在这里，还会半自觉地，有时则完全是不自觉地层示出儿时之国同创作成熟时期的渊源关系。

当你第一次到法国，比如说，是在早春时节，经过枫丹白露抵达巴黎，沿途看到红褐色的树木、平静的水面、茂密的灌木丛和皮埃尔·卢梭珍爱的那些牧场，那时，你才能真正理解印象派的绘画艺术。但是，并非只有伟大的法国绘画艺术才由是而放其光彩，实际上，整个法国音乐，自古至今都跟笼罩这一带景物的缥缈轻雾，跟树木和牧场的斑斓色彩，跟从地面反射的和折射在云层中、在石楠丛上的光线分不开。只有到了枫丹白露才能懂得德彪西和塞维拉克音乐中淡淡的哀愁，拉威尔音乐中的色彩和声以及弗朗西斯·普朗克音乐中的法国民歌成分。

要更好理解肖邦音乐同波兰风光的联系，可以说任何地方也无法同这朴素的马佐夫舍村的热那佐瓦沃拉相比了。乍一看，这种说法或许显得有些荒诞不经。这瘠薄的土地，这平原小道和麦草覆盖的屋顶；跟肖邦音乐所赐予我们的无限财富和充分享受又会有何共同之处呢？但是，只要我们进一步观察，就不难发现，事情并不那么简单。我以为，我们对马佐夫舍风景的价值估计过低了。

诚然，它没有那种招摇的俏丽。但它蕴藏着许多细微的色调变化，只有久居这一带的人才会跟这里的景致结下不解之缘，才能看到这些形、声和色彩的微妙差别，并且给予应有的评价。

我不知道，这儿的风光是否能使一个外国人赏心悦目。两次世界大战之间的一位波兰作家尤利乌什·长登·班德罗夫斯基曾经思考过这件事，他说：

"不知这儿的景观是否算是和谐，一条小路犹犹豫豫蜿蜒伸展，时隐时现，若有若无，终于披着一身沙土消失在牧场边缘，不知这儿的布局是否合理，那边一片森林，这边一排麦草盖顶的茅舍，逶迤延向山丘。当你登上山头，你会看到溪谷里有一条弯弯曲曲、流水潺潺的小河正慢悠悠地流淌，尽管未受什么阻挡，也无须绕什么大弯。而在它身后则是梦一般的平原——那延绵不断的灌木林就像萦绕地面的青烟，使这片平原显得格外迷茫。

"啊，这样的景色！单调、模糊、无棱无角。此外便是细雨纷纷，烟笼雾罩。"

这是秋天的景色。但是，一年之中还有其他季节。每个季节都有自己的魅力和色彩。

一年四季都得细心观察这些色彩。春天，丁香怒放，像天上飘下一朵朵淡紫色的云霞；夏天，树木欣欣向荣，青翠欲滴；秋天，遍野金黄，雾缭烟绕；冬天，大雪覆盖，粉妆玉琢，清新素雅，在这洁白的背景上，修剪了枝条的柳树像姐妹般排列成行，正待明年春风得意，翩翩起舞。这四季景色里包含的美，是何等的朴素，淡雅。然而，又是何等的持久，深沉！

这片土地的景色正是肖邦音乐最理想的序曲。谁若真想探究肖邦音乐的精神，理解肖邦音乐跟波兰有着何等密切的联系，谁就应悉心体会欧根·德拉克洛瓦所谓的"蔚蓝的色调"，它是波兰景色和在这大平原上诞生的艺术家的音乐的共同色调。

从画面讲，这儿的景色并不引人注目。这是个大平原，一马平川。这儿既没有悬崖峭壁，也没有峡谷峻岭。坦荡的平原，一眼望不到边，开阔而单调。无论是布祖拉河，还是肖邦家门口的乌塔拉特河都在这里拐弯，穿过平坦的牧场流去。抬眼一望，便会看到一棵棵孤零零的参天老树，傲然屹立，也会看到许多低矮的灌木丛，还可看到绿树掩映下的古旧房舍，它老态龙钟，却说明了昔日的文化水准。耕种的土地一直延伸到地平线的远方，黑麦地、燕麦地阡陌纵横，开花的荞麦一片洁白，甜菜的茎叶绿宝石似的晶莹。

亚当·密茨凯维支歌唱过这片土地，他那支传神妙笔描写过"如画的田野"，描写过阡陌上"静静的梨树成行"。可是，密茨凯维支并不了解波兰内地，他从未到过日思夜梦的马佐夫舍地区，他的双脚从未踏上过这片原野。维斯瓦河畔的华沙，就是点缀在这广袤的原野上的一朵绚丽的鲜花。

然而，肖邦却是在这儿出生的。自然，任何一个书呆子都会说，肖邦在热那佐瓦沃拉只不过是度过了出生后几个月的时光，后来他的双亲便迁居华沙了。须知肖邦对这出生之地怀有无限的眷恋之情，经常跟他心爱的妹妹卢德维卡一起探望故里。青春年少的肖邦总爱坐在这小河边，坐在小桥旁的这棵大树下。他从华沙来此，总要走这条遍植垂柳的普通小道。当年的柳条亦如今日一样柔媚。甚至在去巴黎之前的几个星期，他还专程从首都来到这里，跟故园告别。在他心目中，这小小的庄子说不定就是整个祖国乡村的象征。今天，我们目睹此情此景，思想深处也会闪现出整个马佐夫舍地区的风貌，肖邦也目睹过这一切，他热爱这茅舍、小桥、流水。他就是在那缱绻的秋日，怀着无限依恋、惜别的心情，告别了这一切，途经巴黎，浪迹天涯。不料这一别竟成永诀，成了为寻找虚幻的金羊毛而一去不返的远征。

1848 年，当肖邦自爱丁堡给友人格日玛瓦写信的时候，眼前兴许也浮现出了故园景色。他在信中写道："我对妻子一点也不想，可我怀念我的家、我的母亲、我的姐妹。愿上帝保佑她们万事如意！我的艺术何在？我的一腔心血在什么地方白白耗尽了……我如今只能依稀记得国内唱的歌。"因此，可以说，不仅肖邦眼前浮现出了故乡的景色，而且，耳边又回荡起了多半是在这儿第一次听见过的歌。

我们恰好能在肖邦的玛祖卡曲和夜曲里找到这平原的歌声——凡是他那些直接留下了这儿时之国画面的作品，我们都能发现一缕乡音。

流亡生活、高度的文化修养、痛苦的心境和肖邦对自己使命的不凡见解，使这些画面复杂化了，或者说，像一层雾遮蔽了这些画面。弗雷德雷克的伟大创作远离了热那佐瓦沃拉。绚丽的大都会风光，频繁的旅行，丰富的经历，给他提供了另一种创作灵感。但是，既然他在自己生命的末日，在那遥远、寒冷的爱丁堡又怀念起"我的家、我的母亲、我的姐妹"，我们就有理由想象，故乡的朦胧景色也回到了他的心中。而今，我们也怀着激动的心情瞻仰这些大树，这些灌木丛和这一片清凌凌的水。倘若此刻我们听到，或者亲自弹奏伟大作曲家临终前的最后一组玛祖卡曲，我们必能从中听到昔日国内歌声的淡淡的旋律。由于他半世坎坷，命运多舛，也由于关山阻隔，有国难投，这一组玛祖卡曲似乎是被万种离情、一怀愁绪所滤过而净化了，跟乡村的质朴相距甚远，但它们无疑是出自故里，跟这片土地有着千丝万缕的联系。

在漫长的岁月里奇迹般地保存下来的小屋，曾经一度被用作马厩或猪圈，变得面目全非。

"可爱的质朴啊！"卡登·班德罗夫斯基写道："小屋的前一部分成了畜栏、鸡舍，成了保护鸡、猪和奶牛的地方，而后边的一部分，则由这些牧畜的主人一家用作栖息之所……"

如此凋敝的状态竟然得以振兴，实在令人惊叹。破落的小屋被改建成了一座小巧玲珑的典型的波兰庄园，室内朴素、优雅的陈设使人想起波兰住宅当年的格调。这儿没有一件家具，没有一样物品是来自肖邦昔日真正的住宅，然而，每逢我们通过敞开的门，从一个房间望到另一个房间，当我们远远看到钢琴的轮廓，我们就会感到，他在这里，在这些房间里走来走去，一旦游人散尽，他便会坐到琴旁，按动琴键，继续自己抒情或华丽的即兴创作。

当我们在他降生的那间凹形小室里看到一只插满鲜花或绿枝的大花瓶，我们就会想到那不是花瓶，而是一个源泉，它喷射出金光闪闪的清流——他是音乐取之不尽、用之不竭的清流。

世界各地的人都向这清流涌来，为取得一瓢饮，为分享这馨香醉人的玉浆。当人们在秋季或者夏季的周末，来到这小屋的周围，静静地倾听室内的钢琴演奏的时候，再也没有比它更动人的景象了。世界上最杰出的钢琴家都把能在这间房子里弹奏一曲肖邦的作品，表示对这圣地的敬意而引为莫大的荣幸。

那时，房前屋后往往挤满了听众。有年轻人，也有老人；有新来的听众，他们是第一次来此领略肖邦的天才所揭示的无限美好的世界，也有常来的老听众，对于他们，每次都是莫大的精神享受，每次都能引起甜蜜的回忆。回顾自己一生中幸福时光，回顾这伟大的音乐激起的每一次无限深刻的内心感受。也有人想起，曾几何时，连肖邦的音乐也成了违禁品！只能偷偷摸摸地在一些小房间、小客厅里秘密演奏，只有寥寥无几的人才能进入那些房间。他们去听肖邦的音乐，不只是为了证明我们祖国文化的伟大，同时也为了证明一个民族的精神生活是无法窒息的。因而这美好的音乐有时也是斗争的武器。舒曼把它称为藏在花丛中的大炮，不是没有根据。

在参加周末音乐会的时候，尽管我们身边是形形色色的听众，我们也能重复一遍德居斯太因侯爵对肖邦说过的话："我听着您的音乐，总感到是在同您促膝谈心，甚至，似乎是跟一个比您本人更好的人在一起，至少是，我接触到了您身上那点最美好的东西。"

肖邦之家的最大的魅力之一，正是在于我们能感受到在同肖邦"促膝谈心"。

人们有时会由于事情多，工作忙，任务完成得不尽如人愿，或由于一些打算落空而发愁；有时又会在频繁的文化活动中碰到某些草率从事或令人不安的现象，因而思想上对大众文化产生了疑虑，那时，只要到肖邦之家去听一次周末音乐会，便能重新获得对波兰文化的信心，相信它已渗透了民族的最深层。

能这样欣赏肖邦音乐的人，便善于从许多表面现象、日常琐事、小小的烦恼以及讨厌的劳碌奔波里发掘出生活中最深刻的美和最有价值的东西。

到了肖邦之家，会亲眼见到，而且确信，作为民族的最坚韧的纽带，作为民族精神的支柱和基础的伟大艺术具有何等不可估量的威力。密茨凯维支的诗，肖邦的音乐，对于波兰人而言，就是这样的支柱。

我们带着惊讶和柔情望着这幢实为波兰民族精华的朴素的小屋。它像一只轮船，飘浮在花园绿色的海洋里，花园里的一草一木，都经过了精心的栽培，因为这花园也想与肖邦的音乐般配。

我们跟许多人一起来到这里，凭吊伟大艺术家的故居。我们怯生生地站在门边，对这璞玉浑金的处所发出声声赞叹。

人们怀着虔诚的心意朝觐圣地，
普普通通的屋宇，质朴无奇。
只因在这儿降生的是你……
须知当年也曾有三个博士
凭星指路，匆匆赶到一间贫寒的马厩里。

......

这是诗人的说法，而我们却在揣度，这房舍，这花园在一年中的什么时节最美？是秋天，是夏日，还是春季？

春天，栗树新叶初发，几乎还是一派嫩黄色，它们悬挂在屋顶的上方，犹如刚刚出茧的蝴蝶的娇弱的翅膀。粉红色的日本樱花，宛如在旭日东升的时候飘在庄园上空的一片云彩。如此娇嫩的色调，酷似一首最温柔的曲子，又如落在黑白琴键上的轻盈的速奏。

夏天，水面上开满了白色和黄色的睡莲，那扁平的叶子舒展着，像是为蜻蜓和甲虫准备的排筏。睡莲映照在明镜般水中的倒影，宛如歌中的叠句。肖邦之家的夏，往往使人浮想联翩，使人回忆起肖邦那些最成熟的作品。尤其是黄昏时分，水面散发出阵阵幽香，宛如船歌的一串琶音，而那银灰、淡紫的亭亭玉立的树干，排列得整整齐齐，有条不紊，宛如 F 小调叙事曲开头的几节。清风徐来，树影婆娑，花园里充满了簌簌的声响。这簌簌声，这芬芳的香味，使我们心荡神驰，犹如是在聚精会神地倾听这独具一格的音乐的悠扬的旋律、清丽的和声。

秋天又别有一番风味。这是乡村婚嫁的季节，时不时有一阵小提琴声传到这里，飘到金黄的树冠下，飘到寂静的草坪上，它提醒我们，此刻正置身于玛祖卡曲的故乡。当我们漫步在花园的林荫小道，当我们踏上玲珑剔透的小桥，落叶在脚下踩得沙沙响。作为悠悠往事"见证者"的树叶，就像忧伤的奏鸣曲中那结尾的、令人难忘的三重奏，它们以自己干枯的沙沙声招来了那么多的思绪，那么多的回忆，那么多的乐曲。我们望着树上光秃秃的枝柯，悄声哼起了一支歌曲：

树儿自由地生长

叶儿轻轻地飘落……

于是，我们开始理解那个客死远方巴黎的人的深沉的郁闷：久别经年，他只能依稀记得"国内唱的歌"。

然而，这里最美的是冬天。请看吧！四野茫茫，白雪覆盖的房舍安然入梦。花园的树木变成了水晶装饰物，且会发出银铃般清脆的响声，就像昔日挂在马脖子上的铃铛。如今既没有马，没有雪橇，也没有狐裘，更没有裹着狐裘的美女。既没有玛丽亚·沃金斯卡也没有德尔芬娜·波托茨卡，亦不见那第一位情人——康斯丹齐亚·格瓦德科夫斯卡。没有母亲，没有姐妹——只有无边的静寂。一切都成为往事了。

只有他还住在这里，独自一人在雅致的房间里来回踱步。只有微弱的琴声在抗御风、雪和寂静。只有音乐长存。

倘若你在这样一个隆冬季节，站在这小屋的前边，望着被积雪压弯了的屋顶、光秃秃的树枝、黑洞洞的窗口，你就会感到，你是和肖邦在一起。

你是在和肖邦促膝谈心。

　　伟大的波兰音乐家弗雷德里克·肖邦不满20岁就成为华沙公认的钢琴家和作曲家。在他29岁那年，德军攻占波兰，以后肖邦一直漂泊异国，大部分时间在法国度过，直到长眠于巴黎的拉雪兹公墓，但他的心脏被运回祖国。在国外的日日夜夜，肖邦无时无刻不在思念着祖国，他创作了很多具有爱国主义思想的钢琴作品，以此抒发自己的思乡情、亡国恨。肖邦的音乐成为最有力量的波兰人的音乐，就像"藏在花丛中的一尊大炮"，向全世界宣告："波兰不会亡！"作为肖邦的同胞，作家伊瓦什凯维奇对肖邦怀有深深的敬意，他选取肖邦故园为切入点，介绍了作曲家肖邦故居的历史和现状，追叙了肖邦不平凡的一生，尤其着重表现了肖邦对祖国的眷恋和那种无法割舍的深沉的爱。

欧洲的城市

/ 森田玉

入选理由……………………………………
女性视野的欧洲风情
对城市个性的微妙捕捉
敏感细腻的笔触充满女性独有的魅力

雨淅淅沥沥地下着，一棵须仰视才见的大树，枝繁叶茂，树梢沉甸甸地垂下来，不停地摇曳着。从被雨水淋湿的绿叶的空隙里可以看得见对面的砖楼，它像个沉默无语的巨人似的，浑身湿漉漉地站在那里。长满美丽的嫩芽的树篱环绕四周，院中汽车摆成一排，这里大概是公寓吧，好像正在等待着住在这里的主人出来似的，一片肃穆，长满绿叶的枝条轻轻摆动，更加诱发了周围的宁静气氛。

"阴雨的伦敦……"这话不期而然地出现在脑海里。伦敦这城市，即便是晴天也好像下着蒙蒙细雨，给人以潮湿的感觉。当然欧洲的城市不光是伦敦，巴黎也好，阿姆斯特丹也好，都是不定在什么时候说下雨就下雨，很快又说晴天就晴天，不像日本，要说晴天就是整天朗朗晴空，万里无云。不过据本地人说，眼下这么冷是反常的，巴黎的说法是核爆炸造成的。同样是下雨，比起巴黎来，伦敦更让人感到深沉宁静，也许可以说是这城市所具有的特性吧。

离开东京正好一个月过去了。这30天的旅程是：巴黎10天，荷兰10天，伦敦10天。仅仅10天工夫，要谈论对该城市的印象是很危险的。可是另方面，据说第一印象最能抓住其性格特点，这也不见得是假。例如住在巴黎的人说，在巴黎住得越久，越弄不清楚关于巴黎的事，什么都写不出来。但对来旅游的我们

作者简介

森田玉（1894—1970），日本女作家，以散文、随笔著称。主要作品有《木棉随笔》《绢之随笔》《女人随笔》等。

来说，想写的东西有的是，一个接一个的新鲜印象在催促着自己，因而时常埋怨时间不够。我想映入行色匆匆的旅游者眼中的景象，不失为这城市性格的一个侧面吧。在巴黎可以见到鸽子在汽车前面安闲地走着，在阿姆斯特丹和伦敦就看不见这样悠闲的风光。麻雀敢飞到河岸茶座的桌子上来啄食点心渣，这是在荷兰。而在伦敦却见不到摆在道旁的咖啡店，当然也就不会有麻雀飞来的画面。

荷兰实在是个开朗的国度，即便是下雨天也明朗宜人，女人穿的西服，似乎也喜欢单纯鲜艳的颜色。另外，在荷兰有种二人行必挎臂的习惯。不仅是年轻的一对情侣或上了年纪的一对老夫妻，就是一对女学生、一对老太太、一对男孩子，都挽着胳膊走路。特别是老太太彼此挽着胳膊走路，令人感觉新奇。到公园里，这种老年人很多，有的织毛活儿，有的聊天，有的瞧着走路的人。荷兰是个社会保障制度发达的国家，养老院的设备完善，很多人上了年纪主动要求到养老院里来。他们星期日到孩子们的家里去做客，过生日时则召唤儿孙到自己这来庆祝一番。据说养老院里也备有这种地方。总之，互相不添麻烦，而又享受着生活的乐趣。一对老太太挎着胳膊散步，就是这种生活方式的表现之一吧。

令人感兴趣的是，年轻的女人们挽着胳膊走时，即便从远处看，这一对也是艳丽夺目的，因为她们很考究彼此服装颜色的配合。例如一方穿着雅致的黄色上衣，下面是深咖啡色的裙子。对方则穿着白上衣，下面是浅绿色的裙子；这四种颜色配合起来非常之美。另一对儿，一个穿浅绿色的上衣，下穿白地红格的裙子，对方则穿柠檬色的上衣和深绿色的裙子，彼此挽着胳膊走在公园的树丛之中，在绿荫的衬托之下，这四种颜色格外醒目。在荷兰还流行鲜明的藏青色，常见年轻的女孩子穿它。这是种多少有点土气的颜色，但对于皮肤白皙，脸蛋红润，坠腮脸的荷兰女孩子来说，却奇妙的非常合适。在巴黎几乎看不见穿这种颜色的女孩子。

关于这颜色，还有一段小插曲呢。不久以前，有位刚从日本来的人和我一起在饭店吃饭。对面有个穿这颜色的女孩子和另一个好像是她朋友的女孩子也在吃饭。一看就像荷兰姑娘，白皮肤，坠腮脸，极可爱的脸蛋。当我说："多可爱的姑娘呀，是从荷兰来的呀！"这时刚从日本来的那位说道："不，不对，那是巴黎姑娘，还用法语说话呢。"大概他不知道荷兰的姑娘都用法语讲话，穿的那衣服的颜色也是荷兰姑娘喜欢的颜色，巴黎人是不穿这种颜色的。

那么巴黎女人穿什么颜色的呢？如果有人问我，却很难回答。大概是以黑色为基调，各种颜色的都穿。简直可以说是善于穿各种颜色的衣服，这样说也许更贴切。眼下是旅游的季节，在巴黎市内有很多外国来的人走在街上。如果有巴黎的女人参杂其中，一眼就能认出是巴黎的人走过来了。她并没有特别引人注意的打扮，因为根本没有什么流行的颜色，说不出哪是巴黎的颜色来，大概只看她那走路的身姿和动作，不知怎的就给人以轻快之感，马上便意识到了巴黎。

仅一海之隔，去到伦敦一看，伦敦的女人毫不介意地穿着土气的衣服，她们无视颜色的配合，即便颜色完全不调合，也一点不在乎，起初甚至使我想到伦敦女人是否色盲。在巴黎看不见的荷兰流行颜色藏青色，在伦敦就常常可以看到，但不同于荷兰的是，它一点也不鲜艳，还和灰色什么的配合在一起，看着既土气又沉闷。观看百货店的橱窗时，有深蓝色的成套西装，有把深茶色和浅茶色巧妙配合在一起的质量很好的上下身分开的女西装，使人想到这也许就是伦敦的真正颜色。不巧的是还没有遇见过真正穿这衣服的人，但我饶有兴味地想着，既然商店里有，就一定有人穿，不久总会碰得见的。关于服装谈的太多了，而对于初次访欧的我来说，感受最深的要算是，生长于铁和石头之间的人与生长在纸和木之间的人的不同。

不久以前曾去牛津大学参观，这里的大学与日本的不同，是由几个学院组成的一个综合大学。正像京都紫野的大德寺，是由几个寺院构成一个大德寺。并且每所学院又都有宿舍，学生全生活在那里面。学院里也有教堂，走廊、食堂，很像日本禅宗的佛寺似的。只不过日本全是木结构的，而这里却全是石砌的。看见石头走廊的铺石路磨损的样子，就想起了日本僧房的木头走廊劈裂起刺的样子。别管木头怎样起刺，它也是温暖的，用手一摸有种柔软的感觉。而石头则是冰冷坚硬的。从一降生起就在这冷酷的铁石中磨炼长大的人，与在木头柔软的肌肤中间娇惯长大的人之间的不同，越想越觉得这是个说也说不完的问题。

还有一个问题，荷兰也好，巴黎也好，伦敦也好，全都非常爱花，无论到什么地方都摆着花，但这些花的颜色也跟日本的不同。如果说日本的花是水墨丹青的日本画的话，这里则是浓涂重抹的油画。牛津大学学院的院里也开满姹紫嫣红的鲜花，牡丹就是纯粹的牡丹色，还有种叫匹纳斯的花，像葱的球状花似的，它高高地探出头来，尖上开着一团小花。这花的颜色就像明亮的蓝钻掺杂着青灰色似的，它很美，但总觉得有点怪，越看越不对劲。昨天晚上和剧作家福田恒存、音乐评论家吉田秀和聚在一起时，谈起这花来，福田先生说他喜欢。我说，那么你有资格当纯粹的英国人了，我不够资格。蓝色的花，在野草丛中，只有一朵悄悄地开在那里，才幽雅宜人，值得怀念，像那样群花齐放，真有点吃不消，就像受不了石头那股冰凉刺骨的劲头一样。

美／文／赏／析

　　日本女作家森田玉以散文随笔著称，她的大量作品散发着东方女性独特的魅力，当然，其思想和感受也充满了现代感。《欧洲的城市》是一篇概括的游记散文，是东方女性眼中的欧洲。在作家的眼里，这些欧洲的城市因为陌生而新奇，但是，这恰好就是西方文明之于东方文明的区别和特色所在吧。正如作者所说，"第一印象最能抓住其性格特点"，"在巴黎住得越久，越弄不清楚关于巴黎的事，什么都写不出来"。而对于旅游的作者而言，则是"新鲜印象在催促着自己"。对于一个东方的女性而言，欧洲的城市有什么特点呢？作者先是写到了雨中的伦敦，不单是雨天，"即便是晴天也好像下着蒙蒙细雨，给人以潮湿的感觉"。而欧洲的城市"都是不定在什么时候说下雨就下雨，很快又说晴天就晴天"。同样是下雨，比起巴黎来，伦敦更让人感到深沉宁静。荷兰则是明朗的，女人的衣服也是单纯鲜艳的，而巴黎，女人的衣服则以黑色为主调，"根本没有什么流行的颜色"。伦敦呢？"女人毫不介意地穿着土气的衣服"。在作者眼里，欧洲的城市不约而同地都爱花，但是，不同于东方的"水墨丹青"，欧洲的花是"浓涂重抹的油画"。注意力集中在天气、服饰和花草上，这大概就是森田玉作为一个女性自然而然的视角所在，将这些东西写得非常鲜活细腻，历历在目，也大约是女性独有的细致和敏感使然吧！

归来的温馨

/ 聂鲁达

入选理由……………………………
聂鲁达的散文代表作之一
散发着浓郁的爱国思乡之情

我的住所幽深，院内树木繁茂。久别之后，房子的许多去处吸引我躲进去尽情享受归来的温馨。花园里长起神奇的灌木丛，发出我从未领受过的芬芳。我种在花园深处的杨树，原来是那么细弱，那么不起眼，现在竟长成了大树。它直插云天，表皮上有了智慧的皱纹，梢头不停地颤动着新叶。

最后认出我的是栗树。当我走近时，它们光裸干枯的、高耸纷敏的枝条，显出莫测高深和满怀敌意的神态，而在它们躯干周围正萌动着无孔不入的智利的春天。我每日都去看望它们，因为我心里明白，它们需要我去巡礼，在清晨的寒冷中，我凝然伫立在没有叶子的枝条下，直到有一天，一个羞怯的绿芽从树梢高处远远地探出来看，随后出来了更多的绿芽。我出现的消息就这样传遍了那棵大栗树所有躲藏着的满怀疑虑的树叶；现在，它们骄傲地向我致意，并且已经习惯了我的归来。

作者简介

聂鲁达(1904—1973)，智利著名诗人、散文家、社会活动家。生于铁路工人家庭。早年在圣地亚哥智利教育学院学习。1927年进入外交界，历任南美、亚洲、欧洲多国领事。1945年当选国会议员并加入智利共产党。1948年流亡海外。1952年回国。1957年任智利作家协会主席。1971年获诺贝尔文学奖。

聂鲁达像

鸟儿在枝头重新开始往日的啼鸣，仿佛树叶下什么变化也未曾发生。

书房里等待我的是冬天和残冬的浓烈气息。在我的住所中，书房最深刻地反映了我离家的迹象。

封存的书籍有一股亡魂的气味，直冲鼻子和心灵深处，因为这是遗忘——业已湮灭的记忆——所产生的气味。

在那古老的窗子旁边，面对着安第斯山顶上白色和蓝色的天空，在我的背后，我感到了正在与这些书籍进行搏斗的春天的芬芳。书籍不愿摆脱长期被人抛弃的状态，依然散发一阵阵遗忘的气息。春天身披新装，带着忍冬的香气，正在进入各个房间。

在我离家期间，书籍给弄得散乱不堪。这不是说书籍短缺了，而是它们的位置给挪动了。在一卷十七世纪的严肃的培根著作旁边，我看到艾·萨尔加里的《尤卡坦旗舰》；尽管如此，它们倒还能够和睦相处。然而，一册拜伦诗集却散开了，我拿起来的时候，书皮像信天翁的黑翅膀那样掉落下来。我费力地把书脊和书皮缝上，事前我先饱览了那冷漠的浪漫主义。

海螺是我住所里最沉默的居民。从前海螺连年在大海里度过，养成了极深的沉默。如今，近几年的时光又给它增添了岁月和尘埃。可是，它那珍珠般冷冷的闪光，它那哥特式的同心椭圆形，或是它那张开的壳瓣，都使我记起远处的海岸和事件。这种闪着红光的珍贵海螺叫 Rostellaria，是古巴的软体动物学家——深海的魔术师——卡洛斯·德拉托雷有一次把它当做海底勋章赠给我的。这些加利福尼亚海里的黑"橄榄"，以及同一处来的带红刺的和带黑珍珠的牡蛎，都已经有点儿褪色，而且盖满尘埃了。从前，就在有这么多宝藏的加利福尼亚海上，我们险些遇难。

还有一些新居民，就是从封存了很久的大木箱里取出的书籍和物品。这些松木箱来自法国，箱子板上有地中海的气味，打开盖子时发出嘎吱嘎吱的歌声，随即箱内出现金光，露出维克多·雨果著作的红色书皮。旧版的《悲惨世界》便把形形色色令人心碎的生命，在我家的几堵墙壁之内安顿下来。

不过，从这口灵柩般的大木箱里我找出了一张妇女的可亲的脸，木头做的高耸的乳房，一双浸透音乐和盐水的手。我给她取名叫"天堂里的玛丽亚"，因为她带来了失踪船只的秘密。我在巴黎一家旧货店里发现她光彩照人，当时她因为被人抛弃而面目全非，混在一堆废弃的金属器具里，埋在郊区阴郁的破布堆下面。现在，她被放置在高处，再次焕发着活泼、鲜艳的神采出航。每天清晨，她的双颊又将挂满神秘的露珠，或是水手的泪水。

玫瑰花在匆匆开放。从前，我对玫瑰很反感，因为她没完没了地附丽于文学，因为她太高傲。可是，眼看她们赤身裸体顶着严冬冒出来，当她在坚韧多刺的枝条间露出雪白的胸脯，或是露出紫红的火团的时候，我心中渐渐充满柔情，赞叹她们骏马一样的体魄，赞叹她们含着挑战意味发出的浪涛般神秘的芳香与光彩；而这是她们适时从黑色土地里尽情吸取之后，像是责任心创造奇迹，在露天地里表露的爱。而现在，玫瑰带着动人的严肃神情挺立在每个角落，这种严肃与我正相符，因为她们和我都摆脱了奢侈与轻浮，各自尽力发出自己的一份光。

可是，四面八方吹来的风使花朵轻微起伏、颤动，飘来阵阵沁人心脾的芳香。青年时代的记忆涌来，令人陶醉：已经忘却的美好名字和美好时光，那轻轻抚摩过的纤手、高傲的琥珀色双眸以及随着时光流逝已不再梳理的发辫，一起涌上心头。

这是忍冬的芳香，这是春天的第一个吻。

美/文/赏/析

　　《归来的温馨》一文叙述了作者久别故园之后回到家中时的百感交集之情。作者开首直接点题，直抒胸臆，接着尽情铺陈，运用拟人手法，细腻描绘了一幅幅让人备感温馨的意象：花园里的灌木丛"发出我从未领受过的芬芳"；昔日亲手栽种的小杨树已长成参天大树；"鸟儿在枝头重新开始往日的啼鸣"；散乱的书籍和沉默的海螺撩起我青年时代的回忆；连"我"一向反感的玫瑰花，也因她的匆匆开放，发出波涛般神秘的芳香与光彩，而使"我"心中渐渐充满柔情。文章笔调细腻，饱含真情，情景交融，充满诗情画意，极富艺术感染力。

日　落

/ 列维·斯特劳斯

入选理由……………………………
关于落日的恢宏而深沉宁静的画卷
一次不同寻常的美的体验
融深邃的哲理性的议论及绚丽的描写为一体

　　科学家把黎明和黄昏看成同一种现象，古希腊人亦是如此，所以他们用同一个字来表示早晨和晚上。这种混淆充分反映出他们的主要兴趣在于理论的思辩，而极为忽视事物的具体面貌。由于一种不可分割的运动所致，地球上的某一点会运动于阳光照射的地区与阳光照不见或即将照见的地区之间。但事实上，晨昏之间的差异是很大的。太阳初升是前奏曲，而太阳坠落则是序曲，犹如老式歌剧中出现于结尾而非开始的序曲。太阳的面貌可以预示未来的天气如何，如果清晨将下雨，太阳阴暗而灰白；如果是晴空万里，太阳则是粉红的，呈现一种轻盈、被雾气笼罩的面貌。但对一整天的天气情况，曙光并不能做出准确的预告，它只表明一天天气进程的开始，宣布将会下雨，或者将是晴天。至于日落，则完全不同。日落是一场完整的演出，既有开始和中间过程，也有结尾，它是过去 12 个小时之内所发生的战斗、胜利和失败的缩影。黎明是一天的开始，黄昏是一天的重演。

　　这就是人们为什么更多地注意日落而较少注意日出的原因。黎明给予人们的只是温度计和晴雨表之外的辅助信息，对于那些处于低等文明之中的人们来说，只是月相、候鸟的飞向和潮汐涨落之外的辅助信息。日落则把人类身体难以摆脱的风、寒、热、雨种种现象组合在一起，组成神秘的结构，使人精神升华。人类

作者简介

　　列维·斯特劳斯（1908—2009），法国著名人类学家，结构主义人类学的创立者。此文是作者的一篇航海札记。

的意识活动也可以从那遥远的天际反映出来。当落日的光辉照亮了天空的时候（如同剧院里宣布开演时并非是传统的三下锤声，而是突然大放光明的脚灯），正在乡间小路上行走的农民停止脚步，渔夫也拉紧他的小船，坐在即将熄灭的火堆旁的野主人，会朝天空眨眨眼睛。回忆是人的一大快乐之一，但回忆并非都是快乐，因为很少有人愿意再经历一次他们所津津乐道的疲倦和痛苦。记忆就是生命，但是另外一种性质的生命。所以，当太阳如天上某种吝啬的神灵扔下的施舍一般，落向平静的水面时，或者当那圆圆的落日把山脊勾勒成如同一片有锯齿的硬叶时，人们便在短暂的幻景中得到那些神秘的力量以及雾气和闪电的启示，它们在人们心灵深处所发生的冲突已经持续了一整天了。

因此，人们的心灵深处肯定进行过激烈的斗争，否则，外观现象的平淡无奇不足以说明气候为何有如此壮观激烈的变化。今天这一整天，似乎没有发生什么可书可记之事。将近下午 4 点，正是一天中太阳开始失去清晰度而却光辉不减的时候，也正是仿佛有意为掩饰某种准备工作而在天地之间聚集起一片金光的时候，"梦多娃"号改变了航向。船身随着微微起伏的波涛摇动，每一次轻摇，人们都会更加感受到天气的炎热，不过船行的弧度极不易觉察，人们很容易把方向的改变误认为是船体横摇轻微的加剧。实际上，没有人注意航向已经改变，大海航行，无异于几何移位。没有任何风景告诉人们已经沿着纬度线缓缓地走到了什么地方，穿越了多少等温线和多少雨量曲线。在陆地上走过 50 公里，可以使人有置身于另外一个星球的感觉，可是在茫茫大海上移动了 5000 公里，景色还一成不变，至少没有经验的人看来如此。不必忧虑路线和方向，也不必了解那凸起的海平线后面目力难及的陆地，对这一切，船中的旅客可以完全不加以理会。他们觉得自己仿佛被关进了一个狭小的空间，被迫要在这里度过事先已经确定的天数，他们之所以以此为代价，不仅因为有一段行程要完成，更主要的是享受一下从地球的一端被运到另一端而无须动用自己的双脚的特权。由于上午迟迟不愿起床和慵懒的进餐，他们都变得虚弱无力，无精打采，吃饭早已经不能带来感官的愉快，而只是一种消磨时间的方式，所以他们尽力使时间拖长，以便填补度日如年的空虚。

实际上，没有任何事情可做，不需要人们花费任何力气。他们当然知道，在这个庞然大物的深处的某个地方安装着机器，有人在那里工作，使之运转。但工作着的人们并不想让别人去看望他们，乘客没想到要去看望他们，船上的官员也没有想把两者拉在一起。人们只能在船上懒散地踱来踱去，看着一名水手往通风器上刷油漆，几名身穿蓝工作服的服务员不甚卖力气地在头等舱的走廊上推着一个湿墩布，看到他们，人们才意识到轮船在向前行进，生锈的船身被海浪拍打的声音隐约可闻。

5 点 40 分的时候，西方似乎出现了一个结构复杂的空中楼阁，充塞了天地，它的底部完全呈水平方向，大海仿佛由于某种不可理解的运动突然升高，倒立在天空的海水中间似乎有一层厚厚的难以看见的水晶。在这个庞大的结构的顶端，仿佛受反转的地心引力的作用，是变幻不定的框架，膨胀的金字塔和沸腾的泡沫，你中有我、我中有你地向高空伸展。那些沸腾的泡沫既像云彩又像建筑的装饰线脚，因为看起来很光滑，仿佛是镀金的木头圆雕。这个遮天蔽日、一团混沌的聚合物，色彩昏暗，只有顶端，闪烁着道道明亮的光辉。

在天空更高的地方，金色的光线变成没精打采的曲线，交织在一起，它们仿佛不是由物质组成，只是纯粹的光线而已。

顺着海平线向北望去，那种巨大的空中楼阁变小了，在四散的云片中渐渐升高，它的后面，在更高的地方，仿佛现出了一条带子，顶端呈五彩缤纷之状。在接近太阳——此时尚看不见——的一侧，阳光使之罩上了一个明亮的边缘。再往北看，各种构造的形态已消失，只剩下那条光带，暗淡无光，溶入大海。

同样的另一条带子出现在南方，但顶端布满石板状的大块云朵，犹如支柱之上的座座石屋。

把背对着太阳，向东方望去，可以看见两群重叠在一起向长处延伸的云块。因为阳光在它们的背后，所以远景上那些小丘状、膨胀着的堡垒，都被阳光照亮，在空中呈现出交织的粉红、深紫和银白。

与此同时，在西方的那一片空中楼阁之后，太阳正在缓缓下坠。在日落的每个不同阶段，有某道阳光可能会穿透那一片浓密的结构，或者自己打开一道通道，光线于是把障碍物切成一串大小不同、亮度各异的圆片。有时候，阳光会缩回去，仿佛一只握紧的拳头，此时，云制的手套只让一两个发光而僵直的手指露出来。或者有时候，仿佛是一条章鱼，爬出了烟雾弥漫的洞穴，然后又重新退回了洞中。

日落有两个不同的阶段。开始时太阳是建筑师，后来（当它的光线只是反射光而非直射光的时候），太阳变成画家。当它在海平线上消失的时候，光线立刻变弱了，形成的视平面每时每刻都更为复杂。强烈的光线是景物的敌人，但在白天与黑夜转换的时刻，却可以展现一种奇幻和转睛即逝的结构。随着黑暗的降临，一切都变得平淡无奇了，如同色彩美丽的日本玩具。

日落第一阶段开始的准确时间是 5 点 45 分。太阳已经很低，但还没有触及海平线。太阳开始在云层结构下面出现的一刹那，如同蛋黄一样喷薄而出，把一片光辉洒在它仍然没有完全摆脱的云层结构上，光芒四射之后，立刻就是光芒的回缩，周围黯淡下来，于是在海平面和云层底端的空间之中，出现了一道迷蒙的山脉，开始时在一片光辉之中影影绰绰，继而变得昏暗和棱角峥嵘。与此同时，扁平的山体也变得庞大起来。那些坚实黑暗的形体缓缓移动，如同一群候鸟在飞越广阔火红的大海，于是那一片火红逐渐从海平线向天空延伸，揭开了色彩缤纷阶段的序幕。

渐渐地，夜晚的庞大结构消失了。充塞着西方一整天的庞然大物，此时像一块轧制的片状金属，被一种来自背后的光辉照亮，光辉始而金黄，继而朱红，最终变为桃红。已经扭曲变形和正在缓缓消失的云块，也被光辉溶化和分解，如同被一阵旋风裹挟而去。

由云雾织成的无数网络出现在天空时，它们形状各异，有水平的，倾斜的，垂直的，甚至螺旋形的，向四面八方伸展。随着阳光的减弱，光线把它们一个接一个地照亮（好像琴弓忽起忽落，拨动不同的琴弦一样），使每个网络仿佛都具有它所特有而随意的色彩。每个网络在光辉中出现的时候，都是那样干净、清晰，像玻璃丝一样，又硬又脆，然后就渐渐地解体了，仿佛因为其组成的物质暴露在一个充满火焰的天空而无法忍受高温，变黑了，分解了，越来越薄了，最终从舞台上消失，而让位于另外一个新组成的网络。到最后，各种色彩都混合在一起，变得难以分辨，如同一个杯子里不同颜色和不同浓度的液体，起初还层次分明，接着渐渐地混合在一起。

在此之后，人们就很难跟踪观察远方天际上的景观了，那每隔几分钟甚至几秒钟就重复出现的景观。当太阳触及西部海平线的时候，东方的高空中突然出现了一些以前看不到的紫色彩云，彩云不断扩展，不断增加新的细部和色彩，然后从右至左地缓缓消失，仿佛被一块抹布慢慢而毫不犹豫地擦掉。几秒钟之后，澄澈深灰色的天空重新出现在云层堆积的堡垒之上。当那一片堡垒渐呈灰白的时候，天空却一片粉红。

在太阳那边，在原来的那条老带子后面，出现一条新的带子，前者灰白昏暗，后者红光闪烁。当这后一条光带的光辉暗淡下去的时候，顶端那尚未被人注意的斑驳的色彩，此时渐渐扩展开来，其下部爆发为一片耀眼的金黄，其上部的闪光演变为棕色和紫色。人们似乎在显微镜下，顿时看清了那些色彩的结构：成千上万条纤细白、光线，仿佛支撑着一个骨架，使之呈现出浑圆的形状。

此时，太阳直射的光线业已全部消失，天空中剩下了红黄两色，红色如同虾和鲑鱼，黄色如同亚麻和干草。五色缤纷的色彩也开始消逝。天空的景观重新出现白色、蓝色和绿色。然而，海平线上还有些角落在享受着某种短暂而独立的生命。左边，一道没有被人发现的面纱突然出现，像是几种神秘绿色的随意混合。颜色然后渐渐转成艳红、暗红、紫红和炭黑，犹如两支炭条在一张粗糙的纸上留下了不规则的痕迹。在这道面纱的后面，天空呈现出高山植物般的黄绿色，那条光带依然一片昏暗，轮廓完整清晰。西边的天空，那水平状纤细的金线发出最后的闪光，可是北边近乎完全黑了下来，那些小丘状的堡垒，在灰色的天空下，变成乳白色的隆起。

白日消逝，夜晚降临，这一系列近乎完全相同而又不可预测的过程，乃是最为神秘不过的事情。种种迹象，伴着变化不定和焦虑，突现于天空。没有能预测这一特定的夜晚采取什么形式降临。仿佛由于一种神秘的炼金术的作用，每种颜色都成功地变化为其互补色，可是画家要获得同样的效果，则必须在他的调色板上加入一管新的颜料。然而，对黑夜而言，它可以调出无穷无尽的混合色，它开始展现的只是一种虚幻的景象。天空由粉红变成绿色，其真正原因是某些云彩变为鲜红的颜色而我却未曾注意，对比之下，原本是粉红的天空就呈现出绿色，因为这种粉红的色调太淡，无法和那种新出现的强烈色彩相抗衡。不过，天空颜色的变化并没有引起我的注意，因为由金黄变为红色不像由粉红变为绿色那样令人惊讶。黑夜就这样仿佛在神不知鬼不觉之中降临了。

于是，金黄与紫红的颜色开始消逝，黑夜代之以自己的底片，温暖的色调让位于白色和灰色。黑夜的底片上慢慢现出一种海景，悬于真正的大海之上，那是由云彩组成的一幅广阔无垠的银幕，缓缓散成丝缕，变成座座平行的半岛，如同在一架低飞而一翼倾斜的飞机上所看到的平坦而布满黄沙的海岸，仿佛正把箭头射入海中。白日的最后几道光芒，低低地斜射到云朵组成的箭头上面，使其外表很像坚硬的岩石，人们眼前的整个幻象因此更为壮观。那些如岩石般的云朵，平时展现在光辉与黑影的刻刀下，但此时的太阳仿佛已经无力在斑岩和花岗岩上使用它明亮的刻刀，而只能把变幻不定和浩如烟海的物质，当做它的雕刻对象，不过，这位正在徐徐下坠的雕刻家依然保持着固有的风格。

随着天空渐渐变得澄澈起来，人们看到那如同海岸一般的云彩中，出现了海滩、泻湖、成堆的小岛和沙洲，它们被天上那个平静的大海所淹没，同时在不断分解的云层中形成许多峡湾和内湖。由于环绕那些云朵箭头的天空很像海洋，也由于海洋通常反映天空的颜色，所以天空的景观乃是一种遥远景观的再现，太阳将再次在那遥远的地方坠落。此外，只要看看天空底下的真正的海洋，海市蜃楼般的幻景就会立刻无影无踪：它既不是正午的灼热，也非晚餐后的美妙和波浪轻摇。几乎从水平方向而至的光线，只把涌向它们那个方向的海浪照亮，海浪的另一面则一片黑暗。膨胀的海水于是现出鲜明浓重的暗影，如同脱胎于一种金属。一切透明的景象全部消失。

于是，通过一个很自然，却又始终无法觉察和迅疾的过渡，夜色取代了暮色，一切均不复原来的样子。天空，在临近地平线的地方，是一团漆黑，高处则呈土黄色，最高处是一片蔚蓝，被白日结束逼得四处逃窜的云朵业已呈现支离破碎之状，很快就只剩下了干瘪的病态的道道黑影，如同舞台上的布景支架，演出结束，灯光熄灭，立刻显现出其可悲、脆弱和临时搭就的本来面貌，它们所制造的幻象，并非出自它们本身，只不过是利用灯光和视角所造成的错觉而已。不久之前，云间还是那样活跃鲜明，每时每刻变化无穷，此时则被固定在一个痛苦而无法改变的模式里，将和渐渐黑暗下去的天空融为一体。

这篇文章是法国著名人类学家列维·斯特劳斯的手笔，通篇大量的笔墨对大自然中的一个常见现象——日落做了最为详尽的描述，但是它并不是一篇科学报告，而是气势恢宏的散文作品。作为一篇航海札记，作者在文字里充分调动了语言的各种手段，穷尽语言所能达到的各种可能，深邃的哲理性议论、缜密的思考、极为丰富细腻的描写和叙述，使整篇文章气势磅礴而又深沉宁静。日落开始了，这是大自然最为华丽的演出，列维·斯特劳斯开始了笔端最为绚丽的描述，尽显着妙不可言的人间胜景，作者告诉我们："日落有两个不同的阶段"在这两个壮观的阶段里，充满了各种夸张的颜色，而大海和天地是宁静无声的，因为色彩变化的丰富和作者描述的准确细致，使得文字进行得也同日落一样缓慢。

四季生活

/ 沃罗宁

入选理由………………………………

文风亲切朴素

一篇优美的写景状物散文

充满人情味、人性美，富于生活情趣

每当清早，我拉起用木条制成的黄色百叶窗时，都能看见她。她高耸、挺拔，永远伫立在我窗前。秋夜，她消溶在幽暗之中，不见了：而你若相信奇迹，便会以为她走到别的地方去了，因为不见了。但刚一露出曙光，白昼的一切尚在酣睡，隐约感到清晨的气息时，她又已出现在原处了。

我凝视着她，不禁萌生出奇思异想。她想必有自己的生命吧。又有谁知道，如果苍天赋予我认识大自然全部完美的感官，也许我眼前会展现出一个神奇的世界。这个世界具有一切生物所固有的伟大的和渺小的感情，这些感情人是无

作者简介

　　沃罗宁（1913—　　），生于圣彼得堡一个医生家庭。1939年毕业于高尔基文学院。1941年加入共产党。卫国战争期间曾任战地记者，1955年至1963年任《外国文学》杂志主编，1962年起任《文学报》主编、苏联作家协会书记处书记，1971年被选为苏共中央候补委员，1973年为苏联社会主义劳动英雄。

　　1937年开始发表作品。著有长篇小说三部曲《这事发生在列宁格勒》（1944年）、《丽达》（1945年）、《和平的日子》（1947年），长篇小说《我们这里已是早晨》（1949年，1950年获斯大林奖金）、《生活的年代》（1956年）、《我们选择的道路》（1960年）、《围困》（共5卷，1968—1975年，1978年获苏联国家奖金）、《胜利》（1978—1981年）等，中篇小说《远方星辰的光辉》（1962年）、《未婚妻》（1966年）等。

法理喻的。然而我仅有五种感官，况且由于人类历尽沧桑，这些感官已不那么灵敏了。

而她生机勃勃！她日益茁壮，逐年增高。如今我得略微抬头，才能从窗口看见她那清风般轻盈的、透亮的树梢。可十年前半个窗框便能把她容纳下。

春

她的枝条刚刚摆脱漫长的严冬，还很脆硬，犹如加热过度的金属。春风吹过，枝条叮当作响。鸟儿还没在枝叶浓密的枝头筑巢。然而她已苏醒。这是一天清晨我才知道的。

邻居走到她跟前，用长钻头在她的树干上钻了个深孔，把一根不锈钢的小槽插进孔中，以便从槽中滴出浆汁。果然，浆汁滴了出来，像泪珠那样晶莹，像虚无那样明净。

"这并不是您的白桦。"我对邻居说。

"可也不是您的。"他回敬我。

是啊，她长在我的围墙外。她不是我的。但也不是他的。她是公共的，确切些说，她谁的也不是，所以他可以损害她，而我却无法对他加以禁止。

他从罐子里把白桦树透明的血液倒进小玻璃杯里，一小口一小口把它喝干。

"我需要树汁，"他说，"里面有葡萄糖。"

他回家去了，在树旁留下一个三公升的罐子，以便收集葡萄糖。树汁像从没有关紧的龙头里一滴一滴地迅速流下来。既然流出这么多树汁，那么他破坏了多少毛细管哟……她也许在呻吟？她也许在为自己的生命担忧？我不得而知，因为我既没有第六感觉，也没有第七感觉，更没有第一百感觉，第一千感觉。我只能对她怜悯而已……

然而，一个星期后，伤口上长出一个褐色的疤。她自己治好了伤口。恰恰这时她身上的一颗颗苞芽鼓胀起来，从苞芽里绽出嫩绿的新叶，成千成万的新叶。目睹这浅绿色的雾霭，我心里充满喜悦。我少不了她，这棵白桦树。我对她习惯了。我对她永远伫立在我的窗前已经习惯了；而且在这不渝的忠诚和习惯中，蕴蓄着一种令我精神振奋的东西。的确我少不了她，尽管她根本不需要我。没有我，就像没有任何类似我的人一样，她照样生活得很好。

夏

她保护着我。我的住宅离大路一百米左右。大路上行驶着各种车辆：货车，小轿车，公共汽车，推土机，自卸卡车，拖拉机。车辆成千上万，来回穿梭。还有灰尘。路上的灰尘多大啊！灰尘飞向我的住宅，假若没有她，这棵白桦树，会有多少灰尘钻进窗户，落到桌子上，被褥上，飞进肺里啊。她把全部灰尘吸附在自己身上了。

夏日里，她绿荫如盖。一阵轻风拂过，它便婆娑起舞。她的叶片浓密，连阳光也无法照进我的窗户。但夏季屋里恰好不需要阳光。沁人心脾的阴凉比灼热的阳光强百倍。然而，白桦树却整个儿沐浴在阳光里。她的簇簇绿叶闪闪发亮，苍翠欲滴，枝条茁壮生长，越发刚劲有力。

六月里没有下过一场雨，连杂草都开始枯黄。然而，她显然已为自己贮存了以备不时之需的水分，所以丝毫不遭干旱之苦。她的叶片还是那样富有弹性和光泽，不过长大了，叶边滚圆，而不再是锯齿形状，像春天那样了。

之后，雷电交加，整日在我的住宅附近盘旋，越来越阴沉，沉闷地——犹如在自己身体里——发出隆隆轰鸣。入暮时分，终于爆发了。正值白夜季节。风仿佛只想试探一下——这白桦树多结实？多坚强？白桦树并不畏惧，但好像因灾难临头而感到焦灼，她抖动着叶片，作为回答。于是大风像一头狂怒的公牛，骤然呼啸起来，向她扑去，猛击她的躯干。她蓦地摇晃了一下，为了更易于站稳脚跟，把叶片随风往后仰，于是树枝宛如千百股绿色细流，从她身上流下。电光闪闪，雷声隆隆。狂风停息了。滂沱大雨从天而降。这时，白桦树顺着躯干垂下了所有的枝条，无数股细流从树枝上流下，像从下垂的手臂流到地上。她懂得应该如何行动，才能岿然不动，确保生命无虞。

七月末，她把黄色的小飞机撒遍了自己周围的大地。无论是否刮风，她把小飞机抛向四面八方，尽可能抛得离自己远些，以免她那粗大的树冠妨碍它们吸收更多的阳光和雨露，使它们长成茁壮的幼苗。是啊，她与我们不同，有自己的规矩。她不把自己的儿女拴在身旁，所以她能永葆青春。

那年，田野里，草场上，山谷中，长出了许多幼小的白桦树。唯独大路上没有。

若问大地上什么最不幸，那便是道路了。道路上寸草不生，而且永远不会长出任何东西来。哪里是道路，哪里便是不毛之地。

秋

太阳躲开我的住宅，也躲开白桦树。树叶立刻开始发黄，而且越来越黄，仿佛在苦苦哀求太阳归来。但太阳总是不露面。瓦灰色的浮云好似令人焦虑的战争的硝烟，向天宇铺天盖地涌来，又如巨浪相逐，遮蔽了一切。云片飞得很低，险些儿触及电视天线。下起了绵绵秋雨。雨水淅淅沥沥地下着，从一根树枝滴落到另一根树枝上。霖雨不舍昼夜，一切都变得湿漉漉的了，土地不再吸收雨水，或者是所有的植物都不再需要水分了吧。

夜里，我醒来了。屋里多么黑暗，多么寂静啊……只听见雨珠从树枝上滴下时发出的簌簌声。萧瑟而连绵不绝的秋雨的簌簌声好生凄凉啊。我起了床，抽起烟来，推开窗户，于是看见了她那在秋日的昏暗中依稀可辨的身影。她赤身露体，任凭风吹雨打。翌日凌晨，寒霜突然降临。随之又是几度霜冻，于是白桦树四周铺上了一圈黄叶。这一些全都是发生在寒雾中。然而，当树叶落尽，太阳露出脸来时，处处充满忧郁气氛，尤其是在她周围。因为就在不久前，这里还是青翠葱茏，一切都光艳照人，欣欣向荣。过去，一切都是这样美不胜收，朝气勃勃，如今却突然消失了。将要下起蒙蒙细雨来，树叶将要腐烂发黑，僵硬的树枝将要在冷风中瑟缩，水洼将要结冰。鸟儿将要飞走。死寂的黑夜将要拖得很长，在冬季里它将会更加漫长。暴风雪将要怒吼。严寒将要肆虐……

冬

我离开家了。我不能留在那里，为不久前还使我欣喜和对生活充满信心的事物的消亡而苦恼。我搭机飞向南方。到了辛菲罗波尔之后，我便改乘出租汽车了，我又惊又喜地仔细观看温暖的南国的苍翠。一见黑海，我便悄声笑了。

浩淼、温暖的海。我潜进水里，向海底，向绿色的礁石游去。我喝酸葡萄酒，吃葡萄，筋疲力尽地躺在暖烘烘的沙滩上，眺望大海，观看老是饥肠辘辘，为了一块面包而聒噪的海鸥。接着我又游进温暖的海水，攀上波峰，滑下浪谷，又攀上去。我又喝酸葡萄酒，吃烤羊肉，钻进暖烘烘的沙子里。在我身边的也是像我一样从自己的家园跑到这片乐土来的人们。大伙儿欢笑啊，嬉戏啊，在海滩上寻找斑斓的彩石，尽量不想家里发生的事情。这样会更轻松、更舒坦些。但要抛弃家园是办不到的，就像无法抛弃自己一样。

于是我回家了。四周一片冰天雪地。她也兀立在雪堆里。我不在时，刺骨的严寒逞凶肆虐，把她的躯干撕破了。撕裂得虽不严重，但落上一层雪的白韧皮映进我的眼帘。我抚摸了一下她的躯干。她的树皮干瘪、粗糙。这是辛勤劳作的树皮，同南方的什么"不知羞耻树"的树皮迥然不同。这里，一切都是为了同霪雨、暴雪、狂风搏斗。所以，像平时见到她时那样，我又萌生出各种奇思异想。我暗自忖度：你看哪，她不离开故土，不抛弃哺育自己和自己的儿女的严峻的土地。她没有离去，而只是把自己的苞芽藏得更严实，裹得更紧，使它们免遭严寒的摧残，开春时迸发出新叶，然后培育出种子，把它们奉献给大地，使生命万古生存，永葆青春。是啊，她有自己的职责，而且忠诚不渝地履行这些职责，就像永远必须做那些为了生存下去而必须做的事情一样。

北风劲吹，像骨头似的硬邦邦的树枝互相碰撞，劈啪作响。刮北风的时间一向很长，一刮就是一个星期，两个星期。这一来，一切生物都得倍加小心，更何况天气严寒呢。好在我的住宅多少保护着她。但她毕竟还要挨冷受冻啊。

严寒要持续很长时间，以致许多羸弱的生命活不到来年开春。但她能活到这个季节。她挺得住，而且年复一年地屹立在我的窗前……

　　《四季生活》是一篇优美的写景状物散文，文风亲切朴素，没有哗众取宠的华丽语言，以其可读的思想性，给读者以心灵的滋养。这篇文章有以下艺术特色。

　　分节的片段描写。文章以春、夏、秋、冬四个季节为时间线索，又以每个季节为落脚点对白桦树进行描写，这样使文章显得整齐有序，便于读者对文章思想性清晰地把握。

　　拟人手法的运用。作者将白桦塑造成一个坚强、温暖的女性形象，拟人手法的运用，使本无生命的大自然和植物变得有血有肉，充满人性美、人情味。在作者传神的描写中，白桦成了一个在春、夏、秋、冬四季的变换中，永远守候家园的母亲，她温婉坚韧，是作者心中难以舍弃的依恋。

　　将生活情景融于写景状物中。作者始终用第一人称的写法，以"我"作为中心展开文章，将白桦树的四时之景融于"我"的日常生活中，这样更增加了写景状物文章的生活气息，使读者在一个个生活场景的描写中，享受自然之趣。如春景中"我"和邻居的争执、冬景中"我"的离去与归来，都使文章富于生活情趣。

生之爱

/ 加缪

入选理由……………………………………
诸多意象的营造
诸多场景的展现
在错综复杂的表象中发掘对人生的思考

　　巴马的夜，生活缓慢地转向市场后面的喧闹的咖啡馆，安静的街道在黑暗中延伸直至透出灯光与音乐声的百叶门前。我在其中一家咖啡馆待了几乎一整夜。那是一个很矮小的厅，长方形，墙是绿色的，饰有玫瑰花环。木制天花板上缀满红色小灯泡。在这小小空间，奇迹般地安顿着一个乐队，一个放置着五颜六色酒瓶的酒吧以及拥挤不堪、肩膀挨着肩膀的众宾客。这儿只有男人。在厅中心，有两米见方的空地。酒杯、酒瓶从那里散开，侍者把它们送到各座位。这里没有一个人有意识。所有的人都在喊叫。一位像海军军官的人对着我说些礼貌话，发散着一股酒气。在我坐的桌子旁，一位看不出年龄的侏儒向我讲述自己的生平。但是我太紧张了，以致听不清他讲些什么。乐队不停地演奏乐曲，而客人只能抓住节奏，因为所有的人都和着节奏踏脚。偶尔，门打开了。在叫喊声中，大家把一个新来者嵌在两把椅子之间。

作者简介

　　加缪（1913—1960），法国小说家、戏剧家、评论家。加缪靠奖学金读完中学，自1933年起，以半工半读的方式在阿尔及尔大学攻读哲学。同年，参加巴比塞倡导的反法西斯运动。1937年开始记者生涯。第二次世界大战期间，加缪积极参加了反对德国法西斯的地下抵抗运动，先任《共和晚报》主编，后在巴黎任《巴黎晚报》编辑部秘书。德军侵法后参加地下抗德组织，负责《战斗报》的出版工作。1957年，获得诺贝尔文学奖。1960年1月4日因车祸卒于荣纳省的维尔布勒万。

突然，响起一下钹声，一个女人在小咖啡馆中间的小圈子里猛地跳了起来。"21岁。"军官对我说。我愣住了。这是一张年轻姑娘的脸，但是刻在一堆肉上。这个女人有1.8米左右。她体形庞大，该有300磅重。她双手卡腰，身穿一件黄网眼衫，网眼把一个个白肉格子胀鼓起来。她微笑着，肌肉的波动从嘴角传向耳根。在咖啡馆里，激情变得抑止不住了。我感到这儿的人对这姑娘是熟悉的，并热爱她，对她有所期待。她总是微笑着。她总是沉静和微笑着，目光扫过周围的客人，肚子向前起伏。大厅里所有的人都喊叫起来，随后唱起一首看来众人都熟悉的歌曲。这是一首安达卢西亚歌曲，唱起来带着鼻音。打击乐器敲着沉闷的鼓点，全部是三拍的。她唱着，每一拍都在表达她全部身心的爱。在这单调而激烈的运动中，肉体真实的波浪产生于腰并将在双肩死亡。大厅像被压碎了。但在唱歌时，姑娘就地旋转起来，她双手托着乳房，张开红润的嘴加入到大厅的合唱中去，直到大厅里所有的人都卷入喧哗声中为止。

　　她稳当地立在中央，汗水漉漉，头发蓬乱，直耸着她笨重的、在黄色网眼衫中鼓胀的腰身。她像一位刚出水的邪恶女神。她的低前额显得愚蠢，她像马奔驰起来那样只是靠膝盖的轻微颤动才有了生气。在周围那些兴奋得跺脚的人们中间，她就像一个无耻的、令人激奋的生命形象，空洞的眼睛里含着绝望，肚子上汗水淋漓。

　　若没有咖啡馆和报纸，就可能难以旅行。一张印有我们语言的纸，我们在傍晚试着与别人搭话的地方，使我们能用熟悉的动作显露我们过去在自己家乡时的模样，这模样与我们有距离，使我们感到它是那样陌生。因为，造成旅行代价的是恐惧。它粉碎了我们身上的一种内在背景。不再可能弄虚作假——不再可能在办公室与工作时间后面掩盖自己（我们与这种时间的抗争如此激烈，它如此可靠地保护我们以对抗孤独的痛苦）。就这样，我总是渴求写小说，我的主人公会说："如果没有办公时间，我会变成什么样？"或者："我的妻子死了，但幸亏我有一大捆明天要寄出的邮件要写。"旅行夺走了这个避难所。远离亲人，言语不通，失去了一切救助，伪装被摘去（我们不知道有轨电车票价，而且一切都如此），我们整个地暴露在自身的表层上。但由于感觉到病态的灵魂，我们还给每个人、每个物件以自身的神奇的价值。在一块幕布后面，人们看到一个无所思索的跳舞的女人，一瓶放在桌上的酒。每一个形象都变成了一种象征。如果我们的生命此刻概括在这种形象中，那么生命似乎在形象中全部地反映出来。我们的生命对所有一切天赋于人的禀性是敏感的，怎样诉述出我们所能品味到的各种互相矛盾的醉意（直到明澈的醉意）。可能除了地中海，从没有一个国家于我是那样遥远，同时又是那样亲近。

无疑，我在巴马咖啡馆的激情由此而来。但到了中午则相反。在人迹稀少的教堂附近，坐落在清凉院落的古老宫殿中，有阴影气氛下的大街上，则是某种"缓慢"的念头冲击着我。这些街上没有一个人。在观景楼上，有一些迟钝的老妇人。沿着房屋向前，我在长满绿色植物和竖着灰色圆柱的院子里停下，我融化在这沉静的气氛中，正在丧失我的限定。我仅仅是自己脚步的声音，或者是我在沐浴着阳光的墙上方所看见掠影的一群鸟。我还在旧金山哥特式小修道院中度过很长时间，它那精细而绝美的柱廊以西班牙古建筑所特有的美丽的金黄色大放异彩。在院子里有月桂树、玫瑰、淡紫花牡荆，还有一口铁铸的井，井中悬挂着一只锈迹斑斑的长把金属勺，来往客人就用它取水喝。直到现在，我还偶尔回忆起当勺撞击石头井壁时发出的清脆响声。但这所修道院教给我的并不是生活的温馨。在鸽子翅膀干涩的扑打声中，突然的沉默浓缩在花园中心，而我在井边锁链的磨击声中又重温到一种新的然而又是熟悉的信息。我清醒而又微笑地面对诸种表象的独一无二的嬉戏。世界的面容在这水晶球中微笑，我似乎觉得一个动作就可能把它打碎，某种东西要迸散开来，鸽子停止飞翔，展开翅膀一只接一只地落下。唯有我的沉默与静止使得一种十分类似幻觉的东西成为可以接受的，我参与其中。金色绚丽的太阳温暖着修道院的黄色石头。一位妇女在井边汲水。一小时之后，一分钟、一秒钟之后，也可能就是现在，一切都可能崩溃。然而，奇迹接踵而来。

世界含羞、讥讽而又有节制地绵延着（就像女人之间的友谊那样温和又谨慎的某些形式），平衡继续保持着，然而染上了对自身终了的忧虑的颜色。

我对生活的全部爱就在此：一种对于可能逃避我的东西的悄然的激情，一种在火焰之下的苦味。每天，我都如同从自身中挣脱那样离开修道院，似在短暂时刻被留名于世界的绵延之中。我清楚地知道，为什么我那时会想到多利亚的阿波罗那呆滞无神的眼睛或纪奥托笔下热烈而又呆钝的人物。直至此时，我才真正懂得这样的国家所能带给我的东西。我惊叹人们能够在地中海沿岸找到生活的信念与律条，人们在此使他们的理性得到满足并为一种乐观主义和一种社会意义提供依据。因为最终，那时使我惊讶的并不是为适合于人而造就的世界——这个世界却又向人关闭。不，如果这些国家的语言同我内心深处发出回响的东西相和谐，那并不是因为它回答了我的问题，而是因为它使这些问题成为无用的。这不是能露在嘴边的宽容行为，但这宽容只能面对太阳的被粉碎的景象才能诞生。没有生活之绝望就不会有对生活的爱。

在伊比札，我每天都去沿海港的咖啡馆坐坐。5点左右，这儿的年轻人沿着两边栈桥散步。婚姻和全部生活在那里进行。人们不禁想到：存在某种面对世界开始生活的伟大。我坐了下来，一切仍在白天的阳光中摇曳，到处都是白色的教堂、白垩墙、干枯的田野和参差不齐的橄榄树。我喝着一杯淡而无味的巴旦杏仁糖浆。我注视着前面蜿蜒的山丘。群山向着大海缓和地低斜。夜晚正在变成绿色。在最高的山上，最后的海风使风磨的叶片转动起来。由于自然的奇迹，所有的人都放低了声音，以致只剩下了天空和向着天空飘去的歌声，这歌声像是从十分遥远的地方传来的。在这短暂的黄昏时分，有某种转瞬即逝的、忧伤的东西笼罩着。并不只是一个人感觉到了，而是整个民族都感觉到了。至于我，我渴望爱如同他人渴望哭一样。我似乎觉得我睡眠中的每一个小时从此都是从生命中窃来的……这就是说，是从无对象的欲望的时光中窃来的，就像在巴马的小咖啡馆里和旧金山修道院度过的激动时刻那样，我静止而紧张，没有力量反抗要把世界放在我双手中的巨大激情。

我清楚地知道，我错了，并知道有一些规定的界限。人们在这种条件下才从事创造。但是，爱是没有界限的，如果我能拥抱一切，那拥抱得笨拙又有什么关系？在热那亚有些女人，我整个早上都迷恋于她们的微笑。我再也看不见她们了。无疑，没有什么更简单的了。但是词语不会掩盖我的遗憾的火焰。我在旧金山修道院中的小井中看到鸽群的飞翔，我因此忘记了自己的干渴。我又感到干渴的时刻总会来临。

美/文/赏/析

加缪在文章中，并没有明确地表示对于某些具体事物的鲜明观点，他只是不断在给我们制造一个又一个场景，一个接一个的意象。先是"巴马"夜生活中的咖啡馆，拥挤的人群，接着是这样一个哄乱场面中出场的焦点人物，一堆肉的肥胖姑娘。这些场景，激起了"我"的激情而沉浸其中，最终只是感到"各种互相矛盾的醉意""遥远而又亲近"。"人迹稀少的教堂附近""清凉院落的古老宫殿""有阴影气氛的大街""沐浴着阳光的墙上方的一群鸟"，这些意象在喧闹之后的宁静午后，不经意地出现在"我"的视野中，作者曾经麻木的心，也随之被触动。生活中曾经有过的挚爱，曾经拥有却已经失落的梦想，再一次撞击"我渴望爱"的心灵。作者将自己朦胧的、不确定的追求，放在看似芜杂、没有规律的各种意象中，正是反映了作者对现代文明中的人格失落和精神困境的一种困惑。而题目《生之爱》和文章字里行间所流露出的感情倾向，正是作者既想融入这种现实而又渴望超越这种现实的复杂情感的体现。

与海明威相见

/ 马尔克斯

入选理由·······························

客观品评人物的态度
文笔流畅，感情真实
不失为大家之作

　　1957 年春天一个阴雨连绵的日子，他偕同妻子玛丽·海尔希漫步走过巴黎圣米歇尔大街时，我一下子便认出了他。他在街对面，正朝着卢森堡公园那个方向

作者简介

　　马尔克斯（1927—2014），哥伦比亚作家、记者和社会活动家，拉丁美洲魔幻现实主义文学的代表人物。生于马格达莱纳省阿拉卡塔卡镇。父亲是个电报报务员兼顺势疗法医生。他自小在外祖父家中长大。13 岁时，就读于教会学校。18 岁进国立波哥大大学攻读法律，中途辍学。1948 年进入报界，长期从事文学、新闻和电影工作。1972 年获拉美文学最高奖——委内瑞拉加列戈斯文学奖，1982 年获诺贝尔文学奖。

马尔克斯像

　　马尔克斯的重要作品有长篇小说《百年孤独》（1967 年）、《家长的没落》（1975 年）、《霍乱时期的爱情》（1985 年），中篇小说《枯枝败叶》（1955 年）、《恶时辰》（1961 年）、《没有人给他写信的上校》（1961 年）、《一件事先张扬的凶杀案》（1981 年），短篇小说集《蓝宝石般的眼睛》（1955 年）、《格兰德大妈的葬礼》（1962 年），电影文学剧本《绑架》（1984 年），文学谈话录《番石榴飘香》（1932 年）和报告文学集《一个海上遇难者的故事》（1970 年）、《米格尔·利廷历险记》（1986 年）等。

海明威在西班牙的一间酒吧里喝酒

走去。当时他虽然已经 59 岁，但当他出没于一个个旧书摊、隐没在巴黎大学青年学生的人流中时，竟显得那样生气勃勃，富有活力，人们哪里会想象到，他的一生只剩下最后四年时间了。

瞬间，我仿佛像以往那样，觉得自己被分割在自我的两个对立的角色之间。我不知道是否应该上前请求谒见，还是穿过林荫大道，向他表达我那谦卑的钦慕之心。但不管出于哪种原因，我都感到极为不便。我只是把两手握成杯形放在嘴边，如同丛林里的壮汉那样，站在人行道上，朝对面大声喊道："艺——术——大——师！"欧内斯特·海明威明白，在这一大群学生中不可能会有另一位大师的，于是他转过身来，举起手，亮着孩子般的噪音，用卡斯蒂利亚语对我高声叫道："再见了，朋友！"这就是我见到他的唯一时刻。

那时，我是个 28 岁的哥伦比亚记者，曾发表过一篇小说，并获过一次奖，但我当时却游荡在巴黎街头，毫无目的和方向。我的文学大师是两位各具特色的北美小说家。那时，读了他们发表的每一部作品，但我并没有将这些作品当做一般读物来读，而是作为文学想象中的两种迥然不同的，却又各自独树一帜的风格来仔细研读的。一位大师是威廉·福克纳。我从未有过眼福见到他，只能在梦里想象，他就是卡蒂埃·布莱森拍摄的著名相片上的那个衣着朴素的农夫，只见站在他身旁的是两条小狗，他那长长的衣袖连同手就搭在狗的身上。另一位大师就是从街对面向我道别的那个生命短暂的人，他留给我的深刻印象是：我生活中仿佛发生过某件事，而且这件事总是萦绕我的一生。

我不知道这话是谁说的：小说家读别人的小说只是想领会这些小说是怎样写出来的。我相信这话千真万确。我对浮现在纸页表面的那些秘诀并不满足：我们翻过书来就会发现隐于其间的缝口。我们以某种不可言喻的方法把书分解到它的实质部分，在弄清楚了作者的发条装置之奥秘后，我们再把它回复原样。但把气力花在分解福克纳的书上，则是令人沮丧的，因为他似乎没有一个写作的有机体，而是盲目穿过那圣经的宇宙，宛如一群放在满桌是水晶玻璃的店铺里的山羊。人们力图剥去他纸页表面的东西，但随即映入眼帘的便是弹簧和螺丝钉，不可能再回复原样了。相比之下，海明威的灵感要少些，激情和狂热也少些。他极其严肃，把那些螺丝钉完全暴露在外，就像装在货车上那样。也许鉴于那个原因，福克纳便成为一位与我的心灵有着许多共感的作家，而海明威则是一位与我的写作技巧最为密切相关的作家。这不仅仅是因为他的书本身，而且还有他在写作这门学问的技巧上的造诣确实令人惊叹折服。他在巴黎与乔治·曾林曾顿的历史性会见中，始终阐明了这样一点——恰好与浪漫主义的创作观相反——言简意赅对写作是颇为有益的：一个主要的困难就是如何把词句组织好：难以写下去时，重新读一读自己的作品还是颇为值得的。这样可以使自己时刻记住：写作始终是艰苦的劳动；一个人可以在任何地方写作，只要那里没有来客和电话就行了；正像人们常说的那样，新闻工作埋没作家的才华之说是不真实的，与其相反的是，只要他迅速摆脱这个职业就行了。"一旦写作变成你的主要癖好和极大的快乐"，他说，"那么只有死亡才能止住它。"最后，他对我们的教诲是，他发现，当一个人知道第二天该从什么地方接下去写时，那么他当天的工作就必须停下。我认为，我此外再没有得过任何写作方面的忠告了。这不多不少，正好是医治作家那最可怕的忧郁病的灵丹妙药：因为作家早晨起来常常面对着空空如也的一页稿纸而陷入极度的痛苦之中。

海明威的所有作品都洋溢着他那闪闪发光、但却瞬间即逝的精神。这是人们可以理解的。像他那样的内在紧张状态是严格掌握技巧而造成的，但技巧却不可能在一部长篇小说的宏大而又冒险的篇幅中经受这种紧张状态的折磨。这是他的性格特征，而他的错误则在于试图超越自己的极大限度。这就说明，为什么一切多余的东西在他身上比在别的作家身上更引人注目。如同那质量高低不一的短篇小说，他的长篇也包罗万象。与此相比，他的短篇小说的精华在于使人得出这样的印象，即作品中省去了一些东西，确切地说来，这正是使作品富于神秘优雅之感的东西。当代一位伟大作家豪尔赫·路易斯·博尔赫斯也有着与之相同的局限，不过他并不想超越这些限度。

弗郎西斯·麦康柏对狮子开的那一枪表明，作为打猎这门课也有不少学问，但这一枪也是作为对写作这门学问的一个积累总结。一篇短篇小说中，海明威描写一头利瑞尔公牛擦过斗牛士的胸部，犹如"猫转弯子"而返回头来。我十分谦恭地认为，那种观察在某种蠢举中是一个富有灵感的部分，而这种蠢举只有最庄重的作家才具备。在海明威的作品中，可以发现这种简单而又令人眼花缭乱的东西比比皆是，它揭示出这一观点：写作如同冰山，如果要想得到下面的八分之七部分的支撑，就必须打好坚实的基础。

注重技巧无疑是海明威始终未能在长篇小说领域里博得声望的原因所在，他往往以其训练有素、基础扎实的短篇小说来赢得声誉。他在谈到《丧钟为谁而鸣》时说，他对于这本书的构思没有一个预先想好的计划，而是在每天写作时都有所发明创造。他没有被迫承认：这是显而易见的。相比之下，他那瞬间即激起灵感的短篇小说则是无懈可击的。正如五月的一个下午，他在马德里一家膳宿公寓里写下的那三篇小说那样，当时一场暴风雪迫使圣伊希德罗城的节日斗牛赛取消了。正如他告诉普林普顿的那样，那三个短篇都得到权威人士的鉴定。根据我的鉴赏力，沿着这条线索看去，他的力量最为压抑的一篇就是其中最短的一篇：《雨中的猫》。

但是，即使《过河入林》看上去好像是在嘲弄自己的命运，在我看来，这部最不受青睐的小说却是最有魅力和最富于人性的。正如他自己披露的那样，这本书开始写时，是当做短篇来处理的，后来写偏了，误入了长篇小说的松树林中。要理解这样一位杰出的艺术大师这么多结构上的缝隙，确实是很难办到的。同样，看出这么多文学结构上的误差也并非轻而易举之事；而且对话又是那样矫揉造作，甚至是凭空杜撰出来的，然而这些却又出自文学史上一位杰出的巨匠的手笔。这本书 1950 年问世时，招来的批评是猛烈的，但也是不正确的。海明威感到自己受了巨大的伤害。他在哈瓦那为自己作了辩护，他拍了一份充满激情的电报，这对这样身份的作家来说，未免显得有失尊严了。这本书不仅是他的最佳之作，而且还是他最富于个人感情的作品，因为他是在一个动荡不定的秋季的早晨写完这本书的，当时他对已经逝去的那些不可弥补的岁月怀有思念之情，对生命之余的最后那几年有着令人心碎的预感。他从没有在任何一本书中把自己放在一种这样与世无争的地位。他怀有一种完美和温柔之感，并没有感觉到一种使他的作品与生活结为必不可少的感情的方式：胜利是徒劳无用的。他的主人公死得那么平静、那么自然，但却蕴育着他本人后来自杀的不祥之兆。

当一个从事创作的人活了这么长时间，一直怀有这样强烈的感情和慈爱之情，他就不会采取任何方式使自己的作品脱离现实生活。在圣米诺言尔广场的那家咖啡馆里，我花费了许许多多的时光来读书；因为在他看来，这家咖啡馆对于写作是颇为适宜的，那里似乎有一种欢乐、温暖、明净和友好的气氛。

意大利、西班牙、古巴——半个世界都留下了海明威的足迹，而这些地方他只是淡淡提及。在科希马尔这个哈瓦那附近的小村子里，在《老人与海》中孤独的渔夫居住的地方，安放着一个纪念他英雄业绩的匾，上面挂有镀了金的海明威半身像。在古巴一个庄园的住所里，他一直居住到逝世的前夕。那座房屋在树荫中仍保持着完整无缺，里面仍旧陈列着他的各类藏书，安放着他的猎物和写字台，放着故人的那双大鞋子，以及他生前从世界各地弄来的许许多多的生物小玩意，这些东西直到他逝世之前还属于他所有。现在他虽然离开了人间，但这些东西却仍然存在着，他曾经以占有它们的魔法赋予它们灵魂，而现在它们则同这颗灵魂共存。

美/文/赏/析

曾经当过新闻记者的马尔克斯的散文以其丰富灵活的表现题材、随意洒脱的文笔备受读者关注。他对人生的深刻感悟，对人文精神的独特见地，对现代人生存境遇的思考，使其散文更具有可读的思想性。用朴实而又洒脱的语言，贴切地反映普通人的生活和感情，并让人在他所营造的那种亲切氛围中有所感悟。《与海明威相见》是他比较有名的一篇散文，我们可以通过阅读，来体味马尔克斯散文的这种艺术风格。

《与海明威相见》中写了多年前，自己还是一个年轻记者时与喜爱的作家海明威不期而遇的情形，虽然时隔多年，但给读者展现的画面依然清晰如昨日，加上字里行间流露的情感，更表现了作者对于这位作家的钦慕之情。但作者对于作家海明威的喜爱，并没有妨碍他比较客观地评价海明威的创作。接下来他对于海明威文学作品的看法，是在具体的研究和深入地理解了海明威作品之后，发表的比较中肯的见解。他认为海明威的短篇小说技巧娴熟，富于神秘优雅之感，但又恰恰是注重技巧使海明威始终未能在长篇小说领域里博得声望。作者从海明威的性格出发，表示了对于这种现象的理解，却没有为1950年海明威为自己的作品《过河入林》做辩护隐讳，作者觉得这样做未免有失尊严。作者站在一定的历史高度，在客观的基础上，对于海明威的钦慕之情一直流露于字里行间。遵从自己真实的感受而又不违背客观，也许这正是有过新闻记者经历的马尔克斯的高明之处吧！